EL LIBRO COMPLETO SOBRE

PROFECÍA BÍBLICA

MARK HITCHCOCK

EDITORIAL
UNILIT

Publicado por
Editorial Unilit
Miami, Fl. 33172
Derechos reservados

Primera edición 2002

Fotografía de la cubierta:
Caballo árabe © 1999 por Superstock. Todos los derechos reservados.
Reloj © 1999 por Michael Simpson/FPG. Todos los derechos reservados.
Fuego © 1999 Vladimir Pcholkin/FPG. Todos los derechos reservados.
Globo terráqueo © 1997 PhotoDisc, Inc. Todos los derechos reservados.
Helicóptero © 1999 Corbis Images. Todos los derechos reservados.
Cara © 1996 PhotoDisc, Inc. Todos los derechos reservados.

Diseño de la cubierta por Jenny Destree

Traducido al español por: Nellyda Rivers

Producto 495131
ISBN 0-7899-0782-8
Impreso en Colombia
Printed in Colombia

A Cheryl

Que diariamente supera
mis expectativas de lo que
debe ser una esposa y madre.
¡Gracias por los mejores trece años de mi vida!
"Muchas mujeres han obrado con
nobleza, pero tú las superas a todas".
Proverbios 31:29

Contenido

PRESENTACIÓN

PRESENTACIÓN

Hace un tiempo iba manejando por la calle 15, cerca de mi casa en la ciudad de Edmond, Oklahoma, cuando ocurrió un hecho de suma importancia. El odómetro pasó a la marca de las cien mil millas (ciento sesenta mil kilómetros). Naturalmente que eso no era gran cosa para nadie (mi esposa y mis hijos no participaron de mi emoción) pero yo había estado vigilando el odómetro desde que marcó las noventa y nueve mil millas pues quería presenciar el gran paso a los cien mil porque sabía que, probablemente, ya no tenga el automóvil cuando acontezca el próximo gran cambio a las doscientas mil.

Hoy ocurre algo mucho más importante en nuestro mundo. El odómetro del universo pasó la marca de un nuevo milenio. Aunque una de cada tres personas tiene el privilegio de vivir el comienzo de un nuevo siglo, solo una de cada treinta vive para presenciar el cambio a un nuevo milenio (Bernard McGinn: *Antichrist: Two Thousand Years of Human Fascination with Evil* [El Anticristo: Dos mil años de fascinación humana con el mal], San Francisco: Harper Collins, 1994, pág. xi). Con el amanecer del nuevo milenio ha surgido un torrente de interés renovado por la profecía bíblica, los últimos tiempos y el Apocalipsis. Las imprentas están produciendo cantidades nunca vistas de libros sobre profecía bíblica que lo abarcan todo: desde los códigos ocultos de la Biblia al 666, que es la marca de la Bestia, pasando por los números de identificación personal. Usted puede hallar libros de profecía sobre casi todo, desde Arafat al sionismo, desde el Armagedón a Zhirinovsky.

Hay un hecho que pudiera ser aun más notable que este diluvio de renovado interés; y es que la mayoría de la gente ha escuchado que un día

Jesús volverá y cree que eso es cierto. Considere estos datos de una encuesta hecha en 1997 por la revista *U.S. News & World Report*:

- El 66 % de los norteamericanos, incluyendo al tercio de los que confiesan que nunca van a la iglesia, dicen que creen que un día Jesucristo regresará a la tierra. Esto representa un aumento respecto del sesenta y uno por ciento de 1994.

- Casi seis de cada diez norteamericanos creen que el mundo terminará o será destruido, y un tercio de estos piensa que pasará en los próximos años o décadas.

- El cuarenta y cuatro por ciento cree que el mundo vivirá el Apocalipsis, pero los creyentes verdaderos serán arrebatados al cielo.

- El cuarenta y nueve por ciento cree que habrá un Anticristo.

Una encuesta más reciente indica que el veinte por ciento de los norteamericanos dicen creer que la Segunda Venida ocurrirá en algún momento alrededor del 2000 (*Dallas Morning News*, 24 de octubre de 1998, pág. 24 A).

Sin embargo, aunque la mayoría de la gente cree en la Segunda Venida de Cristo, el Apocalipsis, el Anticristo y el fin del mundo, la profecía bíblica sigue siendo un enredo confuso, frustrante y hasta parece un rompecabezas de diferentes opiniones, símbolos raros, gráficos confusos y visiones extrañas. La profecía bíblica sigue envuelta en el misterio y carece de aplicación práctica para mucha gente.

¿Deseó usted entender alguna vez lo que dice la Biblia acerca de los últimos días del planeta tierra? ¿Deseó alguna vez tener un libro que le ayudara a colocar en su lugar todas las piezas del rompecabezas de manera sencilla y directa? De ser así, no es necesario que siga desesperándose. Yo escribí este libro pensando en usted. Usted bien podría decir que este libro es el texto fundamental de Profecía Bíblica, escrito únicamente para que la persona promedio entienda los elementos básicos de la profecía bíblica. El propósito expreso de *El libro completo sobre profecía bíblica* es presentar en forma directa y fácil de entender lo que la Biblia dice sobre los últimos tiempos.

Yo ruego a Dios que use este libro, a medida que usted lo lea, para darle sabiduría y entendimiento acerca de los últimos días y, lo más importante aun, acerca del regreso glorioso de Jesucristo nuestro Señor y Salvador.

PROFECÍA Y PROFETAS

El veintisiete por ciento del contenido de la Biblia puede caracterizarse como profecía y el veinte por ciento de sus libros son proféticos[1]. Estos hechos en sí hacen indispensable el conocimiento de la profecía bíblica para todo aquel que desee entender de qué trata la Biblia. No obstante, esta información presenta también un desafío abrumador. Tratar de comprender y asimilar tanto material es como atravesar un laberinto. ¿Dónde empezamos? ¿Qué es la profecía bíblica? ¿Quién o qué es un profeta?

Mucha gente entiende que la profecía bíblica trata todas las advertencias negativas, cataclísmicas y catastróficas acerca de la manera en que un día Dios destruirá todo. ¿Y los profetas? Bueno, son esa gente rara que se visten con ropa rara, se alimentan en forma extraña, predican sermones muy peculiares y hacen cosas que nadie entiende. La imagen popular del profeta es la de un sabio viejo y rudo que mira una bola de cristal.

Como este libro trata la profecía bíblica, empecemos por familiarizarnos con los hombres y mujeres que la Biblia califica como a Profetas y profetisas. Veamos quiénes son, qué dicen y cómo podemos comprobar la autoridad que tienen.

TÍTULOS DEL PROFETA

El nombre que se da a cualquier trabajo suele revelar mucho sobre la persona que lo desempeña y lo que hace. Por ejemplo, la gente me dice pastor, maestro, ministro, anciano o reverendo, y unas cuantas cosas que yo no puedo repetir aquí. Cada uno de estos títulos permite que la gente se haga una idea del trabajo que desempeño. La Biblia tiene, de igual manera, varios nombres para el oficio de profeta los que nos ayudan a entender quiénes eran y qué hacían.

Títulos en el Antiguo Testamento   Las versiones del Antiguo Testamento en idiomas occidentales usan cinco títulos principales para los que hablaban por cuenta de Dios. Cada uno de ellos señala un aspecto diferente de la descripción del cargo de profeta .

PROFETAS   Este título indica que la persona era vocero autorizado de Dios, y era el de uso más común.

VIDENTE   Esta palabra enfoca la manera en que el profeta recibía el mensaje de Dios.

VARÓN DE DIOS   Este título identificaba al profeta como alguien que conoce a Dios y recibe de Dios el encargo de una tarea específica.

SIERVO DEL SEÑOR   Esta expresión destaca la estrecha relación entre Dios y su fiel mensajero.

MENSAJERO DEL SEÑOR   Este título se enfoca en la misión y el mensaje más que en la persona. Destaca que Dios envió un profeta a dar un mensaje: la palabra de Dios.

Palabras del Antiguo Testamento   Hay tres palabras hebreas que se traducen "profeta" o "vidente" en el Antiguo Testamento. Las primeras dos se encuentran con menos frecuencia que la tercera. La primera, *roeh*. se halla solamente doce veces y la segunda, *hozé*, aparece dieciocho veces. Ambas son palabras de "revelación". Proceden de raíces que significan básicamente "ver, mirar, contemplar". Por lo tanto, el profeta o vidente es alguien que ve cosas que los demás no ven. Profeta es alguien a quien Dios revela su palabra y su voluntad en forma única y directa: habitualmente por medio de sueños o visiones.

La tercera expresión, *nabbi*, se halla 309 veces como nombre y casi 600 veces en formas verbales. Cuando investigamos esta palabra en el Antiguo Testamento, queda claro que *nabbi* se refiere básicamente a uno que habla por cuenta de otra persona, alguien que actúa o sirve como "boca" de otra persona (Éxodo 7:1). Cada vez que Dios asignaba una tarea específica a un profeta , el cometido siempre consistía en dar el mensaje de Dios. Por lo tanto, el significado básico de la palabra *nabbi,* es "hablar el mensaje de Dios", "hablar de parte de Dios", ser "portavoz de Dios" (Deuteronomio 18:18; Jeremías 1:7; Isaías 1:20). El *nabbi* era un predicador divinamente inspirado que transmitía fielmente el mensaje revelado por Dios. Cuando el profeta hablaba, Dios hablaba.

LA RELACIÓN ENTRE "PROFETA" Y "VIDENTE" [2]

NOMBRE	CONCEPTO BÁSICO	ENFOQUE	ÉNFASIS
Profeta	Portavoz	Proclamación de la revelación divina	Resultado (lo que hace)
Vidente	El que ve	Recepción de la revelación divina	Recepción (cómo sabe)

Palabras del Nuevo Testamento   La palabra principal del Nuevo Testamento para designar a un profeta o profetisa es el sustantivo griego *profetes*. El verbo griego es *profeteuo*. que significa "profetizar". Estas palabras, como sus equivalentes del Antiguo Testamento, se refieren a una persona que habla por cuenta de Dios, uno que comunica la palabra y la voluntad de Dios. El profeta del Nuevo Testamento llevaba la palabra de Dios a su prójimo.

CARACTERÍSTICAS DEL PROFETA

Ser profeta del Dios vivo era un honor alto y distinguido. Por eso hubo tantos profetas falsos en Israel. Los profetas ungían reyes, hacían milagros y predecían el futuro. Pero, al mismo tiempo, la tarea del profeta podía llevar consigo grandes peligros, dificultades y aun la muerte. El profeta era llamado para transmitir lisa y llanamente, el inflexible mensaje de Dios a un pueblo frecuentemente rebelde. Para el hombre de Dios esto solía acarrear reproches, feroz oposición, críticas implacables y hasta su ejecución. Por esta razón, cualquiera no podía ser profeta . Había dos requisitos fundamentales que, al menos, la persona debía poseer para ser un auténtico profeta de Dios.

El profeta debía tener un llamado   A diferencia de los oficios de rey y sacerdote, el oficio de profeta no se heredaba por nacer en la familia o tribu de un profeta. El hijo de un profeta no recibía automáticamente el cometido de profeta. Dios seleccionaba y llamaba individualmente a cada profeta para un trabajo específico ordenado por Dios. El llamado divino es lo que hacía que un hombre fuese un profeta verdadero, y la ausencia del llamamiento los hacía falsos. Estos son ejemplos del llamado divino de algunos profetas.

- Moisés recibió el llamado en la zarza ardiente (Éxodo 3:4).
- Isaías respondió al llamado divino recibido en una visión del Señor sentado en un trono alto y sublime, en el templo (Isaías 6:1-8).
- Jeremías fue llamado como profeta por Dios mientras todavía estaba en el vientre de su madre (Jeremías 1:5).
- Ezequiel fue llamado por Dios cuando estaba en Babilonia, junto al río Quebar (Ezequiel 1:1; 2:2-3).
- Amós recuerda su llamado en Amós 7:14-15.

El profeta debía ser valiente   Ante los rigores y responsabilidades del oficio, el profeta debía ser una clase especial de persona: Debía ser un individuo osado y valiente. Debía tener la capacidad de enfrentar la persecución y los elogios, a los seguidores y a los antagonistas. Leon Wood resume el valor necesario para el profeta:

> *Para ser profeta la persona tenía que ser muy especial. Debían poseer un carácter sobresaliente, una gran inteligencia y un alma valerosa, para cumplir los requisitos de profeta. Debían serlo por naturaleza y, una vez consagrados a Dios, se engrandecían más debido a las tareas y providencias especiales que les eran asignadas. De esta manera, llegaron a ser los grandes gigantes de Israel, los formadores de opinión pública, los líderes durante las épocas de tinieblas, personas distintas de todos los demás que los rodeaban, ya fuera en Israel o en las otras naciones de la época.[3]*

13

Veamos algunas de las tareas que Dios encargaba a sus profetas.

- La primera tarea profética para Samuel fue informar al sumo sacerdote Elí que Dios había rechazado su casa (1 Samuel 3:4-18).

- Natán tuvo que confrontar al rey David por su pecado con Betsabé (2 Samuel 12:1-2).

- Dios dio a David la elección entre tres clases de castigo por haber pecado en el censo (2 Samuel 24:10-17).

- Elías advirtió al rey Acab de una sequía y un hambre terribles (1 Reyes 17:1).

- Jonás llamó al arrepentimiento a la malvada ciudad de Nínive (Jonás 1:2; 3:1-2).

TAREAS DE LOS PROFETAS

Cuando se trata de la descripción del oficio de profeta la mayoría de las personas piensa inmediatamente en sueños y visiones espectaculares sobre un futuro apocalipsis. La imagen común del profeta es la de un predicador que anuncia el futuro. Los profetas bíblicos predijeron el futuro con el cien por ciento de exactitud y anunciaron al Mesías venidero, la aparición del Anticristo y el fin del mundo. Este aspecto del ministerio profético suele calificarse como "predictivo". El profeta era la boca y portavoz de Dios para predecir y ver anticipadamente el futuro de Israel y de otras naciones.

Este libro enfoca principalmente el aspecto predecible en la misión del profeta —las profecías bíblicas acerca de los últimos días o los tiempos postreros que aún no se cumplen. Sin embargo, importa recordar que los profetas también tuvieron un mensaje poderoso y pertinente para la gente de su época. Este aspecto del ministerio profético se designa, a veces, como "proclamación", porque el profeta comunicaba a su propia generación el mensaje de Dios.

14

El propósito general era el mismo en ambos aspectos del oficio profético. Sea que el profeta proclamara el mensaje a la gente de su época o predijera acontecimientos futuros, el objetivo era pedir que el pueblo confiara en el Señor, obedeciera la Palabra de Dios y se sometiera a su voluntad. El ministerio del profeta era, en esencia, pedir a la gente que viviera en conformidad con la ley de Dios.

También es importante entender que aun en la función de proclamación del profeta el elemento de predicción está presente en cierto grado. Cuando los profetas hablaban a sus contemporáneos de las circunstancias presentes, por lo general incluían en sus mensajes algunas advertencias y exhortaciones acerca del futuro. Casi todo profeta se presenta primariamente como anunciador. La predicción parece ser la esencia misma del oficio y ejercicio profético (Deuteronomio 18:20-22). Sin embargo, es importante que tengamos siempre presente la importante función de los profetas para sus contemporáneos.

En las Escrituras hay, por lo menos, cinco tareas, funciones o misiones específicas que los profetas desempeñaban al anunciar el mensaje de Dios a la gente de su época. Consideremos brevemente las cinco funciones de la proclamación:

Reformadores   Los profetas eran reformadores. Pedían constantemente al pueblo que obedeciera la ley de Dios. Los profetas eran predicadores éticos y morales que denunciaban todos los males morales, religiosos y sociales de su época. El profeta de Dios estaba llamado a reprender sin miedo la idolatría, la infidelidad conyugal, la opresión del pobre y necesitado, la injusticia y la corrupción moral, política y social. Los profetas pedían a la gente que se arrepintiera de sus malos caminos y viviera conforme a la Palabra de Dios.

Estadistas   Los profetas confrontaron a los reyes y, así, desempeñaron el papel de estadistas en los asuntos nacionales. Resulta interesante que Saúl y

David, los dos primeros reyes de Israel, también eran profetas. No obstante, aun en aquella época los dos papeles estaban claramente separados. El profeta Samuel reprendió a Saúl por su desobediencia (1 Samuel 15:13-23) y el profeta Natán confrontó a David po su homicidio y adulterio (2 Samuel 12:1-12).

Atalayas   Los profetas servían como vigías del pueblo. Dios estableció profetas para advertir al pueblo la apostasía religiosa y para que anunciaran sin tapujos los juicios venideros por no arrepentirse de la idolatría.

Intercesores   Los profetas servían como intercesores para el pueblo de Dios. Aunque los sacerdotes eran los intercesores primordiales, que ofrecían sacrificios en favor del pueblo, los profetas también desempeñaron ese papel, aparte de la actividad de ofrecer sacrificios y celebrar los ritos. Hay muchos ejemplos de profetas que oraron por las necesidades del pueblo.

CITA BÍBLICA	INTERCESIÓN
1 Reyes 13:6	Un varón de Dios no identificado, ora por el rey Jeroboam.
1 Reyes 17:17-24	Elías ora por el hijo de la viuda.
2 Reyes 4:18-37	Eliseo ora por el hijo de la sunamita.
Jeremías 7:16; 14:7	Jeremías ora continuamente por la misericordia de Dios hacia la nación rebelde.
Amós 7:2	Amós pide a Dios que perdone a Israel.

Consoladores y exhortadores   Los profetas consolaron y exhortaron al pueblo de Dios. A menudo se caricaturiza a los profetas como negativos anunciadores del juicio final, que pasan todo el tiempo acusando enérgicamente al pueblo por sus pecados. Como vimos, esta era una parte importante de su llamado, pero a menudo se olvida que un aspecto clave del ministerio profético que era consolar y exhortar. Primera de Corintios 14:3 dice: "...el que profetiza habla a los hombres para edificación, exhortación y consolación". Dios llamaba una y otra vez a los profetas para que recordaran al pueblo su fidelidad, amor, misericordia y compasión. Al exhortar a la gente que conformaran su vida a la ley de Dios, los profetas edificaban y consolaban al pueblo de Dios. El Señor dice al profeta en Isaías 40:1-2, "Consolaos, consolaos pueblo mío, dice vuestro Dios. Hablad al corazón de Jerusalén y decidle a voces que su lucha ha terminado, que su iniquidad ha sido quitada, que ha recibido de la mano del Señor el doble por todos sus pecados".

El libro completo sobre profecía bíblica

El profeta Nahúm, cuyo nombre significa "consuelo" o "consolación", consoló a la nación de Israel al anunciar y prever la terrible destrucción de la malvada ciudad de Nínive. Se suele decir que Nahúm es el libro que Jonás hubiera querido escribir. En este corto libro de tres capítulos, Nahúm presenta claramente el juicio y el consuelo, uno al lado del otro. Esto no es característica única de Nahúm. Aunque casi todos los profetas hablan del juicio y la ira de Dios contra el impenitente, muchos terminan su mensaje con la promesa de un futuro glorioso en el reino mesiánico. Así, pues, aun en medio del juicio, hay un bello mensaje de esperanza, consuelo y exhortación. Hobart Freeman resume como sigue la tarea del profeta:

> Los profetas reprendían osadamente el vicio, denunciaban la corrupción política, la opresión, la idolatría y la degeneración moral. Fueron predicadores de la rectitud, reformadores e instrumentos para el avivamiento de la religión espiritual y profetas de juicio o bendición futura. Fueron llamados en tiempo de crisis para instruir, reprender, advertir y consolar a Israel; sus numerosas predicciones de acontecimientos futuros tocante a Israel, las naciones y el reino mesiánico, las entretejieron con sus enseñanzas éticas y morales.[4]

TEMAS DEL PROFETA

Como usted se imagina, los mensajes que los profetas daban eran tan variados como las situaciones que encontraban, pero hay diversos temas clave en los mensajes proféticos, temas que se repiten con regularidad asombrosa en toda la historia de Israel. Estos mensajes o temas pueden clasificarse en cuatro acápites principales:

Juicio inminente Una diatriba constante de los profetas es que Dios derramará su juicio y su ira sobre los que no se arrepientan de sus malas conductas. El juicio de Dios alcanza su culminación durante la futura Tribulación o Día del Señor, de que hablaron tan a menudo los profetas.

Reforma social Los profetas pidieron repetidamente a la gente que tuvieran amor y compasión por su prójimo.

Condenación de la idolatría El pueblo de Israel adoró ídolos repetidamente. Uno de los principales temas proféticos era pedir al pueblo que desechara los dioses falsos y, con fe y dependencia, se volviera al único Dios verdadero.

La venida del Mesías y su Reino Los profetas hablaron constantemente de la venida del Mesías y del reino futuro que él traería. Este mensaje de esperanza y consuelo irradia a través de todos los profetas . La primera profecía que anuncia al libertador venidero se halla en Génesis 3:15. Hay cientos de profecías posteriores que detallan su persona y obra. Hay más de trescientas profecías que Cristo cumplió en su primera venida. A continuación, una lista de cuarenta y cinco profecías mesiánicas más significativas que se cumplieron en la primera venida de Cristo.

1. Nacido de mujer (Génesis 3:15; Gálatas 4:4).
2. Descendiente de Abraham (Génesis 12:3, 7; Mateo 1:1; Gálatas 3:16).
3. De la tribu de Judá (Génesis 49:10; Hebreos 7:14; Apocalipsis 5:5).
4. De la casa o familia de David (2 Samuel 7:12-13; Lucas 1:31-33; Romanos 1:3).
5. Nacido de una virgen (Isaías 7:14; Mateo 1:22-23).
6. Su nombre Emanuel (Isaías 7:14; Mateo 1:23).
7. Tuvo un precursor (Isaías 40:3-5; Malaquías 3:1; Mateo 3:1-3; Lucas 1:76-78).
8. Nacido en Belén (Miqueas 5:2; Mateo 2:5-6; Lucas 2:4-6).
9. La adoración de los magos y sus presentes (Salmos 72:10-11; Isaías 60:3, 6, 9; Mateo 2:11).
10. Vino de Egipto (Oseas 11:1; Mateo 2:15).
11. En el lugar de su nacimiento hubo una matanza de infantes (Jeremías 31:15; Mateo 2:16).
12. Celo por la casa de su Padre (Salmos 69:9; Juan 6:37-40).
13. Lleno del Espíritu de Dios (Isaías 11:2; Lucas 4:18-19).
14. Sanador poderoso (Isaías 35:5-6; Mateo 8:16-17).
15. Ministerio a los gentiles (Isaías 9:1-2; 42:1-3; Mateo 4:13-16; 12:17-21).
16. Habló en parábolas (Isaías 6:9-10; Mateo 13:10-15).
17. Rechazo por el pueblo judío (Salmos 69:8; Isaías 53:3; Juan 1:11; 7:5).
18. Entrada triunfal en Jerusalén cabalgando un asno (Zacarías 9:9; Mateo 21:4-5).
19. Alabado por pequeñuelos (Salmos 8:2; Mateo 21:16).
20. Era la piedra del ángulo que reprobaron (Salmos 118:22-23; Mateo 21:42).
21. No creyeron sus milagros (Isaías 53:1; Juan 12:37-38).
22. Traicionado por su amigo por treinta monedas de plata (Salmos 41:9; Zacarías 11:12-13; Mateo 26:14-16, 21-25).
23. Varón de dolores (Isaías 53:3; Mateo 26:37-38).

24. Abandonado por sus discípulos (Zacarías 13:7; Mateo 26:31, 56).
25. Golpeado y escupido (Isaías 50:6; Mateo 26:67; 27:26).
26. Uso del dinero de la traición para comprar el campo del alfarero (Zacarías 11:12-13; Mateo 27:9-10).
27. Horadaron sus manos y pies (Salmos 22:16; Zacarías 12:10; Juan 19:34, 37).
28. Crucificado entre dos ladrones (Isaías 53:12; Mateo 27:38).
29. Le dieron a beber vinagre (Salmos 69:21; Mateo 27:34).
30. Los soldados echaron suertes sobre su ropa y se la repartieron (Salmos 22:18; Lucas 23:34).
31. Rodeado y ridiculizado por los enemigos (Salmos 22:7-8; Mateo 27:39-44).
32. Tuvo sed en la cruz (Salmos 22:15; Juan 19:28).
33. Encomendó su espíritu al Padre (Salmos 31:5; Lucas 23:46).
34. Un fuerte clamor en la cruz (Salmos 22:1; Mateo 27:46).
35. Se encomendó a Dios (Salmos 31:5; Lucas 23:46).
36. Odiado sin causa (Salmos 69:4; Juan 15:25).
37. La gente meneaba la cabeza cuando lo veían en la cruz (Salmos 109:25; Mateo 27:39).
38. Calló delante de sus acusadores (Isaías 53:7; Mateo 27:12).
39. Sus huesos no fueron quebrados (Éxodo 12:46; Salmos 34:20; Juan 19:33-36).
40. Lo miraron en la muerte (Zacarías 12:10; Mateo 27:36; Juan 19:37).
41. Enterrado con el rico (Isaías 53:9; Mateo 27:57-60).
42. Se levantó de entre los muertos (Salmos 16:10; Mateo 28:2-7).
43. Fue y es sumo sacerdote más grande que Aarón (Salmos 11:4; Hebreos 5:4-6).
44. Ascendió a la gloria (Salmos 68:18; Efesios 4:8).
45. Se sentó a la diestra del Padre (Salmos 110:1; Hebreos 10:12-13).

Además de las profecías mesiánicas de la lista hay cientos de profecías mesiánicas aún sin cumplir relacionadas con el tiempo del fin y la segunda venida de Cristo. Estas profecías futuras acerca del Mesías, su segunda venida y su reino se explicarán en los capítulos siguientes.

LA PRUEBA DEL PROFETA

Los imitadores y los falsificadores siempre han asediado la Palabra y el Camino verdadero de Dios. Por esta razón el Señor determinó un claro conjunto de pruebas que la persona debe pasar para que la reconozcan como vocero auténtico de Dios. Hay cuatro pasajes principales del Antiguo Testamento que tratan el tema de los falsos profetas : (1) Deuteronomio

13:1-18; (2) Deuteronomio 18:9-22; (3) Jeremías 23:9-40; y (4) Ezequiel 12:21-14:11.

Al examinar estos cuatro pasajes, y muchos otros, la Escritura presenta por lo menos siete características del profeta verdadero. Aunque todas estas características no se hallen en cada profeta, algunos profetas las presentan todas. Sin embargo, para todo seguidor de Dios que realmente deseara saber quién era verdadero y quién era falso no había duda acerca de la autenticidad del profeta.

19

Las siete características distintivas del profeta verdadero[5]

1. El profeta verdadero nunca recurría a la adivinación, la hechicería ni la astrología (Deuteronomio 18:9-14; Miqueas 3:7; Ezequiel 12:24). La fuente del mensaje profético era Dios mismo (2 Pedro 1:20-21).

2. El profeta verdadero nunca adaptaba su mensaje para servir las ansias o deseos de la gente (Jeremías 8:11; 28:8; Ezequiel 13:10). Los profetas falsos daban un mensaje que les acarreaba popularidad y dinero. Eran los profetas al estilo de las grandes empresas ricas, como las 500 de la revista *Fortune*, los oportunistas religiosos (Miqueas 3:5-6, 11). El profeta verdadero daba el mensaje de Dios sin alteraciones e independientemente de sufrir pérdidas y vergüenzas personales y hasta daño físico.

3. El profeta verdadero mantenía su integridad y carácter personal (Isaías 28:7; Jeremías 23:11; Oseas 9:7-9; Miqueas 3:5, 11; Sofonías 3:4). Jesús dice que los profetas verdaderos y los falsos serían conocidos por sus frutos, esto es, por lo que hacen y dicen (Mateo 7:15-20).

4. El profeta verdadero estaba dispuesto a sufrir en aras de su mensaje (1 Reyes 22:27-28; Jeremías 38:4-13; Ezequiel 3:4-8).

5. El profeta verdadero anunciaba un mensaje coherente con la ley y los mensajes de otros profetas verdaderos (Jeremías 26:17-19). El mensaje nunca contradecía ni desechaba una verdad anteriormente revelada, sino que la confirmaba y se edificaba sobre ese cuerpo de verdad (Deuteronomio 13:1-3).

6. El profeta verdadero tenía el ciento por ciento del éxito cuando predecía acontecimientos futuros (Deuteronomio 18:21-22). ¡Al contrario de los "psíquicos" (espiritistas) modernos, no bastaba con tener una tasa de éxito que fuera inferior a lo absoluto! Si el

supuesto profetas no tenía el ciento por ciento de precisión, la gente tenía que sacarlo fuera de la ciudad y apedrearlo (Deuteronomio 18:20).

7. A veces el profeta verdadero veía legitimado su mensaje por la obra de uno o más milagros (ver Éxodo 5-12). Sin embargo, esta prueba no era concluyente porque los profetas falsos también hacían milagros ocasionalmente (Éxodo 7:10-12; 8:5-7; Marcos 13:22; 2 Tesalonicenses 2:9). Por tanto, Moisés señala un aspecto más de esta prueba en Deuteronomio 13:1-3:

Si se levanta en medio de ti un profeta o soñador de sueños, y te anuncia una señal o un prodigio, y la señal o el prodigio se cumple, acerca del cual él te había hablado, diciendo: "Vamos en pos de otros dioses a los cuales no has conocido y sirvámosles", no darás oído a las palabras de ese profeta o de ese soñador de sueños; porque el Señor tu Dios te está probando para ver si amas al Señor tu Dios con todo tu corazón y con toda tu alma.

La prueba verdadera era el contenido del mensaje, no los milagros. El profeta verdadero solo hablaba en el nombre del Señor y llamaba a la gente hacia Dios, no para alejarla de Dios.

TABULACIÓN DE LOS PROFETAS

La Biblia registra una cantidad de profetas y profetisas verdaderos así como diversos profetas falsos. Por cierto que la Biblia no menciona específicamente a todos los que hablaban por Dios o pretendían hablar por Dios. No obstante, lo que sigue es una tabla o lista de los que están en las páginas de la Escritura como voceros legítimos o falsos de Dios.

Profetas del Antiguo Testamento antes de la monarquía
1. Abel (Lucas 11:49-51)
2. Enoc (Judas 1:14)
3. Noé (Génesis 9:24-27)
4. Abraham (Génesis 20:7)
5. Jacob (Génesis 48-49)
6. Aarón (Éxodo 7:1)
7. Moisés (Deuteronomio 18:15; 34:10)
8. Profeta anónimo (Jueces 6:7-10)
9. Profeta anónimo que predijo la muerte de los hijos de Elí (1 Samuel 2:27-36)

10. Samuel (1 Samuel 3:20)
11. Una banda o grupo de profetas (1 Samuel 10:5-10; 19:18-20).

Profetas del Antiguo Testamento durante la monarquía (que no escribieron)

1. Natán (2 Samuel 7:2; 12:25)
2. Gad (2 Samuel 24:11)
3. Sadoc el sacerdote (2 Samuel 15:27)
4. Hemán y catorce hijos suyos (1 Crónicas 25:1-5)
5. Asaf y cuatro hijos suyos (1 Crónicas 25:1-5)
6. Jedutún y seis hijos suyos (1 Crónicas 25:1-5)
7. Ahías (1 Reyes 11:29; 14:2-8)
8. Un varón de Dios que habló contra el altar de Jeroboam (1 Reyes 13:1-10)
9. Un profeta viejo de Betel (1 Reyes 13:11-32)
10. Semaías (2 Crónicas 11:2-4; 12:5-15)
11. Ido (2 Crónicas 9:29; 12:15; 13:22)
12. Azarías (2 Crónicas 15:1-8)
13. Hanani (2 Crónicas 16:7; 19:2)
14. Jehu, hijo de Hanani (1 Reyes 16:1-12)
15. Jahaziel (2 Crónicas 20:14)
16. Eliezer (2 Crónicas 20:37)
17. Elías (1 Reyes 17-19)
18. Eliseo (1 Reyes 19:19-21)
19. Un profeta anónimo (1 Reyes 20:13-28)
20. Micaías (1 Reyes 22:8-28)
21. Zacarías (2 Crónicas 24:20-22; Lucas 11:49-51)
22. Un profeta anónimo (2 Crónicas 25:15)
23. Urías (Jeremías 26:20)
24. Obed (2 Crónicas 28:9-11)
25. El rey Saúl, que profetizó en dos ocasiones (1 Samuel 10:1-13; 19:18-24)
26. El rey David (Salmos 2; 16; 22; 110; Hechos 2:30-35)

21

Profetas escritores del Antiguo Testamento, período de la monarquía (profetas escritores)

Anteriores al exilio (siglo noveno a.C.)

1. Abdías
2. Joel

(siglo octavo a.C.)

1. Amós

2. Oseas

3. Isaías

4. Miqueas

5. Jonás

(siglo séptimo a.C.)

1. Nahúm

2. Jeremías

 22

3. Sofonías

4. Habacuc

Profetas del exilio

1. Daniel

2. Ezequiel

Profetas posexílicos

1. Hageo

2. Zacarías

3. Malaquías

Profetisas del Antiguo Testamento

1. Débora (Jueces 4:4)

2. Miriam (Éxodo 15:20)

3. Hulda (2 Reyes 22:14-17)

4. La esposa de Isaías (Isaías 8:2-3, RV 1960)

Profetas y profetisas falsos del Antiguo Testamento

1. Balaam (Números 22-24)

2. Sedequías (1 Reyes 22:11-24)

3. Hananías (Jeremías 28:1-17)

4. Semaías (Jeremías 29:24-32)

5. Acab (Jeremías 29:21)

6. Sedequías (Jeremías 29:21)

7. Noadías (Nehemías 6:14)

8. Un grupo de profetas falsos (Ezequiel 13:1-6)

9. Un grupo de profetisas falsas (Ezequiel 13:17-23)

Profetas y profetisas del Nuevo Testamento

1. Juan el Bautista (Mateo 11:9)

2. Ana (Lucas 2:36)

3. Agabo (Hechos 11:28; 21:10)

4. Judas llamado Barsabás (Hechos 15:32)

5. Silas (Hechos 15:32)

6. Las cuatro hijas de Felipe (Hechos 21:8-9)
7. Los dos testigos de los últimos días (Apocalipsis 11:4,10)
8. El apóstol Juan (Apocalipsis 22:6-18)
9. Jesucristo (Mateo 24-25; Juan 4:19, 44; 7:40; 9:17)

Profetas y profetisas falsos del Nuevo Testamento

1. Elimas (Hechos 13:6-8)
2. Jezabel (Apocalipsis 2:20)
3. Una cantidad de profetas falsos de los últimos tiempos (Mateo 24:24)
4. Los falsos profetas (Apocalipsis 13:11-18)

ENFOQUE EN EL FUTURO

Como vimos, a menudo el profeta comunicaba el mensaje de Dios para su propia época. El mensaje siempre estaba estrechamente ligado a una predicción de juicio o de bendición futura, dependiendo de como reaccionara el auditorio ante el mensaje. Ya se cumplieron muchas de estas profecías. Además, también se cumplieron los centenares de profecías mesiánicas relacionadas con la primera venida de Cristo. Este libro no tratará las profecías ya cumplidas; su enfoque serán las profecías actualmente sin cumplir, llamadas de los últimos días o de los postreros tiempos.

[1]Conforme a los cálculos de J. Barton Payne (*Encyclopedia of Bible Prophecy*, Nueva York: Harper and Row, 1973, pp. 631-682) hay 8352 versículos (de un total de 31124 de toda la Biblia) que tienen material predictivo. Esto significa que el 27% de la Biblia es profecía . En el Antiguo Testamento hallamos 6641 de un total de 23210 versículos que tienen material predictivo (28,5%) mientras 1711 de los 7914 versículos del Nuevo Testamento contienen material predictivo (21, 5%). Estos versículos tratan 737 temas proféticos diferentes.

[2]Esta tabla fue tomada de unos apuntes de clase, sin publicar, del doctor Charles Dyer, sobre el tema "Profetas anteriores al exilio y del exilio", Seminario Teológico de Dallas.

[3]Leon J. Wood, *The Prophets* of Israel, (Grand Rapids: Baker Book House, 1979), 16.

[4]Hobart E. Freeman, *An Introduction to the Old Testament Prophets* (Chicago: Moody Press, 1968), 14.

[5]Estas características son una adaptación del libro de Wood, 109-113, y del de Freeman, 102-117.

CAPÍTULO 2

DIEZ RAZONES FUNDAMENTALES DE POR QUÉ LA PROFECÍA BÍBLICA ES IMPORTANTE

No cabe duda de que a la gente le fascina el futuro. Las líneas telefónicas siempre ocupadas de los espiritistas (los "psíquicos"), la prensa amarilla, y los astrólogos hacen presa de la gente por su innato interés en el futuro. El ex presidente norteamericano Dwight Eisenhower lo dijo: "Me interesa el futuro porque ahí es donde voy a pasar el resto de mi vida". Sin embargo, ¿es este interés el único incentivo para estudiar la profecía bíblica? ¿Fue dada la profecía solo para satisfacer nuestra curiosidad tocante a las señales de los tiempos y del fin del mundo?

En este capítulo examinaremos brevemente diez razones fundamentales de por qué importa tanto entender la profecía bíblica.

LA PROFECÍA ES UNA PARTE IMPORTANTE DE LA REVELACIÓN DIVINA

Como dijimos, el veinte y siete por ciento de la Biblia es profecía, y el veinte por ciento de los libros de la Biblia son proféticos. Por ejemplo, libros grandes como Isaías, Ezequiel, Daniel, Zacarías y Apocalipsis, son casi totalmente proféticos en su contenido. Estos hechos solos exigen el estudio serio de este aspecto de la revelación de Dios.

Consideremos la importancia de este hecho desde otras perspectivas: ¿quién estudiaría historia patria ignorando el veinte y siete por ciento del material? ¿Quién osaría calificarse de médico si no entendiera el veinte y siete por ciento de las funciones del cuerpo? De manera similar, si nos calificamos de seguidores de Jesucristo, resulta crucial que entendamos, al menos, las bases de la profecía bíblica.

DIOS PROMETE UNA BENDICIÓN ESPECIAL A LOS QUE ESTUDIEN Y PRESTEN ATENCIÓN A LA PROFECÍA

El Apocalipsis es el último libro de la Biblia y registra la consumación del programa de Dios para la humanidad y el mundo. Cuando la gente piensa en la profecía bíblica, el primer libro en que piensan –quizá sea el único– es el Apocalipsis. El Señor promete una bendición especial para los que estudien profecía bíblica: "Bienaventurado el que lee y los que oyen las palabras de la profecía y guardan las cosas que están escritas en ella, porque el tiempo está cerca" (Apocalipsis 1:3).

El Apocalipsis es el único libro de la Biblia que contiene esta promesa específica, única. Pareciera que incluir esta bendición fuera un anuncio de que muchos ignorarán y desecharán el estudio de la profecía bíblica, en especial el del libro del Apocalipsis.

En las páginas del Apocalipsis se encuentran siete de dichas bendiciones o bienaventuranzas (1:3; 14:13; 16:15; 19:9; 20:6; 22:7; 22:14). Esta bendición dada en 1:3 es la primera y la que más completa. Es una bendición que puede disfrutar todo aquel que lea estas palabras. Fíjese que esta bendición es triple:

Al que lee   No todos los fieles de la iglesia de los primeros tiempos tenían un ejemplar de las Escrituras, así que una persona las leía en voz alta a la congregación. Esta bendición se extiende actualmente a todos los que leen este grandioso clímax del programa profético de Dios.

Al que escucha   Solo con oír que se lee el libro del Apocalipsis (y otras profecías bíblicas) es una gran bendición en los tiempos de angustia como los de nuestro mundo moderno.

Al que obedece   No solo importa leer y oír profecía bíblica, sino también observarla, prestarle atención y obedecer lo que está escrito. Después de leer y oír lo que nos enseña el Apocalipsis, debiéramos prestar atención diligente y estar alerta a los acontecimientos que están por ocurrir en los últimos días.

Todo creyente en Cristo puede recibir la bendición completa de Dios sencillamente leyendo, oyendo y prestando atención a las cosas escritas en el libro del Apocalipsis y otras Escrituras que revelan la consumación de la historia humana.

JESUCRISTO ES EL SUJETO DE LA PROFECÍA

Los teólogos comentan a menudo que Jesús es el centro de la teología porque todos los grandes propósitos de Dios dependen de la persona y obra de Cristo. Lo que en general es verdadero para la teología, resulta especialmente verdadero para la escatología o profecía bíblica.

Apocalipsis 19:10 dice "el testimonio de Jesús es el espíritu de la profecía". La verdad de este versículo nace de la Escritura. Toda la profecía trata de Cristo.

La profecía bíblica comienza y termina en la persona y obra del Salvador. La primerísima profecía de la Biblia (Génesis 3:15) trata de la venida del Libertador que aplastará la cabeza de la serpiente. La antigua profecía de Enoc registrada en Judas 1:14-15 predice el juicio por el diluvio, pero también anuncia la segunda venida de Cristo. Desde el Génesis al Apocalipsis toda la Biblia está llena de profecías que, en última instancia, apuntan en una u otra forma al Salvador. En el capítulo anterior vimos cuarenta y cinco de estas profecías mesiánicas cumplidas. A continuación, otras veinticinco referencias proféticas a la persona y la obra de Jesucristo:

1. La simiente venidera de la mujer que aplastará la cabeza de la serpiente (Génesis 3:15)
2. Siloh ("No se quitará el cetro de Judá, ni el legislador de entre sus pies, hasta que venga Siloh, y a él se congregarán los pueblos" Génesis 49:10)
3. El cordero pascual (Éxodo 12:1-51; Juan 1:29; 1 Corintios 5:7).
4. La estrella de Jacob (Números 24:17)
5. El gran sumo sacerdote (Salmos 110)
6. El profeta (Deuteronomio 18:18)
7. El Rey (2 Samuel 7:11-16; Lucas 1:32-33)
8. "Admirable, Consejero, Dios fuerte, Padre eterno, Príncipe de paz" (Isaías 9:6)
9. Rey justo (Isaías 32:1)
10. "Mi siervo" (Isaías 53:2)
11. Varón de dolores (Isaías 53:3)
12. La piedra que golpea, la roca que desmenuza (Daniel 2:31-35)
13. El Hijo del Hombre (Daniel 7:13)
14. El Ungido (Daniel 9:25-26)
15. El Hijo que reinará en el mundo (Salmos 2)
16. "Mi Pastor", "compañero mío" (Zacarías 13:7)
17. El Señor del templo (Malaquías 3:1)
18. La resurrección y la vida (Juan 11:1-44)
19. El Salvador ascendido y glorificado (Apocalipsis1:9-19)
20. El Señor de la iglesia (Apocalipsis 2-3)
21. El Cordero de Dios (Apocalipsis 4-5)
22. El juez de las naciones (Apocalipsis 6:1-17)
23. El niño varón nacido milagrosamente (Apocalipsis 12-13)
24. El Rey venidero (Apocalipsis 14-19)
25. El Señor del cielo y la Tierra (Apocalipsis 20-22)

Estudiar la profecía bíblica es vital porque su esencia misma da testimonio de Jesús.

LA PROFECÍA NOS DA UNA PERSPECTIVA APROPIADA DE LA VIDA

Se cuenta que un avión se perdió cuando volaba sobre el océano en medio de un huracán. El capitán decidió que era hora de informar a los pasajeros de su situación, así que activó el intercomunicador: "Tengo dos noticias: una buena y la otra mala" comenzó, "la mala noticia es que perdimos nuestro sistema de guía y no tenemos forma de saber dónde estamos ni hacia dónde vamos. ¡La buena noticia es que lo estamos haciendo en un tiempo récord!"

La mayoría de la gente actual está como los pasajeros de ese avión. Están marcando un tiempo récord; van rápido por la vida, pero no tienen idea de dónde están, en qué dirección van o dónde van a aterrizar. De eso resulta que carecen de la perspectiva apropiada de la vida y ponen su enfoque solo en el aquí y ahora.

La profecía bíblica es importante porque nos cuenta el final de la historia. Nos dice hacia dónde vamos. Nos revela que así como nuestro mundo tiene un comienzo definido en Génesis 1:1, también tendrá su final. Este mundo no seguirá para siempre a través de infinitos ciclos históricos. La historia no es la repetición interminable de reencarnaciones, karmas, nacimiento, vida y muerte. La profecía bíblica no solo nos revela que hay un final, sino que hay un propósito y un objetivo para este mundo, la creación, la humanidad y los acontecimientos de la vida diaria. Saber esta verdad nos da sentido, perspectiva, propósito y nos ayuda a no ser cínicos ante la vida.

Si una persona creyese realmente que este mundo continuará para siempre sin objetivo ni propósito definitivos, su creencia la llevaría a la angustia y la desesperación total. Eso significaría que no hay existencia más allá de la tumba, que no hay justicia final, rendición final de cuentas, ni se atan los cabos sueltos de la historia humana.

La profecía bíblica nos dice que hay un final para todas las cosas, cuando todo el mal recibirá su paga y todo lo bueno será recompensado. Hay una consumación de la historia humana y de este mundo presente. La profecía bíblica es el vehículo que Dios ha dado para revelarnos el gran final de la historia, para poner un objetivo o límite a nuestro pensamiento sobre la vida y su significado y propósito final.

LA PROFECÍA NOS AYUDA A ENTENDER TODA LA BIBLIA

Se cuenta de un predicador del Este norteamericano que, sus feligreses comentaban que era el mejor que habían conocido en cuanto a desmenuzar la Biblia; pero el problema era que no lograba armarla de nuevo. Este cuento retrata, desdichadamente, a demasiados cristianos que leen fielmente su Biblia, pero no tienen idea de lo que están leyendo. Eso se debe a que les falta un marco general de referencias para evaluar las partes de la Escritura y colocarlas en su lugar apropiado.

Entender el programa profético de Dios para este mundo nos da el mejor marco general de referencias que se puede tener para entender la Biblia desde Génesis al Apocalipsis. Como comenta Randall Price, "Ser un estudioso de las escrituras proféticas es ser un estudioso de las Escrituras en su totalidad".[1]

La profecía revela el programa de Dios para el pueblo judío, para las naciones gentiles y para la Iglesia. La persona que no tiene un mínimo entendimiento básico de la profecía se perderá completamente en grandes porciones del Antiguo Testamento y en diversos libros del Nuevo Testamento. Además, no tiene esperanzas de usar en forma integral la Palabra de Verdad (2 Timoteo 2:15).

LA PROFECÍA PUEDE Y DEBE USARSE COMO HERRAMIENTA PARA EVANGELIZAR

Habiendo oído testimonios de cientos de personas en el curso del tiempo, me asombra cuántas empezaron a pensar en su relación con Dios como resultado de la profecía bíblica. Un día conversaba con un miembro de la iglesia durante un almuerzo. El primer libro cristiano que leyó, por la década del 70, era un libro sobre profecía bíblica. Dios usó los acontecimientos de los últimos días y la segunda venida de Cristo para que este hombre tomara conciencia de su necesidad de salvación.

La historia de ese hombre no debiera sorprendernos porque la profecía bíblica fascina aun a los incrédulos. Por eso todos tienen las mismas preguntas básicas tocante al futuro. ¿Qué le va a pasar al mundo? ¿Estos son los últimos días del mundo que conocemos? ¿Realmente va a volver Jesús? ¿Sobrevivirá la humanidad en el futuro? ¿Hay vida después de la muerte? ¿Son reales el cielo y el infierno? La Biblia responde todas estas preguntas definitivas sobre el futuro y nosotros podemos y debemos usar este conocimiento para hablar de Cristo al prójimo, cuando Dios abre la puerta de la oportunidad.

LA PROFECÍA PUEDE SERVIR PARA PROTEGER A LA GENTE AISLÁNDOLA DE LA HEREJÍA

Desde los primeros tiempos del cristianismo ha habido falsos maestros que han atacado y corrompido las doctrinas verdaderas de la iglesia. Casi todos los libros del Nuevo Testamento tienen una parte que trata de las doctrinas falsas. Los casos más notables se hallan en 2 Corintios 10-11; Filipenses 3:17-21;

2 Timoteo 3:1-17; y Tito 1:5-16. En algunos casos se dedica un libro entero casi completamente a combatir las falsas doctrinas y el estilo corrupto de vida que produce (como Gálatas, Colosenses, 1 Timoteo, 2 Pedro y Judas).

En algunos casos, la doctrina falsa trataba de los últimos días y la segunda venida de Cristo. Pablo corrige en 2 Tesalonicenses 2 una doctrina falsa que decía que el día del Señor o el período de la Tribulación ya habían pasado. Como resultado de esta doctrina falsa, Pablo también tuvo que corregir una conducta equivocada. En el capítulo 3 manda a algunas personas que vuelvan a trabajar y dejen de vivir a costillas de los demás creyentes. Evidentemente habían aplicado a su vida la falsa doctrina en cuanto al período de la Tribulación, y habían abandonado sus trabajos puesto que Cristo iba a venir muy pronto.

En 2 Pedro 3 encontramos que había aparecido un grupo de burladores que se mofaban de la idea de que Jesús regresa. Para ellos era absurda la idea que Dios interviniera espectacularmente en la historia humana para juzgar a la humanidad. Sin embargo, Pedro les recuerda el diluvio universal en el versículo 6. Dios creó al mundo y juzgará al mundo. La tardanza de Dios para enviar nuevamente a Cristo a este mundo no es demora por impotencia o indiferencia, sino una tardanza por paciencia (2 Pedro 3:9). La demora aparente del retorno de Cristo se debe a la misericordia de Dios que concede a los pecadores más tiempo para que se arrepientan.

La misma clase de errores ha continuado desde el primer siglo a la fecha. Piense en todos los falsos maestros que ganaron seguidores apelando a la profecía bíblica. Por ejemplo, William Miller, que se puso a calcular fechas obtuvo un gran número de seguidores con el anuncio de que Jesús iba a volver en 1843. Cuando Cristo no volvió, Miller postergó la fecha a 1844. Desde la época de Miller ha habido cientos de líderes que han hecho que enormes muchedumbres vendan sus pertenencias y esperen, con los piyamas puestos, a Jesús en la punta de un cerro en una fecha que ellos han fijado.

Los Testigos de Jehová suelen apelar a las profecías bíblicas del futuro para conseguir gente que los escuche. Cuando vinieron a mi casa, no hace mucho, mi esposa me dijo que su apelación inicial se refería a las condiciones futuras de la vida en la Tierra, como se predicen en la Biblia.

Los mormones tienen un punto de vista confuso y corrupto, aunque atractivo tocante a los últimos días y la vida después de la muerte, cosa que les produce muchos convertidos anualmente.

Los teonomistas, los reconstruccionistas y los que se adhieren a la teología del dominio, usan su enfoque postmilenarista de los últimos días para fomentar el activismo francamente militante acerca de la sociedad secular.

David Koresh atrajo a muchos a su extravagante variedad del movimiento adventista primordialmente por sus doctrinas de los últimos días. Sus discursos sobre el fin del mundo, Armagedón y el juicio de Dios mantenían hechizados a sus seguidores. Cuando murió estaba terminando de escribir su propio enfoque retorcido de los siete sellos de los capítulos 6 a 8 del Apocalipsis.

La Secta de la Puerta del Cielo atraía seguidores por medio de sus rarísimos puntos de vista sobre los últimos días, la vida extraterrestre y el cielo.

El enfoque apropiado de la profecía bíblica y de los últimos días protege al pueblo de Dios aislándolo de estas dañina clase de herejías.

LA PROFECÍA NOS SIRVE PARA ENTENDER EL MUNDO ACTUAL

Hay dos extremos en el estudio y la aplicación de la profecía bíblica. Uno es tratar de relacionar con las profecías bíblicas todos los acontecimientos, por más insignificantes que sean. Todo terremoto, enfermedad, desastre, querella entre las naciones se entiende como señal de los tiempos. Esta posición extremista de "exégesis de periódico" es, en el mejor de los casos, nada productiva y, en el peor, contraria a la Biblia.

El otro extremo ignora la profecía bíblica y considera que las señales de los tiempos no son pertinentes. Sin embargo, los siguientes pasajes de la Palabra de Dios nos piden claramente que observemos las señales de los tiempos y estemos alertas y vigilantes:

- *Vinieron los fariseos y los saduceos para tentarle, y le pidieron que les mostrase señal del cielo. Mas él respondiendo, les dijo: Cuando anochece decís: Buen tiempo; porque el cielo tiene arreboles. Y por la mañana: Hoy habrá tempestad, porque tiene arreboles el cielo nublado. ¡Hipócritas! que sabéis distinguir el aspecto del cielo, ¡mas las señales de los tiempos no podéis! (Mateo 16:1-3)*

- *Y de la higuera aprended la parábola: cuando su rama ya se pone tierna y echa las hojas, sabéis que el verano está cerca. Así también vosotros, cuando veáis todas estas cosas, sabed que él está cerca, a las puertas. (Mateo 24:32-33)*

- Y *habrá señales en el sol, en la luna y en las estrellas, y sobre la tierra, angustia entre las naciones, perplejas a causa del rugido del mar y de las olas, desfalleciendo los hombres por el temor y la expectación de las cosas que vendrán sobre el mundo; porque las potencias de los cielos serán sacudidas. Y entonces verán al Hijo del Hombre que viene en una nube con poder y gran gloria. Cuando estas cosas empiecen a suceder, erguíos y levantad la cabeza, porque se acerca vuestra redención. (Lucas 21:25-28)*

Enfrentemos esto: la gran mayoría de la gente no tiene la menor idea de lo que está pasando en nuestro mundo. Ni siquiera la mayoría de los dirigentes mundiales pueden entender lo que está pasando en realidad. Andan a tientas en la oscuridad tratando de captar lo que pasa en este mundo. Sin embargo, nosotros, como hijos de Dios, tenemos una luz que nos sirve para ver en la tiniebla de este mundo. Esa luz es la profecía bíblica. "Y así tenemos la palabra profética más segura, a la cual hacéis bien en prestar atención como a una lámpara que brilla en el lugar oscuro, hasta que el día despunte y el lucero de la mañana aparezca en vuestros corazones" (2 Pedro 1:19).

La profecía bíblica es la luz que nos ayuda a entender nuestro mundo y a vivir como luces en la oscuridad (Filipenses 2:15-16). La profecía no nos muestra cada ondita insignificante de nuestro mundo actual, sino que nos revela las corrientes y tendencias principales. ¿Por qué aumenta la apostasía religiosa? ¿Por qué hay tantos maestros falsos en la iglesia de hoy? ¿Por qué Israel y el Medio Oriente están en el foco del mundo? ¿Por qué las naciones principales del Imperio Romano se unen de nuevo? ¿Por qué parece que el mundo avanza hacia una economía mundial única, que una sola persona con suficiente poder puede controlar con toda facilidad? Si entendemos la profecía bíblica, las respuestas a esas preguntas se aclaran más y más.

Primero de Crónicas 12:32 dice que en la época del rey David hubo doscientos hombres célebres por su conocimiento único de la época en que vivían. "De los hijos de Isacar, expertos en discernir los tiempos, con conocimiento de lo que Israel debía hacer, sus jefes eran doscientos; y todos sus parientes estaban bajo sus órdenes". Entender lo que la Biblia revela acerca de los últimos días nos sirve para llegar a ser los "hijos de Isacar" de la época actual, que entienden los tiempos en que vivimos y conocen el mejor curso de acción para seguir en nuestra vida, nuestra familia y nuestra iglesia.

LA PROFECÍA REVELA LA SOBERANÍA DE DIOS EN EL TIEMPO Y LA HISTORIA

A fin de predecir exactamente el futuro uno debe ser omnisciente (conocer todo), omnipresente (estar presente en todas partes) y omnipotente (poseer todo el poder). El pronosticador verdadero debe saber todas las cosas, debe estar presente en todos los tiempos y lugares, y debe tener todo el poder para ver que se cumpla la predicción.

El Dios de la Biblia lanza un desafío a todo pretendido rival de su supremacía en el universo. La base del desafío radica en que solamente el Dios verdadero puede predecir exactamente el futuro. Lea lo que dice Dios tocante a su habilidad para revelar el futuro:

- *Presentad vuestra causa —dice el Señor. Exponed vuestros argumentos- dice el Rey de Jacob. Que expongan y nos declaren lo que ha de suceder. En cuanto a los hechos anteriores, declarad lo que fue, para que los consideremos y sepamos su resultado, o bien, anunciadnos lo que ha de venir. Declarad lo que ha de venir después, para que sepamos que vosotros sois dioses. Sí, haced algo bueno o malo, para que nos desalentemos y temamos a una. He aquí, vosotros nada sois, y vuestra obra es vana; abominación es el que os escoge. (Isaías 41:21-24)*

- *He aquí, las cosas anteriores se han cumplido, y yo anuncio cosas nuevas; antes que sucedan, os las anuncio. (Isaías 42:9)*

- *Así dice el Señor, el Rey de Israel, y su Redentor, el Señor de los ejércitos: "Yo soy el primero y yo soy el último, y fuera de mí no hay Dios." ¿Y quién como yo? Que lo proclame y lo declare. Sí, que en orden lo relate ante mí, desde que establecí la antigua nación. Que les anuncien las cosas venideras y lo que va a acontecer. "No tembléis ni temáis; ¿no os lo he hecho oír y lo he anunciado desde hace tiempo? Vosotros sois mis testigos. ¿Hay otro dios fuera de mí, o hay otra Roca? No conozco ninguna". (Isaías 44:6-8)*

- *Acordaos de esto, y estad confiados; ponedlo en vuestro corazón, transgresores. Acordaos de las cosas anteriores ya pasadas, porque yo soy Dios, y no hay otro; yo soy Dios, y no hay ninguno como yo, que declaro el fin desde el principio y desde la antigüedad lo que no ha sido hecho. Yo digo: "Mi propósito será establecido, y todo lo que quiero realizaré". (Isaías 46:8-10)*

- *Daniel habló, y dijo: Sea el nombre de Dios bendito por los siglos de los siglos, porque la sabiduría y el poder son de él. Él es quien cambia los tiempos y las edades; quita reyes y pone reyes; da sabiduría a los sabios, y conocimiento a los entendidos. Él es quien revela lo profundo y lo escondido; conoce lo que está en tinieblas, y la luz mora con él. (Daniel 2:20-22)*

¡La profecía bíblica demuestra más allá de toda duda que Dios es el Dios verdadero, que él solo reina sobre el tiempo y la historia! Él no solo gobierna tiempos; también controla totalmente los acontecimientos de la vida de cada persona. ¡Qué consuelo y ánimo es saber que Dios tiene el control!

LA PROFECÍA DEMUESTRA LA VERDAD DE LA PALABRA DE DIOS

Así como la profecía bíblica establece que Dios es el Dios verdadero, también demuestra que la Palabra de Dios es la Palabra verdadera. Como lo dice un proverbio chino muy antiguo, es muy difícil profetizar especialmente sobre el futuro. Por eso, la profecía bíblica es la prueba absoluta de la verdad y veracidad de la Palabra de Dios. Los cientos de profecías que se han cumplido exactamente como dice la Biblia, prueban que la Biblia es la Palabra inspirada del soberano Señor.

He aquí algunos ejemplos de profecías sorprendentes que demuestran la inspiración divina de la Biblia separándola de todo otro libro que se haya escrito:

- El rey Ciro de Persia – Isaías 44:28-45:7, llama por su nombre a este rey Ciro de Persia y describe detalladamente sus poderosas conquistas más de un siglo antes que él siquiera naciera.

- Los cuatro grandes imperios mundiales, alrededor del 530 a.C. El profeta Daniel predijo que habría cuatro grandes potencias gentiles que gobernarían sucesivamente al mundo: Babilonia, Persia, Grecia y Roma (Daniel 2:31-45; 7:1-28). Más adelante profetizó que en los últimos días, la potencia gentil definitiva de nivel mundial (Roma) sería reconstituida en una confederación de diez naciones que serán gobernadas por un solo hombre (el Anticristo). Sorprendentemente, ha habido cuatro —solamente cuatro— imperios mundiales. Por más que desde la caída del Imperio Romano los otros se han esforzado, siempre han fallado en su codicia por gobernar al mundo. La Palabra de Dios se presenta como el yunque de la verdad.

- La caída de Nínive, en algún momento entre el 650 y el 640 a.C>, Dios reveló una profecía asombrosa a un profeta llamado Nahúm. Dios le mostró a este profeta que sería destruida la gran ciudad de Nínive, capital del imperio asirio. Más aun, Dios dio una descripción detallada y exacta de la manera en que ocurriría dicha devastación.

Nínive, en estado de ebriedad, sería destruida por un ejército invasor que correría locamente por las calles (Nahúm 1:10-2:3-4). Nínive sería también inundada con agua (Nahúm 1:8), quemada con fuego (Nahúm 2:13; 3:13, 15); saqueada por sus tesoros (Nahúm 2:9) y totalmente destruida (Nahúm 3:19).

La historia registra que todas esas predicciones se cumplieron exactamente el 612 a.C., cuando los babilonios y los medos invadieron, saquearon y destruyeron totalmente esa poderosa ciudad.

- Los setenta años de cautiverio de Judá en Babilonia: el profeta Jeremías, que habló por Dios desde el 627 al 582 a.C., profetizó que el malvado pueblo de Judá sería llevado al cautiverio por los babilonios y que el cautiverio duraría setenta años, tiempo en que descansaría la tierra de Judá:

"Y haré cesar de ellos la voz de gozo y la voz de alegría, la voz del novio y la voz de la novia, el sonido de las piedras de molino y la luz de la lámpara. Toda esta tierra será desolación y horror, y estas naciones servirán al rey de Babilonia setenta años"..Jeremías (25:10-11)

Pues así dice el Señor: "Cuando se le hayan cumplido a Babilonia setenta años, yo os visitaré y cumpliré mi buena palabra de haceros volver a este lugar". (Jeremías 29:10)

- Esta profecía, dada décadas antes que ocurriera el hecho, se cumplió con toda exactitud. Nabucodonosor, rey de Babilonia, se llevó primero al cautiverio al pueblo de Israel en el 605 a.C. El rey Ciro de Persia permitió que los cautivos regresaran desde Babilonia en el 538 a.C. Dejando un margen de tiempo necesario para el retorno, para plantar y para efectuar una cosecha, la tierra descansó durante setenta años:

Y a los que habían escapado de la espada los llevó a Babilonia; y fueron siervos de él y de sus hijos hasta el dominio del reino de Persia, para que se cumpliera la palabra del Señor por boca de Jeremías, hasta que la tierra hubiera gozado de sus días de reposo.

Todos los días de su desolación reposó hasta que se cumplieron los setenta años. (2 Crónicas 36:20-21)

Estas son solamente algunas de los cientos de profecías que demuestran sin duda que la Biblia es la Palabra inspirada, infalible del Dios vivo. La historia y el cumplimiento de la profecía han probado que la Biblia es como el muro que construía un hombre, muro de un metro y veinte centímetros de ancho y un metro de alto. Cuando le preguntaron por qué había sido tan necio como para levantar un muro más ancho que alto, el hombre replicó: "lo construyo así por si viene una tormenta y revienta encima, quedará más alto que antes". Ningún libro ha capeado más temporales que la Biblia. Y después de cada tormenta, la Biblia queda más alta que antes.

Luego de ver cómo la Biblia predice el futuro con 100% de exactitud, la Biblia llega a los cielos en su calidad de baluarte de la verdad de Dios.

[1]Randall Price, *Jerusalén en las profecías: El escenario divino para el drama final* (Editorial Unilit, 1999), 59.

CAPÍTULO 3

TRES ENFOQUES CLAVE
DE LA PROFECÍA BÍBLICA

Los diferentes puntos de vista constituyen una de las razones primordiales por las cuales el cristiano común y corriente evita el estudio de la profecía bíblica. El cristiano escoge unos cuantos libros para retocar su conocimiento de los últimos tiempos, pero no pasa mucho tiempo antes que se sienta perdido, sin esperanzas, en larguísimas explicaciones con palabras raras y largas. El dilema del cristiano común y corriente me recuerda al niñito que era hijo de un predicador. Después de escuchar la predicación de su papá sobre la justificación, la santificación y todos los demás "ción", el niño quedó preparado para contestar, cuando el maestro de la escuela dominical preguntó si alguien sabía lo que era la *dejación*. El muchachito replicó inmediatamente, "¡No estoy seguro del significado, pero sé que nuestra iglesia lo cree!" Esa es la manera en que mucha gente actúa cuando se trata de la profecía bíblica. No están seguros de lo que significan las palabras grandilocuentes, pero saben que deben creerlas.

Los novicios de la profecía bíblica oyen palabras como *premilenial, posmilenial, pretribulacional, postribulacional, dispensacional* y *pacto* y ven una cantidad de tablas y diagramas de los tiempos que les alcanza de sobra para toda la vida. Abrumados con todo esto adoptan, finalmente, la postura "cualquiermilenial". En esencia creen que "cualquiera" resultará bien al final y no se preocupan más del tema.

Todos los diferentes puntos de vista, sistemas y teorías de los últimos tiempos intimidan aun a muchos pastores y maestros. La profecía bíblica sigue siendo un misterio insoluble para la gran mayoría de los cristianos profesantes. ¿De qué manera podemos tener la esperanza de entender algo y hallarle sentido a todos esos puntos de vista contradictorios? ¿Será posible reducir todo a lo básico para entender, por lo menos, los criterios o sistemas principales que acerca de los últimos tiempos sostiene la gente? La respuesta es un ¡sí! categórico. En las páginas que siguen presentamos en forma clara y fácil de entender los tres puntos de vista principales acerca de los últimos tiempos.

En sentido amplio, hay tres puntos de vista, sistemas principales o marcos de referencia evangélicos acerca de la profecía bíblica y los últimos tiempos: amilenial, premilenial y posmilenial. Como usted ve, el segmento principal de las tres palabras es *milenial* o *milenio*, lo que significa mil años. Esta palabra viene del latín *mille* (mil) y *annus* (año). El reino milenial de la Biblia es la fase del reino de Dios cuando Jesucristo gobierna y reina. Aunque la palabra misma no aparece en la Biblia, el pasaje de Apocalipsis 20:1-7 manifiesta específicamente en seis ocasiones que este reinado dura mil años.

DOS PUNTOS PRINCIPALES DE COINCIDENCIA

Como ocurre con la mayoría de los puntos de vista divergentes, hay ciertos aspectos en que estas posturas están de acuerdo. Hay dos puntos de coincidencia que son esenciales:

1. Los tres puntos de vista creen que Jesucristo es el Rey de reyes y el Señor de señores y que él gobierna o gobernará un reino glorioso.
2. Los tres puntos de vista sostienen que Jesucristo volverá un día a este mundo en forma literal, física, visible y gloriosa como Juez de toda la Tierra.

Importa mucho no pasar por alto estos dos puntos clave de coincidencia. Después de todo son parte de los elementos esenciales que nos unen como creyentes en Jesucristo, nuestro Señor venidero. Sin embargo, debemos también reconocer que hay diferencias significativas entre estos puntos de vista que afectan la manera en que los creyentes entienden casi todos los acontecimientos clave de los últimos días. Cada uno de los sistemas presenta un cuadro muy diferente de lo que pasará antes y después que Jesús regrese a la Tierra. Esto no es solamente el estudio de una teoría poco pertinente o sin importancia. El punto de vista que usted adopte determina cómo entiende usted los personajes, la cronología y la consumación de los últimos tiempos. ¿Habrá un reino literal sobre la Tierra? ¿Habrá un período literal de siete años de tribulación antes de la venida de Cristo? ¿Habrá un individuo llamado el Anticristo? ¿Logrará la iglesia evangelizar el mundo antes que Cristo vuelva?

TRES PUNTOS PRINCIPALES DE DISCREPANCIA

Aunque hay muchas diferencias entre los tres puntos de vista acerca de los últimos tiempos, los puntos principales de discrepancia giran en torno a tres temas clave: (1) *cuándo* reinará Jesús (el tiempo, las fechas, de su reinado); (2) *cómo* reinará Jesús (la naturaleza de su reinado); y, (3) *dónde* reinará Jesús (el lugar de su reino). Aunque existen ciertas variantes aun dentro de los tres sistemas, presentaremos solamente el marco general de referencia de estos puntos de vista.

El punto de vista amilenial   La postura amilenial es la que predomina en la iglesia moderna. La iglesia católica romana, la griega y una gran parte del protestantismo se adhieren a esta postura. Su origen suele atribuirse a San Agustín (354-430 d.C.) y también fue el punto de vista de reformadores como Juan Calvino y Martín Lutero.

El prefijo a que antecede a *milenio* denota la negación de la palabra lo que significa literalmente "no milenio". Sin embargo, esto no es exactamente verdadero, porque el amilenialismo cree en un reinado milenial de Cristo, solo que no es un reino literal.

¿CUÁNDO REINARÁ JESÚS? Los amilenialistas creen que el reinado de Cristo ocurre en la era presente entre su primera y segunda venidas. Por tanto, el milenio no es un período literal de mil años, sino un "largo período de tiempo" simbólico. Los amilenialistas enseñan que Satanás fue atado (Apocalipsis 20:1-3) en la primera venida de Cristo como resultado de la muerte y resurrección de Cristo.

¿CÓMO Y DÓNDE REINARÁ JESÚS? Los amilenialistas niegan que el reinado de Jesús será un reino físico literal en la tierra: El reino de Cristo es un reinado espiritual actual, y Cristo reina sobre la iglesia en los corazones de los creyentes y/o en el cielo sobre las almas de los redimidos. La postura amilenialista es muy simple y dinámica. Los amilenialistas creen que Cristo regresará un día a juzgar a todos e introducirá el estado eterno. Niegan un período literal de siete años de tribulación antes de la segunda venida de Cristo y un período literal de reinado de mil años después de su segunda venida.

CRONOLOGÍA DE ACONTECIMIENTOS FUTUROS SEGÚN EL SISTEMA AMILENIALISTA

- Desarrollo paralelo del bien (reino de Dios) y el mal (reino de Satanás) durante la era presente.
- La segunda venida de Cristo
- La resurrección general de todo el mundo
- El juicio general de todo el mundo
- Eternidad

LA LÍNEA AMILENIALISTA DEL TIEMPO

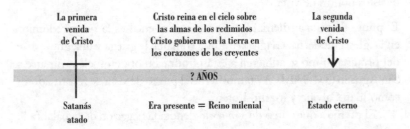

El punto de vista premilenial El premilenialismo era el criterio de la iglesia de los primeros tiempos. Era el criterio sostenido por padres de la iglesia de los primeros tiempos como Papías, Tertuliano, Clemente de Roma, Bernabé, Ignacio, Policarpo y Justino Mártir. Después del siglo tres d.C., este punto de vista empezó a desaparecer y el amilenialismo lo reemplazó como el punto de vista predominante. El premilenialismo empezó a regresar a mediados del siglo diecinueve y, en la actualidad, es una manera muy popularizada de entender los últimos días. Algunos premilenialistas modernos son Charles Ryrie, John Walvoord, J. Dwight Pentecost, James Montgomery Boyce, Hal Lindsey, John Mac Arthur Jr., y Charles Swindoll.

¿CUÁNDO REINARÁ JESÚS?   El premilenialismo enseña que la segunda venida de Jesucristo ocurrirá antes (*pre*) del reino del milenio. El regreso de Cristo a la Tierra al final de un período literal de siete años de juicios terribles, llamado la Tribulación, inaugura el reino del milenio.

¿CÓMO Y DÓNDE REINARÁ JESÚS?   Los premilenialistas sostienen que el reino del milenio será un reinado literal, físico, terrestre de mil años literales, durante el cual Jesucristo reinará y gobernará sobre la Tierra desde Su trono en Jerusalén. Según este enfoque, el reinado no será establecido por la conversión de almas durante un amplio período, sino que de súbito y con todo poder por la venida gloriosa de Cristo que desciende del cielo a la tierra. Satanás será atado por los mil años que dura el reinado de Cristo (Apocalipsis 20:1-3), la maldición de la caída será revertida, el pueblo judío será restaurado a su antiguo territorio y Cristo reinará sobre la tierra con justicia, paz y gozo.

Importa mucho fijarse que la mayoría de los premilenialistas concuerdan en que Jesús reina sobre la iglesia en esta época, como su cabeza y que, por cierto, reina en los corazones de su pueblo. Él era, es y siempre será el Soberano del universo. Sin embargo, los premilenialistas alegan que esto no debe confundirse con el reinado del milenio en que Cristo gobernará como Rey por mil años, según está descrito en Apocalipsis 20:1-6. El mandato de Cristo será literalmente cumplido en el futuro.

CRONOLOGÍA DE ACONTECIMIENTOS FUTUROS SEGÚN EL SISTEMA PREMILENIAL

- Aumento de la apostasía al acercarse el final de la era de la iglesia.
- El arrebatamiento de la Iglesia (resurrección de los santos muertos/ traslado de los santos vivos); los premilenialistas no están de pleno

acuerdo entre ellos mismos acerca del momento del arrebatamiento. Examinaremos esto en el próximo capítulo.

- Período de siete años de la tribulación en la tierra.
- La segunda venida de Cristo a la tierra.
- La guerra del Armagedón.
- El reinado de Cristo en la tierra por mil años.
- El juicio del Gran Trono Blanco.
- La creación de nuevo cielo y nueva tierra.
- Eternidad.

LA LÍNEA DEL TIEMPO PREMILENIALISTA

El punto de vista posmilenial   El posmilenialismo entró a escena mucho más tarde que sus rivales pero se hizo muy popular, llegando a ser el punto de vista principal acerca del milenio en los siglos dieciocho y diecinueve. Con todos los avances realizados en la tecnología, la ciencia y la revolución industrial, la idea de que el hombre podía instalar el reino de Dios resultaba perfectamente sensata. Sin embargo, el estallido de la Primera Guerra Mundial, seguido de cerca por la Segunda Guerra Mundial, asestó un golpe al posmilenialismo, del cual nunca se ha recuperado completamente. Los modernos reconstruccionistas, los teonomistas y los adherentes a la teología del dominio son, todos, posmilenialistas.

¿CUÁNDO REINARÁ JESÚS?   Los posmilenialistas sostienen que Jesucristo volverá a la tierra después (*pos*) del milenio. En consecuencia, el milenio es todo el período entre la primera y segunda venidas de Cristo, que regresará una vez terminado el milenio.

¿CÓMO Y DÓNDE REINARÁ JESÚS?   La naturaleza del reino de Jesús es espiritual y política para los posmilenialistas. Este enfoque enseña que el reinado del milenio no es de mil años literales, sino una edad de oro presentada por la predicación del evangelio en la iglesia durante esta era actual. Esta edad de oro llegará gradualmente a medida que el evangelio sea divulgado por toda la tierra, hasta que llegue el momento en que todo el mundo sea evangelizado. El milenio se desarrollará en la tierra a medida que los creyentes en Cristo influyan más y más en los asuntos del planeta. En definitiva, el evangelio prevalecerá y la tierra, se convertirá en un mundo mejor, después de lo cual Cristo regresará trayendo la eternidad.

El paladín mejor conocido de este enfoque en los últimos años es Loraine Boettner que resume muy bien el punto de vista posmilenial:

45

> *El posmilenialismo es el enfoque de las últimas cosas que sostiene que el reino de Dios se extiende en el mundo por medio de la predicación del evangelio y la obra salvadora del Espíritu Santo en los corazones de las personas; que llegará el momento en que el mundo será evangelizado, y que el regreso de Cristo ocurre al final de un largo período de justicia y paz, corrientemente llamado el milenio. Debe agregarse que, conforme a los principios posmilenialistas, la Segunda venida de Cristo será seguida inmediatamente por la resurrección general, el juicio general y la introducción del cielo y el infierno en su plenitud.*

> *El milenio que esperan los posmilenialistas es, de este modo, una edad de oro de la prosperidad espiritual durante la presente dispensación, esto es, la Era de la Iglesia. Esto lo producirán las fuerzas que ahora están activas en el mundo. Va a durar un período indefinidamente largo, quizá mucho más largo que mil años literales. El cambio en el carácter de las personas se reflejará en el realce de la vida social, económica, política y cultural de la humanidad. El mundo en general disfrutará, de un estado de justicia que, hasta ahora, ha sido visto únicamente en grupos relativamente pequeños y aislados; por ejemplo, algunos círculos familiares, algunos grupos locales de iglesia y organizaciones afines.*

> *Esto no significa que haya una época en esta tierra en que cada persona sea cristiana o que todo el pecado haya sido abolido, sino que llegará la hora en que el mal en todas sus múltiples formas será reducido a proporciones despreciables, que los principios cristianos serán la regla, no la excepción y que Cristo regresará a un mundo verdaderamente convertido.[1]*

CRONOLOGÍA DE ACONTECIMIENTOS
FUTUROS SEGÚN EL SISTEMA POSMILENIALISTA

- Mejoría progresiva de las condiciones en la tierra a medida que se acerca el fin, y culminación en una edad de oro en que el mundo está cristianizado
- La segunda venida de Cristo
- La resurrección general de todo el mundo
- El juicio general de todo el mundo
- La eternidad

LA LÍNEA POSMILENIALISTA DEL TIEMPO

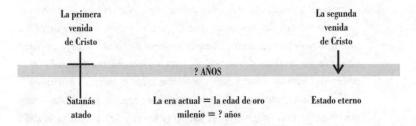

RESUMEN DE LOS TRES PUNTOS DE VISTA DEL MILENIO

Puntos de vista	¿Cuándo reinará Cristo?	¿Cómo y dónde reinará Cristo?
Amilenial	Entre la primera y segunda venida (reino presente)	Cristo reina sobre un reino espiritual en los corazones de los creyentes en la tierra y en las almas de los redimidos en el cielo (reino espiritual)
Premilenial	Inmediatamente después de la segunda venida (reino futuro)	Cristo reinará personalmente por mil años sobre un reino terrenal, físico y literal, estando atado Satanás y eliminada la maldición de la caída (reino terrenal).
Posmilenial	Entre la primera y segunda venidas, pero gradualmente (reino presente)	Cristo reina en los corazones de los creyentes a medida que la iglesia introduce el reino por el triunfo del evangelio en este mundo (reino espiritual).

¿CUÁL DE LOS PUNTOS DE VISTA ES EL MÁS CONVINCENTE?

Como puede ver, los tres sistemas son muy diferentes en los cuadros que pintan acerca de los últimos tiempos. El sistema de creencias que uno sostenga es lo que determina cómo se interpretan cientos de pasajes de la Biblia. Por lo tanto, esto no es un asunto trivial.

La gran pregunta es ¿cuál es el más convincente de estos puntos de vista? ¿Cuál de los tres puntos de vista refleja más exactamente las doctrinas de la Biblia? El enfoque que yo sostengo, y que será el fundamento del resto de este libro, es el premilenial. Creo que este enfoque es muy superior a cada uno de los otros por cuatro razones principales:

Tradición de la iglesia primitiva   Como comentamos, este era el punto de vista sostenido por la iglesia en los dos primeros siglos de su historia. Aunque esto no sea concluyente, tiene un peso innegable, porque los creyentes más cercanos a la época del Nuevo Testamento deben de haber tenido un entendimiento más claro de la enseñanza de los apóstoles. Papías (alrededor del 130 d.C.) fue uno de los padres apostólicos y discípulo del apóstol Juan. Papías creía en un reino de Cristo de mil años literales, después de su regreso a la tierra. Es muy posible que Papías recibiera esta verdad directamente de Juan, el escritor del Apocalipsis.

Método correcto de interpretación   La postura premilenial es la única que interpreta coherentemente la profecía bíblica en forma literal. Las otras dos posiciones espiritualizan continuamente las profecías del Antiguo Testamento aplicándolas a la iglesia, a la cual consideran el Israel espiritual.

El método de interpretar la profecía bíblica está claramente establecido en la Escritura. Todas las profecías acerca de la primera venida de Cristo se cumplieron literalmente en la persona y obra de nuestro Salvador. Entonces tiene sentido creer que las profecías de la segunda venida de Cristo también se cumplirán literalmente. Espiritualizar las profecías de los últimos días y negar el período literal de la Tribulación, el Anticristo literal, la batalla literal del Armagedón, la restauración literal del pueblo judío a su tierra de Israel y el literal reino milenial terrenal, viola el método de interpretación de la profecía bíblica ya establecido en las profecías de la primera venida de Cristo.

Cumplimientos de los pactos   El premilenialismo es el único de esos sistemas que da lugar al cumplimiento literal de los pactos de Dios con Abraham y David.

Dios le prometió, incondicional y unilateralmente, a Abraham tres cosas registradas en Génesis 12:1-3 y 15:18-19

> 1. Dios bendeciría personalmente a Abraham y todo el mundo sería bendecido a través de él.

2. Dios daría muchos descendientes a Abraham.
3. Dios daría a Abraham y a sus descendientes un territorio específico para siempre (los límites de esta tierra están en Génesis 15:18-19).

Las dos primeras partes de la promesa de Dios se han cumplido clara y literalmente. Dios dio muchos descendientes a Abraham, y Dios ha bendecido al mundo por medio de Abraham a través de las Escrituras judías y del Salvador judío. Si las dos primeras cláusulas del pacto se cumplieron literalmente, entonces resulta lógico concluir que la última (la promesa del territorio) también se cumplirá literalmente. Puesto que esta promesa nunca se ha cumplido plenamente en la historia (los Israelitas nunca han poseído la tierra con las fronteras estipuladas en Génesis 15:18-19) la promesa debe ser aún futura. La promesa del territorio hecha a Abraham encaja perfectamente con la idea del reinado de Cristo en la tierra durante mil años, en los cuales Israel ocupará toda la tierra prometida en Génesis 15:18 y Cristo reinará desde la ciudad de Jerusalén.

En 2 Samuel 7:12-16 vemos que Dios prometió al rey David que uno de sus descendientes se sentaría en su trono y reinaría en su reino para siempre. Aunque Dios no prometió que este reinado continuaría sin interrupciones, prometió que la dinastía de David mantendría el derecho a reinar y que uno de los descendientes de David reinaría para siempre. Esta promesa se aplicó específicamente a Jesús cuando nació (Lucas 1:32-33).

Los amilenialistas y los posmilenialistas alegan que este pacto se cumplió por completo en la era actual, porque Cristo está sentado en su trono celestial y reina sobre la iglesia. Por otro lado, los premilenialistas dicen que Cristo debe sentarse, literalmente, en el trono de David en la tierra y reinar sobre el reino de David, que es la nación de Israel.

El Nuevo Testamento respalda esta interpretación literal. En Hechos 1:6-7 leemos que Jesús reafirmó que el reino sería restaurado a Israel en el futuro. "Entonces los que estaban reunidos, le preguntaban, diciendo: Señor, ¿restaurarás en este tiempo el reino a Israel? Y él les dijo: No corresponde a vosotros saber los tiempos ni las sazones que el Padre puso en su sola autoridad". Jesús había prometido a sus discípulos que en su reino iban a sentarse en doce tronos a juzgar a las doce tribus de Israel (Mateo 19:28). Resulta comprensible que quisieran saber dónde estaba puesto este grandioso acontecimiento en el programa de Dios. Nótese que Jesús no corrige la declaración de los discípulos de que el reino sería restaurado a Israel.

Sencillamente Él señala que no debían preocuparse por la fecha de ese suceso. En el momento de ascender al cielo, Jesús confirmó a sus discípulos el hecho de que el reino sería restaurado a Israel. El futuro reino milenial de Cristo es el único tiempo que menciona la Escritura en que puede cumplirse plena y literalmente el pacto davídico.

La lectura más clara de Apocalipsis 20:1-6 La postura premilenial es la lectura más natural y clara de Apocalipsis 20:1-6. Esta sección es el único pasaje de la Biblia que menciona específicamente el reinado de Cristo por mil años, y sigue inmediatamente después de la segunda venida de Cristo (Apocalipsis 19:11-21). En los capítulos 19 y 20 del Apocalipsis la venida de Cristo es claramente *pre* (antes) del milenio o reino de mil años.

CONCLUSIÓN

Ahora que establecimos que el premilenialismo es el mejor sistema general para entender las profecías bíblicas, el resto de este libro se enfocará en los detalles particulares del futuro del mundo. Si alguna vez usted se ha preguntado sobre lo que le depara el futuro a usted, a las naciones de este mundo y hasta a todo el universo, entonces ¡el próximo capítulo es para usted! Asegúrese bien su cinturón de seguridad espiritual al iniciar un viaje increíble por los diez acontecimientos principales del calendario profético de Dios.

[1]Robert G. Clouse, editor, *The Meaning of the Millennium*: Four Views (Downers Grove, Ill, Intervarsity Press, 1977), 117-118.

DIEZ ACONTECIMIENTOS VITALES
DE LA PROFECÍA BÍBLICA

EL ARREBATAMIENTO DE LA IGLESIA (con sonido de trompeta) 54
  La verdad del arrebatamiento
    Comprensión (1 Tesalonicenses 13-14)
    Revelación (1 Tesalonicenses 15a)
    Regreso (1 Tesalonicenses 15b-16)
    Resurrección (1 Tesalonicenses 16b)
    Arrebatamiento (1 Tesalonicenses 17a)
    Reunión (1 Tesalonicenses 17)
    Reafirmación (1 Tesalonicenses 18)
  El tiempo del arrebatamiento
  Tres razones del arrebatamiento pretribulacional

EL TRIBUNAL DE CRISTO (el día de recompensa) 60
  Los siete juicios futuros
    El tribunal de Cristo (2 Corintios 5:10)
    Creyentes del Antiguo Testamento (Daniel 12:1-3)
    Creyentes de la Tribulación (Apocalipsis 20:4-6)
    Los judíos vivos en la segunda venida (Ezequiel 20:34-38)
    Las ovejas y las cabras (Mateo 25:31-46)
    Satanás y los ángeles caídos (Apocalipsis 20:10)
    El gran trono blanco (Apocalipsis 20:11-15)
  El tiempo del Juicio (*cuándo*)
  El lugar del juicio (*dónde*)
  Los participantes del juicio (*quiénes*)
  El propósito del juicio (*el porqué*)
  Los principios del juicio (*el cómo*)
    Los creyentes serán juzgados con justicia
    Los creyentes serán juzgados completamente
    Los creyentes serán juzgados imparcialmente
    Los creyentes serán juzgados individualmente
  Los creyentes serán juzgados misericordiosamente
    Cuadros del juicio (*el qué*)
    Edificio

En cualquier escuela secundaria, universidad o partido de fútbol de una Liga importante, el entrenador jefe y los jugadores se alinean a los costados del campo de juego. Están precisamente ahí donde se desarrolla la acción pero por estar tan cerca a menudo les falta la perspectiva general de lo que realmente pasa en el juego. Pierden la perspectiva general del desarrollo de las jugadas. Por lo tanto, cada equipo pone unos cuantos entrenadores secundarios en la tribuna de la prensa, que está situada muy por encima del campo de juego, los cuales se comunican por medio de auriculares con el entrenador jefe. Esos entrenadores de la tribuna de prensa dan a los que están a los costados de la cancha el cuadro general del partido. Ellos pueden ver las formaciones que usa el otro equipo y lo que hacen los jugadores en particular; de este modo, pueden informar al entrenador jefe acerca de lo que debe mirar en el campo.

Eso mismo rige en la vida. Sumido en la actividad de la vida cotidiana el pueblo de Dios suele perder la perspectiva general. La única perspectiva que tenemos es desde los costados o del campo mismo. Tenemos que hacernos el cuadro general para entender dónde va todo. El propósito de este capítulo es presentar el enfoque de los últimos días desde la tribuna de prensa: el cuadro general, el vistazo completo, a medida que examinemos los diez acontecimientos clave de los postreros tiempos.

EL ARREBATAMIENTO DE LA IGLESIA (con sonido de trompeta)

El próximo gran acontecimiento de la cronología profética de Dios es el arrebatamiento de la iglesia. El arrebatamiento es el acontecimiento futuro en que Jesucristo descenderá desde el cielo para resucitar los cuerpos de los creyentes muertos y transformar a los creyentes vivos y llevarlos a su gloriosa presencia en un instante y, luego, escoltarlos al cielo para que vivan con él para siempre. El arrebatamiento es la esperanza bienaventurada de la iglesia.

Cada vez que alguien menciona el arrebatamiento siempre hay alguien listo para señalar que la palabra *arrebatamiento* no está en la Biblia. Aunque eso es verdad, el concepto del arrebatamiento está presente con toda claridad. La palabra "arrebatados" que aparece en 1 Tesalonicenses 4:17 (*arpagesometha*) viene del griego que significa: arrancar, tomar o asir de repente, o trasladar de un lugar a otro. También se emplea para significar el rescate de alguien de un peligro amenazante (Hechos 23:10; Judas 1:23). Esa palabra griega traducida al latín es *rapturo* y de ahí se derivó el inglés *rapture* (rapto) para referirse a este acontecimiento futuro de ser repentinamente tomados de la tierra para reunirnos con Jesucristo en las nubes.

La verdad del arrebatamiento Hay tres pasajes principales en el Nuevo Testamento sobre el arrebatamiento :

55

- *No se turbe vuestro corazón; creéis en Dios, creed también en mí. En la casa de mi Padre hay muchas moradas; si no fuera así, os lo hubiera dicho; porque voy a preparar un lugar para vosotros. Y si me fuere y os preparo un lugar para vosotros, vendré otra vez y os tomaré conmigo; para que donde yo estoy, allí estéis también vosotros. Juan 14:1-3*

- *He aquí, os digo un misterio: no todos dormiremos, pero todos seremos transformados en un momento, en un abrir y cerrar de ojos, a la trompeta final; pues la trompeta sonará y los muertos resucitarán incorruptibles, y nosotros seremos transformados.*
  Porque es necesario que esto corruptible se vista de incorrupción, y esto mortal se vista de inmortalidad. Pero cuando esto corruptible se haya vestido de incorrupción, y esto mortal se haya vestido de inmortalidad, entonces se cumplirá la palabra que está escrita: Devorada ha sido la muerte en victoria. ¿Dónde está, oh muerte, tu victoria? ¿Dónde, oh sepulcro, tu aguijón? 1 Corintios 15:51-55

- *Pero no queremos, hermanos, que ignoréis acerca de los que duermen, para que no os entristezcáis como lo hacen los demás que no tienen esperanza. Porque si creemos que Jesús murió y resucitó, así también Dios traerá con Él a los que durmieron en Jesús. Por lo cual os decimos esto por la palabra del Señor: que nosotros los que estemos vivos y que permanezcamos hasta la venida del Señor, no precederemos a los que durmieron. Pues el Señor mismo descenderá del cielo con voz de mando, con voz de arcángel y con trompeta de Dios, y los muertos en Cristo se levantarán primero.*
  Entonces nosotros, los que estemos vivos y que permanezcamos, seremos arrebatados juntamente con ellos en las nubes al encuentro del Señor en el aire, y así estaremos con el Señor siempre. Por tanto, confortaos unos a otros con estas palabras. 1 Tesalonicenses 4:13-18

Aunque los tres textos revisten la misma importancia centraremos la atención en 1 Tesalonicenses 4:13-18. Hay siete puntos clave en este pasaje que revelan la verdad del arrebatamiento.

COMPRENSIÓN (versículos 13-14)   Desde el comienzo Pablo deja muy claro que desea que entendamos el arrebatamiento. Fíjese en estas importantes palabras: "pero no queremos, hermanos, que ignoréis". El Señor quiere que todo creyente sepa la verdad del arrebatamiento. Una vez alguien comentó que la denominación norteamericana de más rápido crecimiento es "la iglesia de los hermanos ignorantes"; pero el Señor no quiere que ignoremos la verdad del arrebatamiento.

Lo primero que el Señor quiere que comprendamos del arrebatamiento es que nuestros seres amados fallecidos, no se perderán este acontecimiento. Cuando Jesús venga, traerá consigo los espíritus perfeccionados de los creyentes que han fallecido. Esta verdad nos puede consolar y dar esperanza aliviando nuestro pesar por nuestros amados muertos. Cuando los creyentes mueren no es una despedida final; más bien es un buenas noches. Los volveremos a ver en el arrebatamiento.

LA REVELACIÓN (versículo15a)   Pablo también quiere que sepamos sin duda alguna que sus palabras vienen directamente del Señor ("… por la palabra del Señor"). Lo que Pablo anota es revelación divina. No es algo que él haya inventado.

EL RETORNO (versículo 15b-16)   En el arrebatamiento el Señor vendrá personalmente en las nubes. Regresará acompañado por tres cosas: una voz de mando, la llamada del arcángel y el toque de la trompeta de Dios.

La voz de mando es el último de los tres grandes gritos u órdenes del Salvador: (1) el grito frente al sepulcro cuando resucitó a Lázaro (Juan 11:43-44); (2) el grito desde la cruz cuando unos muertos resucitaron (Mateo 27:50-53); y, (3) el grito desde las nubes cuando los muertos son levantados en su venida (1 Tesalonicenses 4:16). Nótese que hay los muertos resucitados con cada uno de esas exclamaciones a gran voz.

LA RESURRECCIÓN (versículo 16b)   Cuando Cristo desciende del cielo lo primero que pasa es que los cuerpos de los creyentes muertos son levantados o resucitados y se reúnen con sus espíritus perfeccionados, que habrán venido con el Señor. Los cuerpos resucitados serán glorificados e incorruptibles, aptos para el reino celestial (1 Corintios 15:35-56; 2 Corintios 5:1-5; Filipenses 3:20-21).

EL TRASLADO (versículo 17a)   Cuando los muertos hayan sido levantados, los creyentes vivos serán transformados instantáneamente sin gustar la muerte física y trasladados a la presencia de Cristo que los llama. Como dice 1 Corintios 15:51, "no todos dormiremos, pero todos seremos transformados", versículo que a menudo se encuentra en el dintel de la puerta de la sala cuna en las iglesias. Así ocurrirá a millones de hijos de Dios cuando Jesús vuelva desde el cielo. Serán millones los creyentes que nunca sentirán el aguijón de la muerte; que serán tomados, arrebatados, llevados directamente a la presencia del Señor en las nubes. Este traslado tendrá lugar en un abrir de ojos (1 Corintios 15:52).

LA REUNIÓN (versículo 17)   Los muertos en Cristo y los santos vivos serán arrebatados en conjunto y se reunirán con el Señor en el aire. Qué glorioso encuentro, cuando todos los santos de esta era se junten con su amado Salvador.

LA SEGURIDAD (versículo 18)   Una aplicación práctica del arrebatamiento es el consuelo y esperanza que da a todo el pueblo de Dios cuando un ser amado o un amigo parte a estar con el Señor. Estas palabras han sido leídas en miles de funerales en el transcurso de los siglos y han consolado, dado esperanza y ánimo de parte del Señor a los corazones quebrantados y apesadumbrados.

El tiempo (fecha) del arrebatamiento   Todos los premilenaristas creen en el arrebatamiento pero hay un amplio desacuerdo en cuanto al momento o fecha de este acontecimiento en relación con el período de la Tribulación. ¿Pasará la iglesia por toda la Tribulación o por una parte antes del arrebatamiento? Para la mayoría de los creyentes esa es la gran pregunta sobre el arrebatamiento, y es el punto más debatido sobre el tema.

Hay cinco posiciones principales acerca del momento o fecha del arrebatamiento:

1. El arrebatamiento pretribulacional - el arrebatamiento ocurrirá antes que comience el período de la Tribulación.
2. El arrebatamiento miditribulacional - el arrebatamiento ocurrirá cuando haya transcurrido la mitad de la Tribulación.
3. El arrebatamiento postribulacional - el arrebatamiento ocurrirá al final de la Tribulación en el momento de la segunda venida de Cristo a la tierra.
4. El arrebatamiento parcial - los creyentes fieles y consagrados serán arrebatados antes de la Tribulación pero el remanente de los creyentes será dejado para que pasen por la purga de la Tribulación.
5. El arrebatamiento antes de la ira - el arrebatamiento ocurrirá cuando hayan transcurrido unos tres cuartos (cinco años y un trimestre) del período de la Tribulación, cuando la ira de Dios empieza a ser derramada sobre la tierra al abrir el séptimo sello (Apocalipsis 6:17).

DIVERSOS PUNTOS DE VISTA DEL TIEMPO DEL ARREBATAMIENTO

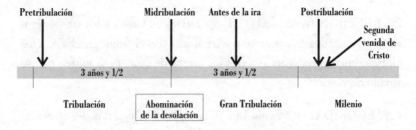

Tres razones en favor del arrebatamiento pretribulacional En lugar de señalar los puntos fuertes y débiles de cada enfoque, presentaré tres razones fundamentales porque creo que la Biblia enseña la postura del arrebatamiento pretribulacional .

Primero, la Biblia promete que el pueblo de Dios está exento de la ira venidera del período de la Tribulación (1 Tesalonicenses 1:10; 5:9; Apocalipsis 3:10). La naturaleza de todo el período de la Tribulación es de juicios que golpean a un mundo rebelde. El juicio de Dios empieza con el primer sello (Apocalipsis 6:1-2) y continúa hasta la Segunda venida. Decir que Dios limita su ira al final mismo de la Tribulación como lo sostiene la postura del arrebatamiento antes de la ira, significa pasar por alto el hecho que el Cordero abre todos los sellos de juicio (Apocalipsis 6:1-17; 8:1). Estos constituyen la ira de Dios contra la humanidad pecadora y se abren al comienzo mismo de la Tribulación. La naturaleza misma del período entero de la

Tribulación exige que la esposa de Cristo sea eximida de este período de trastornos.

El rescate de Lot y su familia desde Sodoma (Génesis 18-19) muestra claramente que destruir al recto junto con el impío va en contra del carácter de Dios cuando él derrama su juicio. El traslado de Enoc al cielo antes del diluvio (Génesis 5:24) y el relato de Noé son otros dos ejemplos de este principio.

En Apocalipsis 3:10-11 la promesa del Señor de liberar de la Tribulación es específica : "Porque has guardado la palabra de mi perseverancia, yo también te guardaré de la hora de la prueba, esa hora que está por venir sobre todo el mundo para probar a los que habitan sobre la tierra. Vengo pronto; retén firme lo que tienes, para que nadie tome tu corona". Fíjese en dos cosas importantes de esta promesa. Primero, el Señor dice que guardará a su pueblo no solo de la prueba sino de "la hora" misma de la prueba del mundo. ¿Cuál es la hora de la prueba del mundo? En el contexto del Apocalipsis claramente es el período de la Tribulación registrado en los capítulos 6 a 19. Segundo, en el versículo 11 fíjese cuál es el medio para efectuar esta protección: "Vengo pronto". Juntando estos dos puntos, queda claro que el Señor protegerá a su pueblo de la hora de la prueba del mundo y viene a buscarlos.

La segunda razón del arrebatamiento pretribulacional es que puede ocurrir en cualquier momento, desde el punto de vista de la humanidad, y los creyentes debieran anhelarlo constantemente (1 Corintios 1:7; 16:22; Filipenses 3:20; 4:5; 1 Tesalonicenses 1:9-10; Tito 2:13; Hebreos 9:28; Judas 1:21). Solamente la postura del arrebatamiento pretribulacional permite una venida de Cristo inminente y sin señales en busca de su esposa. Solamente los que creen en el arrebatamiento pretribulacional pueden decir honestamente, "¡Jesús puede venir hoy! ¡Día feliz! ¡Día feliz!" El arrebatamiento estará por lo menos a tres años y medio de distancia para los que lo ubican a mediados de la Tribulación ; a cinco años y tres meses para los que lo ubican antes de la ira; y siete años más adelante para los que lo ubican después de la Tribulación.

La venida de Cristo en cualquier momento es una verdad que nos llena de esperanza, expectativas y motivación para vivir santamente. ¡Los creyentes deben vivir con la esperanza de que Jesús venga hoy!

La tercera razón del arrebatamiento pretribulacional es que los pasajes clave del Nuevo Testamento que tratan el período de la Tribulación, no mencionan la presencia de la iglesia. La parte principal de la Biblia que describe el período de la Tribulación son los capítulos 6 al 19 del Apocalipsis y, en esa sección hay un extraño silencio tocante a la iglesia. En los capítulos 1 al 5 del Apocalipsis la iglesia se menciona específicamente diecinueve veces pero en los capítulos 6 al 19 del Apocalipsis, la iglesia de Jesucristo está ausente de la tierra. Efectivamente, el cielo es el único lugar donde usted encuentra a la iglesia en los capítulos 6 al 19 del Apocalipsis, representada por los veinticuatro ancianos que sentados en tronos, vestidos de blanco y coronados adoran al CORDERO (Apocalipsis 4:4, 10; 5:5-6, 8-14). ¿Dónde están esos ancianos? ¿En la tierra preparándose para la Tribulación? ¡No! Están en el cielo adorando al que se sienta en el trono del Cordero. Ya fueron arrebatados al cielo antes del primer juicio de la Tribulación que se habla en Apocalipsis 6:1.

La iglesia será arrebatada al cielo antes que empiece el período de la Tribulación. ¡Siga mirando para arriba!

EL TRIBUNAL DE CRISTO (el día de la recompensa)

El primer acontecimiento grandioso que ocurrirá en el cielo después del arrebatamiento de la iglesia es el juicio ante el tribunal de Cristo. Allí, ante su trono, comparecerán individualmente ante Dios todos los creyentes de la era de la iglesia –el tiempo transcurrido entre el día de Pentecostés y el arrebatamiento– para recibir sus recompensas o la pérdida de recompensas basadas en sus vidas, servicio y ministerio para y por el Señor.

Los siete juicios futuros   El juicio de los creyentes de la era de la iglesia será el primero de los siete grandes juicios futuros que habrá.

EL TRIBUNAL DE CRISTO (2 Corintios 5:10)   Los creyentes de la era de la iglesia comparecerán ante el tribunal de Cristo en el cielo después del arrebatamiento para ser recompensados o sufrir pérdida.

CREYENTES DEL ANTIGUO TESTAMENTO (Daniel 12:1-3)
Todos los creyentes de la época del Antiguo Testamento serán resucitados y recompensados después de la segunda venida.

CREYENTES DE LA TRIBULACIÓN (Apocalipsis 20:4-6)   Los que creyeron en Cristo durante la Tribulación y murieron por su fe, serán resucitados y recompensados al final de la tribulación.

LOS JUDÍOS VIVOS EN LA SEGUNDA VENIDA (Ezequiel 20:34-38) Todos los judíos que sobrevivan la tribulación serán juzgados en el desierto inmediatamente después de la segunda venida. Los salvados entrarán en el Reino y los perdidos serán eliminados.

OVEJAS Y CABRAS (Mateo 25:31-46)   Todos los gentiles que sobrevivan la tribulación serán juzgados inmediatamente después de la segunda venida cuando Cristo se siente en su trono de gloria. Los salvados entrarán al reino milenial y los perdidos serán arrojados al infierno.

SATANÁS Y LOS ÁNGELES CAÍDOS (Apocalipsis 20:10)   El juicio final de Satanás y los ángeles caídos (demonios) tendrá lugar después del reino milenial.

EL GRAN TRONO BLANCO (Apocalipsis 20:11-15)   El juicio de la gente réproba ocurrirá al final del reino milenial. Serán juzgados conforme a sus obras y arrojados al lago de fuego.

La Biblia es clara en que Dios no solamente nos juzga conforme a nuestras obras sino que también nos recompensa. Estudie los siguientes pasajes: Salmo 58:11; 62:12; Proverbios 11:18; Isaías 40:10; 62:11; Mateo 5:12; 6:1-2; 10:41-42; Lucas 6:35; 1 Corintios 3:8, 14: Efesios 6:8; Hebreos 10:35-36; 11:6, 24-26; 2 Juan 1:8: Apocalipsis 2:23; 11:18; 22:12. El juicio de los creyentes de la era de la iglesia ocurrirá en lo que la Biblia llama "el tribunal de Cristo (2 Corintios 5:10).

En esta sección examinaremos el tribunal de Cristo según siete títulos principales: el período (cuándo); el lugar (dónde); los participantes (quiénes); el propósito (por qué); los principios (cómo); los cuadros (qué) y la preparación (estar preparados).

El período del juicio (*Cuándo*)   El juicio del tribunal de Cristo ocurrirá en el cielo inmediatamente después que Cristo arrebate a la iglesia. Primera a los Corintios 4:5 sitúa este juicio inmediatamente después del arrebatamiento: "Por tanto, no juzguéis antes de tiempo, sino esperad hasta que el Señor venga, el cual sacará a la luz las cosas ocultas en las tinieblas y también pondrá de manifiesto los designios de los corazones; y entonces cada uno recibirá su alabanza de parte de Dios".

El lugar del juicio (*Dónde*)   En la época antigua el tribunal del juicio, *bema*, aludía a un estrado o plataforma elevada instalada con tres propósitos principales. Primero, el trono o sede del juicio o *bema* era un tribunal de justicia donde la gente iba a plantear sus quejas o problemas. Pablo fue llevado ante el tribunal de Galio, hecho registrado en Hechos 18:12.

Segundo, el trono de juicio era un lugar de un campamento militar donde el comandante administraba disciplina y arengaba o sermoneaba a las tropas.

Tercero, el trono de juicio era la plataforma de los juegos atléticos desde donde los jueces aplicaban las reglas (del juego) y distribuían las recompensas. Este tercer cuadro pareciera ser el trasfondo primordial del trono de juicio de Cristo en la Escritura.

El tribunal de Cristo es el lugar del cielo, después del arrebatamiento, donde Cristo recompensará a los que hayan terminado la carrera y obedecido las reglas y restará beneficios de quienes hayan sido infieles.

Los participantes en los juicios (*Quiénes*)   El tribunal de Cristo es solamente para los creyentes. Pablo dice en 2 Corintios 5:10: "Porque todos nosotros debemos comparecer ante el tribunal de Cristo, para que cada uno sea recompensado". El contexto indica claramente que se refiere a sí mismo y a otros creyentes. Los incrédulos serán juzgados por Dios en el juicio del Gran Trono blanco, que examinaremos más adelante en este capítulo. Toda persona que lea esta palabra comparecerá en uno de los dos grandes juicios. Los creyentes comparecerán ante el tribunal del juicio de Cristo para ser recompensados. Los incrédulos comparecerán ante el gran trono blanco para ser condenados (Apocalipsis 20:11-15).

El propósito del juicio (*por qué*)   Antes de establecer el propósito de este juicio, importa aclarar lo que no es. El propósito del tribunal de Cristo no es determinar si los creyentes entrarán al cielo o al infierno, o recibirán castigo por el pecado. Esto último quedó decidido cuando los creyentes pusieron su fe en Jesucristo como su Salvador del pecado. La Palabra de Dios deja claro que sus hijos nunca serán condenados por sus pecados. Juan 5:24 dice: "En verdad, en verdad os digo: el que oye mi palabra y cree al que me envió, tiene vida eterna y no vendrá a condenación, sino que ha pasado de muerte a vida". Romanos 8:1 se hace eco de este mensaje: "Por consiguiente, no hay ahora condenación para los que están en Cristo Jesús". La obra de Cristo fue incompleta si se nos pudiera culpar de un solo pecado. Nuestra salvación descansa totalmente en la persona y la obra de Cristo por nosotros.

Habiendo dicho esto, consideremos el propósito del tribunal de Cristo, que es doble: examinar y recompensar. Primero, el Señor examinará nuestra vida. Su examen será perfectamente justo, imparcial, completo y misericordioso. Él examinará nuestra conducta, esto es, cómo vivimos después que llegamos a ser creyentes. Como dice Romanos 14:10-12, "Pero tú, ¿por qué juzgas a tu hermano? O también, tú, ¿por qué menosprecias a tu hermano? Porque todos compareceremos ante el tribunal de Dios. Porque está escrito: Vivo yo —dice el Señor— que ante mí se doblará toda rodilla, y toda lengua alabará a Dios. De modo que cada uno de nosotros dará a Dios cuenta de sí mismo". Segunda a los Corintios 5:10 agrega: "Porque todos nosotros debemos comparecer ante el tribunal de Cristo, para que cada uno sea recompensado según lo que haya hecho mientras estaba en el cuerpo, sea bueno o sea malo".

Él también examinará nuestro servicio como creyentes: "la obra de cada uno se hará evidente; porque el día la dará a conocer, porque por el fuego será revelada; el fuego mismo probará la calidad de la obra de cada uno (1 Corintios 3:13).

Nuestras palabras también serán juzgadas. Tendremos que rendir cuenta de cada palabra que hayamos dicho: "Y yo os digo que de toda palabra vana que hablen los hombres, darán cuenta de ella en el día del juicio" (Mateo 12:36).

Por último, examinará nuestros pensamientos y motivos. El Señor que todo lo sabe (omnisciente) examinará por qué hicimos lo que hicimos. Este será el aspecto más escudriñador de nuestra evaluación. Los pasajes que siguen nos sirven como advertencia para mantener puros nuestros motivos:

- *Cuidad de no practicar vuestra justicia delante de los hombres para ser vistos por ellos; de otra manera no tendréis recompensa de vuestro Padre que está en los cielos. Por eso, cuando des limosna, no toques trompeta delante de ti, como hacen los hipócritas en las sinagogas y en las calles, para ser alabados por los hombres. En verdad os digo, ya han recibido su recompensa. (Mateo 6:1-2)*

- *Por tanto, no juzguéis antes de tiempo; sino esperad hasta que el Señor venga, el cual sacará a la luz las cosas ocultas en las tinieblas y también pondrá de manifiesto los designios de los corazones; y entonces cada uno recibirá su alabanza de parte de Dios. 1 Corintios 4:5*

- *Y no hay cosa creada oculta a su vista, sino que todas las cosas están al descubierto y desnudas ante los ojos de aquel a quien tenemos que dar cuenta. Hebreos 4:13*

64

En el tribunal del juicio todas nuestras conductas, servicios, palabras, pensamientos y motivos serán profundamente examinados y se mostrarán bajo su verdadera luz. Podemos engañar a la gente sobre nuestro servicio y motivos; puede que ellos piensen que estamos haciendo grandes cosas por y para Dios, pero no podemos engañar a Dios. Él sabe lo que hacemos y por qué lo hacemos, y fundamenta su recompensa en la evaluación verdadera de nuestras acciones y actitudes. Muchos de los que según nuestro parecer van a recibir grandes recompensas saldrán con las manos vacías y también ocurrirá lo contrario. Recuerde lo que dijo Jesús en Mateo 20:16: "Así, los últimos serán primeros, y los primeros, últimos".

El segundo propósito de este juicio es recompensar. Jim Elliot, el misionero mártir, dijo una vez, "No es necio el que da lo que no puede conservar para ganar lo que no puede perder". Los que han servido fielmente al Señor derramando sus vidas por él, ganarán recompensas eternas que nunca perderán.

Aunque hay muchas áreas de servicio, conducta o ministerio que tendrán recompensas, el Nuevo Testamento menciona cinco galardones o "coronas" específicas que el fiel recibirá en el tribunal. Las coronas representan el tipo de conducta y servicio que el Señor recompensará:

1. La corona incorruptible (1 Corintios 9:24-27): la recompensa de quienes practicaron la disciplina y el dominio propios en forma coherente.
2. La corona de justicia (2 Timoteo 4:8): la recompensa de quienes esperaron fervorosamente la venida del Señor llevando vidas rectas debido a este hecho.
3. La corona de vida (Santiago 1:12; Apocalipsis 2:10): la recompensa de quienes soportaron y perseveraron fielmente en las pruebas y tribulaciones de la vida.

4. La corona de gozo (1 Tesalonicenses 2:19): la recompensa de quienes ganaron personas para Cristo.
5. La corona de gloria (1 Pedro 5:1-4): La recompensa de pastores, ancianos y dirigentes de la iglesia que cuidaron y supervisaron al pueblo de Dios con amor y gracia.

A estas alturas puede que usted se pregunte, ¿qué haremos con las coronas? ¿Las llevaremos para mostrarnos por las calles de oro? ¿Las compararemos con la cantidad de coronas que otras personas hayan recibido? Nuevamente la Biblia es muy clara al respecto. Luego de recibir las recompensas en el tribunal de Cristo en el cielo, los redimidos se prosternarán frente al trono adorando al Señor y poniendo las coronas a sus pies, y cantarán alabanzas por su dignidad y honor. "...echan sus coronas delante del trono, diciendo:

"Digno eres, Señor y Dios nuestro, de recibir la gloria y el honor y el poder, porque tú creaste todas las cosas, y por tu voluntad existen y fueron creadas" (Apocalipsis 4:10-11). Los redimidos echarán sus coronas con humilde gratitud a los pies del Redentor, el Único digno de gloria, poder y honor.

Además de estas coronas, la otra recompensa principal que los fieles recibirán es responsabilidad y autoridad en el reino venidero. Esta era presente es época de educación para la era del reinado. Los creyentes ocuparán diversas posiciones de autoridad en el reino según cómo vivamos nuestra vida aquí en la tierra (ver Lucas 19:13-26).

Los principios del juicio (*Cómo*)   El siguiente tema que debemos examinar es el "cómo" del juicio del tribunal. ¿Cómo nos juzgará el Señor cuando estemos ante él ese día? La Biblia da cinco principios básicos por los cuales Cristo juzgará nuestra vida.[1]

LOS CREYENTES SERÁN JUZGADOS CON JUSTICIA.   El Señor tomará en cuenta el tiempo que llevamos salvados además de las oportunidades y las habilidades que nos haya dado. Las parábolas de los obreros de la viña (Mateo 20:1-16) enseña que quienes entren al servicio del Señor a edad avanzada pueden recibir la misma recompensa que los obreros "que trabajaron todo el día". El juez justo no cometerá errores. Él basa sus recompensas en lo que hicimos con los recursos y el tiempo a nuestra disposición.

LOS CREYENTES SERÁN JUZGADOS COMPLETAMENTE. El Señor nos examinará profundamente en el tribunal del juicio. Expondrá cada motivo, pensamiento y obra ocultos (1 Corintios 4:5). Nada escapará al ojo escrutador del Salvador (Hebreos 4:13).

LOS CREYENTES SERÁN JUZGADOS IMPARCIALMENTE. El Señor no hace acepción de personas. "porque en Dios no hay acepción de personas" (Romanos 2:11). "Porque el que procede con injusticia sufrirá las consecuencias del mal que ha cometido, y eso, sin acepción de personas" (Colosenses 3:25). La única diferencia en la norma del juicio de Dios es que los que enseñan la Palabra de Dios y dirigen al pueblo del Señor serán juzgados conforme a un grado de responsabilidad más elevado (Santiago 3:1; Hebreos 13:17).

LOS CREYENTES SERÁN JUZGADOS INDIVIDUALMENTE. Cada creyente estará solo ante el Señor. "… todos compareceremos ante el tribunal de Dios. De modo que cada uno de nosotros dará a Dios cuenta de sí mismo" (Romanos 14:10-12).

Erwin Lutzer capta algo del dramatismo de esta escena: "imagínese mirando fijo la cara de Cristo. Solos ustedes dos, ¡frente a frente! Toda su vida está presente ante usted. Como en un relámpago usted ve lo que él ve. Nada de escondites. Ninguna oportunidad de mejorar lo que hizo. Ningún abogado que lo represente. La mirada de sus ojos lo dice todo. Le guste o no es precisamente ahí donde usted y yo estaremos un día".[2]

LOS CREYENTES SERÁN JUZGADOS CON MISERICORDIA El hecho de recibir recompensa o alabanza es un testimonio de la gracia de Dios. Jesús es un juez benévolo y lleno de gracia que nos recompensará con mucho más de lo que nosotros pudiésemos imaginar jamás (Mateo 20:13-15).

Los cuadros del juicio (*qué*) El Nuevo Testamento nos da tres cuadros o retratos que describen cómo será este juicio venidero.

EDIFICIO   El primer cuadro es el de un edificio.

Conforme a la gracia de Dios que me fue dada, yo, como sabio arquitecto, puse el fundamento, y otro edifica sobre él. Pero cada uno tenga cuidado cómo edifica encima. Pues nadie puede poner otro fundamento que el que ya está puesto, el cual es Jesucristo. Ahora bien, si sobre el fundamento alguno edifica con oro, plata, piedras preciosas, madera, heno, paja, la obra de cada uno se hará evidente; porque el día la dará a conocer, pues con fuego será revelada; el fuego mismo probará la calidad de la obra de cada uno. Si permanece la obra de alguno que ha edificado sobre el fundamento, recibirá recompensa. Si la obra de alguno es consumida por el fuego, sufrirá pérdida; sin embargo, él será salvo, aunque así como por fuego. (1 Corintios 3:10-15)

Pablo se refiere en este pasaje a los dirigentes que están edificando iglesias. Habla específicamente de su propia obra y la obra de otros que edifican la iglesia de Corinto. El énfasis principal de su mensaje es que muchos líderes edifican iglesias con materiales que no valen nada y no duran. Puede que ellos atraigan seguidores, pero no hay sustancia real en su ministerio que transforme la vida. Otros edifican sus iglesias con materiales espirituales preciosos que durarán para siempre.

Aunque el argumento principal de este pasaje se relaciona con los dirigentes de la iglesia, podemos aplicar ciertamente estos principios a nuestra propia vida. Nosotros también edificamos diariamente nuestra vida y Dios nos considera responsables de la manera que levantamos nuestro edificio.

Note que Pablo distingue claramente entre el cimiento del edificio y su superestructura. El edificio es firme según sea su cimiento. El fundamento de nuestra vida es Jesucristo la Roca firme. Él es el único fundamento seguro sobre el cual podemos edificar nuestra vida (Mateo 7:24-27). Nuestra salvación descansa solamente en el cimiento. Sin embargo, nuestra recompensa descansa en la estructura que sobreedificamos en el fundamento. Hay un cimiento, pero diversas superestructuras y cada uno selecciona los materiales para construir su vida. Podemos elegir materiales de dos categorías elementales: (1) sin valor y temporales; y (2) valiosos y duraderos. Se mencionan materiales sin valor como madera, heno y paja; representan nuestras actividades y actitudes motivados por el deseo de gloria propia o por cualquier otro motivo incorrecto. Los materiales valiosos son oro, plata y piedras preciosas, que simbolizan nuestras actividades y actitudes motivadas por el Espíritu Santo cuando vivimos para la gloria de Dios.

Cuando se completa un edificio, el paso final del proceso es la inspección que efectúa el inspector municipal. El trabajo del inspector es cerciorarse de que se hayan sometido a todos los códigos, se hayan empleado todos los materiales apropiados y que el edificio haya sido construido en forma correcta. La Palabra de Dios dice que un día vendrá el inspector a revisar nuestra vida. ¿Qué clase de edificio está construyendo usted? ¿Está edificando su vida sobre el cimiento firme de Jesucristo o sobre el defectuoso de las posesiones materiales, el prestigio, el placer o el poder? ¿Está usando materiales de mala calidad o material que mantendrá su valor cuando llegue la hora de la prueba?

MAYORDOMO   El segundo cuadro es el de un administrador o mayordomo. En nuestra calidad de creyentes todo lo que tenemos es propiedad de Dios. Nosotros somos simples mayordomos, administradores o cuidadores de los dones y propiedad del Señor mientras él está lejos.

Primera a los Corintios 4:1-2 presenta este cuadro de la mayordomía: "Que todo hombre nos considere de esta manera: como servidores de Cristo y administradores de los misterios de Dios. Ahora bien, además se requiere de los administradores que cada uno sea hallado fiel".

El Señor evaluará, en el tribunal del juicio, cómo usamos el tiempo, las posesiones y los talentos que nos encargó en su gracia (ver Mateo 25:14-30). La prueba no será cuánto dinero o talentos tengamos o cuánto tiempo tuvimos para servir sino, más bien, cuán fieles fuimos con lo que nos fue encomendado. La clave del administrador es la fidelidad para con su amo. Los que hayan sido administradores fieles recibirán un día la alabanza del amo: "Bien, buen siervo y fiel" (Mateo 25:21).

ATLETA   El tercer cuadro es el de un atleta. Primera a los Corintios 9:24-27 muestra este retrato.

¿No sabéis que los que corren en el estadio, todos en verdad corren, pero solo uno obtiene el premio? Corred de tal modo que ganéis. Y todo el que compite en los juegos se abstiene de todo. Ellos lo hacen para recibir una corona corruptible, pero nosotros, una incorruptible. Por tanto, yo de esta manera corro, no como sin tener meta; de esta

*manera peleo, no como dando golpes al aire, sino que golpeo mi
cuerpo y lo hago mi esclavo, no sea que habiendo predicado a otros,
yo mismo sea descalificado.*

La idea de Pablo es muy sencilla: la misma consagración y dedicación
que hacen triunfador al atleta harán triunfador al cristiano. Si los atletas tienen la voluntad para someterse al sufrimiento y exigencias de un entrena-
miento riguroso para recibir un premio terrenal que se marchitará, ¿cuánto
más debiéramos nosotros estar dispuestos a sacrificar nuestra vida por una
recompensa incorruptible en el cielo? Imagínese lo que pasaría si nosotros,
el pueblo de Dios, usáramos en nuestra vida cristiana el tiempo, esfuerzo y
recursos que dedicamos a los deportes. La gente invierte voluntariamente
miles de dólares y horas en mejorar su volea de rebote en el tenis o su exactitud con el palo de golf. ¿Qué pasaría si tuviéramos la voluntad para dedi-
car la misma cantidad de tiempo y recursos a nuestra carrera espiritual?

Como leemos en la Biblia tenemos que llevar una vida con propósito,
dedicación, dominio propio y disciplina, esforzándonos al máximo mientras
vamos en pos del premio con toda diligencia (Filipenses 3:12-14). Hasta el
apóstol Pablo se entrenaba sabiendo que él, también, podía quedar descalificado para la recompensa si llevaba una vida indisciplinada.

Además, solamente recibiremos recompensas como atletas de Dios si
obedecemos las reglas del libro de Dios, la Biblia. Segunda a Timoteo 2:5
nos recuerda "Y también el que compite como atleta, no gana el premio si
no compite de acuerdo con las reglas".

Nunca olvidaré haber visto como Ben Johnson superó el récord de los
cien metros para varones en las Olimpíadas de 1988. Me quedé completamente asombrado. Luego de la carrera oí a un comentarista deportivo que
decía que creía que ese récord iba a durar por cien años. Pero ni siquiera
duró cien horas. A los dos días le habían quitado a Ben Johnson su medalla,
por haber transgredido las reglas del juego. Fue descalificado, su récord
fue anulado, y cayó en desgracia ante todo el mundo.

Debemos sacrificar nuestra comodidad, disciplinarnos y seguir las reglas
de Dios si queremos recibir el premio eterno de manos de nuestro Salvador.

La preparación para el juicio (estar preparados) A los estudiantes no
les lleva mucho tiempo darse cuenta que el día más importante de la tem-
porada de clases es el día de los exámenes. Todo es diferente cuando hay

exámenes. Todo el ánimo y la atmósfera cambian. Cuando usted estudiaba, ¿se dio cuenta siquiera cuan silencioso se ponía el curso y cuánta atención ponía cada uno cuando el profesor empezaba a dictar o repartir las preguntas del examen? Conocer por anticipado las preguntas era estupendo.

La Biblia nos dice que el gran día del examen de nuestra vida como hijo de Dios está por llegar. Como maestro benigno y bondadoso, Dios nos ha dado por anticipado "las preguntas del examen" en el juicio del tribunal de Cristo. Nuestro trabajo es estudiar las preguntas para estar preparados y tener una buena nota en el examen final. A continuación, una lista de algunos aspectos principales de nuestra vida que serán examinados cuando comparezcamos antes el Señor:[3]

- Cómo tratamos a los demás creyentes (Hebreos 6:10; Mateo 10:41-42)
- Cómo empleamos los talentos y habilidades dados por Dios (Mateo 25:14-20; Lucas 19:11-26; 1 Corintios 12:4; 2 Timoteo 1:6; 1 Pedro 4:10)
- Cómo usamos nuestro dinero (Mateo 6:1-4; 1 Timoteo 6:17-19)
- Cómo enfrentamos el maltrato y la injusticia (Mateo 5:11-12; Marcos 10:29-30; Lucas 6:27-28, 35; Romanos 8:18; 2 Corintios 4:17; 1 Pedro 4:12-13)
- Cómo soportamos el sufrimiento y las pruebas (Santiago 1:12; Apocalipsis 2:10)
- Cómo usamos nuestro tiempo (Salmo 90:9-12; Efesios 5:16; Colosenses 4:5; 1 Pedro 1:17)
- Cómo corrimos la carrera específica que Dios nos ha dado (1 Corintios 9:24; Filipenses 2:16; 3:13-14; Hebreos 12:1)
- Cuán efectivamente controlamos nuestros apetitos carnales (1 Corintios 9:25-27).
- A cuánta gente dimos testimonio y ganamos para Cristo (Proverbios 11:30; Daniel 12:3; 1 Tesalonicenses 2:19-20)
- Cuánto significa para nosotros la doctrina del arrebatamiento (2 Timoteo 4:8)
- Cuán fieles somos a la Palabra de Dios y con el pueblo de Dios (Hechos 20:26-28; 2 Timoteo 4:1-2; Hebreos 13:17; Santiago 3:1; 1 Pedro 5:1-2; 2 Juan 1:7-8)
- Cuán hospitalarios somos con los extraños (Mateo 25:35-36; Lucas 14:12-14)
- Cuán fieles somos en nuestra vocación o llamamiento (Colosenses 3:22-24)
- Cómo usamos nuestra lengua (Mateo 12:36; Santiago 3:1-12).

La fuerte influencia motivadora que debiera ejercer el juicio del tribunal de Cristo en nuestra vida diaria fue captada por Snell Nicholson en sus bellas palabras:

El tribunal de Cristo

Cuando comparezca ante el tribunal,
Y Cristo me muestre qué esperaba de mí;
Cómo esperaba que fuera mi vida,
Si yo hubiera hecho su voluntad;

Y yo entienda cómo lo estorbé aquí
y no rendí mi voluntad, ¡qué vida!
¿Habrá en los ojos del Salvador pesar...
pena porque me ama todavía?

Él me hubiera enriquecido y yo resistí;
Delante de su gracia, empobrecida, de todo desposeída,
Mi memoria recorre frenética mi vida,
Las sendas que no puedo volver a vivir.

Desolado mi corazón se quebrantará,
Con lágrimas que no puedo derramar;
Cubriré mi rostro con las manos vacías
Mi cabeza sin corona se abatirá.

Señor, los años que me quedan,
Los entrego en tu mano;
Tómame y quebrántame, moldéame
Según el molde que tú has preparado.
Martha Snell Nicholson

He aquí, yo vengo pronto, y mi galardón conmigo, para recompensar a cada uno según sea su obra. Apocalipsis 22:12.

LAS BODAS DEL CORDERO (una boda en el cielo)

Dios mismo es el autor de la relación matrimonial. Fue la primera institución humana que él creó. La Biblia menciona continuamente las bodas y el matrimonio para acentuar su importancia en el plan de Dios. Por lo menos se mencionan veinte bodas en la Biblia.[4]

1. Adán y Eva (Génesis 2:18-25)
2. Lamec con Ada y Zila (Génesis 4:19)
3. Isaac y Rebeca (Génesis 24:63-67)
4. Esaú con Judit y Basemat (Génesis 26:34-35)
5. Abraham y Cetura (Génesis 25:1)
6. Jacob con Lea y Raquel (Génesis 29:18-30)

7. José y Asenat (Génesis 41:45)
8. Moisés y Séfora (Éxodo 2:21)
9. Sansón y una filistea (Jueces 14:1-20)
10. Booz y Rut (Rut 4:13)
11. David y Mical (1 Samuel 18:27)
12. David y Abigail (1 Samuel 25:39)
13. David y Betsabé (2 Samuel 11:27)
14. Salomón y la hija del faraón (1 Reyes 3:1)
15. Acab y Jezabel (1 Reyes 16:31)
16. Asuero y Ester (Ester 2:17)
17. Oseas y Gomer (Oseas 1:2-3)
18. José y María (Mateo 1:24)
19. Herodes y Herodías (Mateo 14:3-4)
20. Una pareja de Caná (Juan 2:1-12)

Algunas de esas bodas agradaron a Dios, pero otras no. Sin embargo, la boda más grandiosa y más placentera de todos los tiempos está aún por ocurrir. La Biblia la llama bodas del CORDERO cuando en el cielo sea unido el Señor Jesucristo con su esposa, la iglesia. Es el próximo acontecimiento grandioso del cielo que tiene lugar después del examen y la recompensa de los santos en el juicio del tribunal de Cristo. El pasaje principal de la Biblia que describe este grato suceso es Apocalipsis 19:7-9

> *Regocijémonos y alegrémonos, y démosle a Él la gloria, porque las bodas del CORDERO han llegado y su esposa se ha preparado. Y a ella le fue concedido vestirse de lino fino, resplandeciente y limpio, porque las acciones justas de los santos son el lino fino.*
>
> *Y el ángel me dijo: Escribe: "Bienaventurados los que están invitados a la cena de las bodas del Cordero. Y me dijo: Estas son palabras verdaderas de Dios.*

La Palabra de Dios aclara que viene el día cuando, en el cielo, la iglesia, la esposa de Cristo sea unida a su Esposo. Para entender mejor las bodas del CORDERO tenemos que tomar en cuenta dos puntos principales: (1) los participantes en la boda, y (2) las fases de la boda.

Los participantes en la boda Las bodas modernas tienen varios participantes importantes: el pastor, la novia, el novio, las damas de honor de la novia, los acompañantes del novio, las familias, y los invitados. La boda del CORDERO tendrá cuatro participantes clave:

EL ANFITRIÓN DE LA BODA - EL PADRE CELESTIAL   El anfitrión divino de la boda del CORDERO es el Padre del Esposo. Él elige la Esposa. Él prepara la boda y manda las invitaciones. Como Jesús lo enseña en una parábola:

> *El reino de los cielos puede compararse a un rey que hizo un banquete de bodas para su hijo. Y envió a sus siervos a llamar a los que habían sido invitados a las bodas, pero no quisieron venir. (Mateo 22:2-3)*

EL ESPOSO - JESUCRISTO   El glorioso Esposo de esta ceremonia será Jesucristo que amó tanto a su esposa que dio su vida por ella.

> *Entonces Jesús les dijo: ¿Acaso podéis hacer que los acompañantes del novio ayunen mientras el novio está con ellos? Pero vendrán días cuando el novio les será quitado, entonces ayunarán en aquellos días. (Lucas 5:34-35)*

> *Respondió Juan y dijo: Un hombre no puede recibir nada si no le es dado del cielo. Vosotros mismos me sois testigos de que dije: "Yo no soy el Cristo, sino que he sido enviado delante de él." El que tiene la novia es el novio, pero el amigo del novio, que está allí y le oye, se alegra en gran manera con la voz del novio. Y por eso, este gozo mío se ha completado. (Juan 3:27-29)*

LA ESPOSA - LA IGLESIA   La esposa bella e inmaculada es la iglesia de Jesucristo, que ha sido hecha santa y limpia por la muerte y la resurrección del Esposo.

> *Maridos, amad a vuestras mujeres, así como Cristo amó a la iglesia y se dio a sí mismo por ella, para santificarla, habiéndola purificado por el lavamiento del agua con la palabra. (Efesios 5:25-26)*

LOS INVITADOS - LOS SANTOS DEL ANTIGUO TESTAMENTO Y LOS DE LA TRIBULACIÓN

> *Bienaventurados los que están invitados a la cena de las bodas del Cordero. (Apocalipsis 19:9)*

Las fases del Matrimonio   Como toda boda tiene a ciertas personas que participan en la ceremonia, la boda también tiene un programa de hechos que deben ocurrir. La boda del antiguo Israel tenía cuatro pasos o fases principales. Cada fase de las antiguas ceremonias nupciales tiene un paralelo espiritual para la relación del creyente con Cristo.

FASE 1: LA ELECCIÓN DE LA ESPOSA POR EL PADRE Evidentemente el primer paso de cualquier ceremonia matrimonial es la elección de la novia. En el antiguo Israel el padre del novio hacía la elección oficial con datos, consultas y palabras de estímulo (sin duda) del hijo y su madre.

La Escritura declara que antes que Dios Padre creara al mundo, había elegido una esposa para su amado Hijo: "según nos escogió en él antes de la fundación del mundo, para que fuéramos santos y sin mancha delante de él en amor" (Efesios 1:4).

FASE 2: EL DESPOSORIO DE LA NOVIA Y EL NOVIO Hecha la elección, el padre del novio se ponía en contacto con el padre de la novia. Si el matrimonio propuesto era aceptable, las dos familias hacían un contrato obligatorio del desposorio que estipulaba las condiciones del matrimonio, los arreglos financieros, etc. El período del desposorio era parecido a nuestro moderno noviazgo, pero, como puede imaginarse, era mucho más formal y legalmente obligatorio.

Las dos partes solemnizaban el acuerdo del desposorio por tres actos: (1) un solemne compromiso verbal en presencia de testigos; (2) una prenda en dinero; y, (3) una prenda o contrato escrito. El documento del desposorio era un acuerdo pactado obligatorio de las familias que solamente el divorcio o la muerte podían romper.

Parte importante del proceso eran los regalos del desposorio. Había tres partes importantes en estos regalos. Primero, estaba el *mohar* o "regalo de matrimonio" que el novio daba al padre de la novia. Segundo, el padre de la novia daba la dote a su hija que, finalmente, se la daba al novio. Este regalo podía abarcar sirvientes, pertenencias valiosas o terrenos. Tercero, el novio daba un regalo a la novia, que se llamaba "el regalo del novio" el cual era, a menudo, joyas o ropas.

La pareja desposada era considerada como marido y mujer, y toda violación de la relación era considerada como adulterio, que se castigaba con la muerte (ver Mateo 1:18-20). El período del desposorio solía durar un año para las vírgenes y un mes para las viudas.. Durante este tiempo las familias efectuaban los preparativos para la boda y el matrimonio.

Como el padre del novio elegía una novia para su hijo, Dios ha elegido al cuerpo de los creyentes como esposa de Cristo. Hemos sido unidos al Esposo: "Porque celoso estoy de vosotros con celo de Dios; porque os desposé a un esposo para presentaros como virgen pura a Cristo. Pero temo que, así como la serpiente con su astucia engañó a Eva, vuestras mentes sean desviadas de la sencillez y pureza de la devoción a Cristo" (2 Corintios 11:2-3).

La etapa del desposorio del matrimonio antiguo se compara bellamente con nuestra actual experiencia de creyentes. El Esposo, el Señor Jesús, ha pagado el precio de nuestra adquisición como la esposa de Cristo: Él pagó al Padre el precio por nuestros pecados muriendo en la cruz (1 Pedro 1:18-19). Además, como parte de nuestro compromiso de desposorio con Cristo, el Padre ha dado a cada creyente en Cristo una dote asombrosa: el Espíritu Santo que nos habita (Efesios 1:13-14). ¡Habiendo sido desposados a Cristo y recibido la dote del Espíritu Santo, nuestra salvación está absolutamente asegurada! El Esposo divino nunca violará su desposorio y el Padre nunca nos quitará su dote.

Actualmente la iglesia se halla en la etapa del desposorio en el programa de Dios para el matrimonio. Fuimos elegidos por el Padre y desposados a Cristo y esperamos su venida para que nos lleve como su esposa. No sabemos cuánto durará la etapa del desposorio. Mientras tanto esperamos a nuestro Esposo como Esposa virtuosa, debiendo mantenernos espiritualmente puros e incorruptibles:

Maridos, amad a vuestras mujeres, así como Cristo amó a la iglesia y se dio a sí mismo por ella, para santificarla, habiéndola purificado por el lavamiento del agua con la palabra, a fin de presentársela a sí mismo, una iglesia en toda su gloria, sin que tenga mancha ni arruga ni cosa semejante, sino que fuera santa e inmaculada. Efesios 5:25-27

FASE 3: EL MATRIMONIO DE LA NOVIA CON EL NOVIO

Cuando el período del desposorio llegaba a su final, la pareja se unía oficialmente como marido y mujer en una ceremonia de presentación, la cual ocurría cuando el padre del novio decía a su hijo: "¡Hijo, ve a buscar a tu novia y tráela a casa!" A menudo, para aumentar el dramatismo y el entusiasmo, esto se hacía al anochecer. El ansioso hijo se iba de la casa de su padre y, en una procesión iluminada por antorchas, iba a la casa de su novia. Una vez allí, anunciaba que había venido a recibir a su novia. La ceremonia del matrimonio consistía principalmente en "la toma" de la novia. El novio literalmente "tomaba una esposa". Cuando el novio entraba en la casa de la novia, el padre de ella ponía la mano de su hija en la del novio, "entregándosela" a él.

La comparación con la experiencia del creyente es evidente. Un día, en el momento fijado, el Padre celestial dirá a su Hijo, "¡Hijo, ve a buscar a tu esposa y tráela a casa!" Cristo vendrá y arrebatará a su Esposa, y ella le será entregada gloriosa e inmaculada. En este momento el Padre habrá cumplido su contrato legal cuando nos desposó a Cristo.

Nosotros seguimos esperando esta fase de entrega del matrimonio. Esperamos que venga el Esposo a buscarnos. Estamos esperando oír el llamado de la medianoche: "¡He aquí, el Esposo viene!" (Mateo 25:6).

FASE 4: LA CENA DE BODAS O LA CELEBRACIÓN   Después que la novia era entregada a su marido, éste encabezaba una procesión alegre de regreso a la casa de su padre. Un grupo de jóvenes vírgenes esperaba que pasara la procesión para incorporarse a esa jornada. Estas jóvenes eran amigas de la novia y del novio (ver Mateo 25:1-13).

Al regreso a la casa del padre estaba preparada una fiesta a la cual el padre del novio había invitado amistades y vecinos (Juan 2:1-11). Durante el festejo de la boda el centro de la atención era el novio. Él era el rey por el tiempo que durara la fiesta. Un mayordomo fiel o un amigo íntimo supervisaba la fiesta nupcial que habitualmente duraba de uno a siete días, y hasta catorce días, si los padres eran ricos. Rechazar una invitación a la fiesta de bodas era un grosero insulto para la familia (ver Mateo 22:1-10).

¿Cómo se aplica todo esto a nosotros? La Palabra de Dios nos dice que Jesús viene para llevarnos a la casa de su Padre, donde ha estado preparándonos lugar durante dos mil años (Juan 14:1-3). Después que el Padre nos entregue como esposa a nuestro Esposo celestial, se iniciará en el cielo la celebración más grande de la historia por el tiempo que quede hasta la segunda venida. Sin embargo, yo creo que la cena o festejo de bodas seguirá en el reino milenial. La duración del festejo de bodas en los tiempos antiguos estaba determinada por la riqueza del padre del novio. Cuando Cristo tome a su esposa, el Padre celestial, cuya riqueza es infinita, dará una fiesta que no durará siete días sino mil años. Efectivamente, Jesús comparó frecuentemente el milenio con un banquete de bodas (Mateo 8:11; 22:1-14; 25:1-13; Lucas 14:16-24).

Una de las preocupaciones principales de toda novia es lo que va a usar en su boda y para la recepción nupcial. La novia se pasa horas mirando vestidos, zapatos, velos y todos los accesorios. La boda del Cordero no debiera ser diferente. Apocalipsis 19:8 nos recuerda que todo creyente estará presente en la fiesta de la boda, vestido con el lino blanco más fino, que son las obras justas de los santos. Estas no son buenas obras que hayamos hecho para entrar al cielo. No podemos ganarnos los ropajes de justicia que Cristo nos ha provisto por su muerte de cruz. Sin embargo, cada día tenemos que prepararnos para el festejo nupcial alistando el ropaje que usaremos en esa ocasión. El modo de nuestro atavío en ese día dependerá de la vida que hayamos vivido por Cristo. Una vez oí que Lehman Strauss decía: "¿Alguna vez se te ha ocurrido que cada uno de nosotros estará usando un atavío de bodas de nuestra propia confección como la esposa del Cordero?" Asegúrese estar bellamente ataviado en ese día viviendo hoy para Cristo.

La boda del CORDERO es un acontecimiento cierto. Un día el Esposo vendrá a llevar a su esposa a la casa de su Padre. Asegúrese de haber respondido la invitación y de llevar una vida pura para el Esposo que ama a su iglesia.

EL PERÍODO DE LA TRIBULACIÓN (el infierno en la tierra)

Mientras el juicio del tribunal de Cristo y la boda del Cordero ocurren en el cielo, el período de la tribulación en la tierra empezará a ensombrecer este planeta. Para ayudarnos a comprender mejor este tiempo del infierno en la tierra, examinemos cuatro puntos principales sobre la Tribulación : (1) el tiempo de la Tribulación; (2) la naturaleza de la Tribulación; (3) el propósito de la Tribulación; y (4) terminología de la Tribulación.

El tiempo de la Tribulación   El tiempo o duración específica de toda la Tribulación se da en un solo lugar de la Biblia: Daniel 9:27, "él hará un pacto firme con muchos por una semana". "Él" es el Anticristo venidero que entablará un pacto de siete años con Israel, el cual permitirá que los judíos vuelvan a ofrecer sacrificios en el reconstruido templo de Jerusalén. La firma de este pacto es el hecho que inicia esta semana de siete años que, corrientemente, llamamos la Tribulación o la "semana setenta de Daniel". El suceso que termina el período de la Tribulación siete años después es la segunda venida de Cristo (Apocalipsis 19:11-21).

Este período de siete años del infierno desatado en la tierra está dividido en dos mitades iguales de tres años y medio cada una. Los últimos tres años y medio empiezan cuando el Anticristo rompe su pacto o tratado con Israel, invade la tierra e instala una imagen abominable de sí en el templo de Jerusalén :

> *Y él hará un pacto firme con muchos por una semana, pero a la mitad de la semana pondrá fin al sacrificio y a la ofrenda de cereal. Sobre el ala de abominaciones vendrá el desolador, hasta que una destrucción completa, la que está decretada, sea derramada sobre el desolador Daniel 9:27.*

La Biblia habla frecuentemente de la última mitad del período de siete años, refiriéndose a ella con variadas expresiones: "42 meses" (Apocalipsis 11;2); "1260 días" (Apocalipsis 11:3; 12:6), "por un tiempo, por tiempos y por medio tiempo" (Daniel 7:25; 12:7) y "la gran Tribulación" (Mateo 24:21). Durante esta última mitad del período de la Tribulación se intensificarán los horrores y el Anticristo gobernará al mundo (Apocalipsis 13:5).

La naturaleza de la Tribulación   Esta puede resumirse muy bien en una sola palabra: horrible. La Biblia describe gráficamente este tiempo como "el comienzo de dolores" (Mateo 24:8), "una gran Tribulación (Mateo 24:21), y "la Tribulación de esos días" (Mateo 24:29).

El período de la Tribulación será de siete años de juicio, ira y furia divinas increíbles y sin parangón. Hay muchos personajes, lugares y acontecimientos importantes durante el período de la Tribulación (la mayoría serán tratados en otras partes de este libro). El juicio de Dios es el hilo principal que pasa por todo este período de siete años, juicio que derrama en tres oleadas sucesivas, conteniendo cada oleada siete partes: los juicios de los siete sellos, de las siete trompetas y de las siete copas.[5]

La Escritura compara varias veces estos juicios con los dolores de parto (Jeremías 30:4-7; 1 Tesalonicenses 5:3). A medida que avance la Tribulación, como los dolores de parto, los juicios se intensificarán en severidad y frecuencia. Los capítulos 6 al 16 del Apocalipsis describen detalladamente estas tres oleadas trituradoras del juicio de Dios.

LOS JUICIOS DE LOS SIETE SELLOS

1. Primer sello (6:1-2)—el caballo blanco: el Anticristo
2. Segundo sello (6:3-4)—caballo rojo o bermejo: Guerra
3. Tercer sello (6:5-6)—caballo negro: hambre
4. Cuarto sello (6:7-8)—caballo pálido o amarillo: la muerte y el infierno
5. Quinto sello (6:9-11)—los mártires en el cielo
6. Sexto sello (6:12-17) caos y devastación universales
7. Séptimo sello (8:1-2)—las siete trompetas

LOS JUICIOS DE LAS SIETE TROMPETAS

1. Primera trompeta (8:7)—granizo sangriento y fuego: un tercio de la vegetación queda destruida
2. Segunda trompeta (8:8-9)—fuego del cielo :un tercio de los océanos quedan contaminados
3. Tercera trompeta (8:10-11)—estrella que cae: un tercio del agua potable queda contaminada
4. Cuarta trompeta (8:12)—oscuridad: un tercio del sol, la luna y las estrellas se oscurece
5. Quinta trompeta (9:1-12)—invasión de demonios: tormento
6. Sexta trompeta (9:13-21)—ejército de demonios: matan a un tercio de la humanidad.
7. Séptima trompeta (11:15-19)—el reino: el anuncio del reino de Cristo.

LOS JUICIOS DE LAS SIETE COPAS

1. Primera copa (16:2)—sobre la tierra: úlceras en los adoradores del Anticristo
2. Segunda copa (16:3)—sobre los mares: vueltos sangre
3. Tercera copa (16:4-7)—sobre el agua dulce: vuelta sangre
4. Cuarta copa (16:8-9)—sobre el sol intenso calor abrasador
5. Quinta copa (16:10-11)—sobre el reinado del Anticristo: oscuridad y pánico
6. Sexta copa (16:12-16)—sobre el río Éufrates: el Armagedón
7. Séptima copa (16:17-21)—sobre el aire: terremotos y granizo

El propósito de la Tribulación   Una pregunta evidente en este momento es por qué Dios juzgará con tanta severidad al mundo que creó. ¿Por qué es necesario ese tiempo de trastornos indecibles?

La Escritura nos da cinco razones por lo menos para la Tribulación. Las cinco razones se relacionan con un grupo o persona específicos: Israel, los gentiles, Dios, Satanás y los creyentes.

PURGAR A ISRAEL (una razón en relación con Israel)   Dios usará la Tribulación para poner de rodillas al pueblo judío. Dios pondrá a la nación de Israel en un duro aprieto durante la Tribulación, del cual no hay esperanza terrenal de liberación. Dios refinará a la nación rebelde en el fuego del período de la Tribulación. Leemos en Zacarías 13:8-9:

> *Y sucederá en toda la tierra - declara el Señor- que dos partes serán cortadas en ella, y perecerán; pero la tercera quedará en ella. Y meteré la tercera parte en el fuego, los refinaré como se refina la plata, y los probaré como se prueba el oro. Invocará él mi nombre, y yo le responderé; diré: "El es mi pueblo", y él dirá: "El Señor es mi Dios.*

Muchos judíos clamarán a Dios pidiendo salvación de sus pecados. Implorarán a Dios que abra los cielos y baje a salvarlos:

> *Oh, si rasgaras los cielos y descendieras, si los montes se estremecieran ante tu presencia. Sales al encuentro del que se regocija y practica la justicia, de los que se acuerdan de ti en tus caminos. He aquí, te enojaste porque pecamos; continuamos en los pecados por mucho tiempo, ¿y seremos salvos? Todos nosotros somos como el inmundo, y como trapo de inmundicia todas nuestras obras justas; todos nos marchitamos como una hoja, y nuestras iniquidades, como el viento, nos arrastran. Mas ahora, oh Señor, tú eres nuestro Padre, nosotros el barro, y tú nuestro alfarero; obra de tus manos somos todos nosotros. No te enojes en exceso, oh Señor, ni para siempre te acuerdes de la iniquidad; he aquí, mira, te rogamos, todos nosotros somos tu pueblo. (Isaías 64:1, 5-6, 8-9)*

Dios responderá misericordiosamente a esta oración de confesión y salvará un remanente de Israel.

CASTIGAR A LAS NACIONES GENTILES (razón relacionada con los gentiles)   Dios usará el período de la Tribulación para castigar a las naciones gentiles y a todos los incrédulos por rechazar a su Hijo (Isaías 24:1-6).

DEMOSTRAR EL PODER DE DIOS (razón relacionada con Dios)
Hace unos 3500 años el faraón de Egipto se burló del Dios del cielo cuando
preguntó: "¿Quién es el Señor para que yo escuche su voz y deje ir a Israel?
No conozco al Señor, y además, no dejaré ir a Israel" (Éxodo 5:2). Dios oyó
este atrevido desafío y como si hablara desde el cielo diciendo: "¿Quieres saber quién soy? ¡Déjame mostrarte quién soy!" En los ocho capítulos siguientes de Éxodo, Dios acepta el reto de faraón y le demuestra al faraón,
sus magos y a todo su pueblo quién es él. Cuando Dios termina con las diez
plagas, el faraón ruega a los hijos de Israel que se vayan.

En una muestra parecida de necia bravata, el Anticristo negará totalmente al verdadero Dios y se declarará dios. Una vez más Dios derramará
sus plagas para demostrar su poder y reivindicar su Nombre, solo que en
esta ocasión la escala será mundial. Dios le demostrará al mundo rebelde
que solo él es Dios.

RETRATAR EL VERDADERO CARÁCTER DE SATANÁS (razón
relacionada con Satanás)   La Tribulación servirá también un propósito
relacionado con el diablo. Dios usará la Tribulación para desenmascarar
por completo a Satanás mostrándolo como es: mentiroso, ladrón y asesino.
Cuando Dios quite todos los frenos (2 Tesalonicenses 2:7), el carácter nefando de Satanás quedará plenamente manifestado mientras el mundo
vive la tormenta final del fuego del dragón. Dándose cuenta que le queda
poco tiempo, el diablo derramará su veneno con fuerza y violencia: "¡Ay de
la tierra y del mar! Porque el diablo ha descendido a vosotros con gran furor, sabiendo que tiene poco tiempo" (Apocalipsis 12:12).

ADQUIRIR UN GRUPO DE CREYENTES (razón relacionada con los
creyentes)   La Tribulación será la herramienta evangelizadora más grande de la historia humana. El Señor usará, de pura gracia, este terrible tiempo de trastornos para atraer gente a sí con arrepentimiento y confianza. Él
cosechará más almas de las que se pueden contar durante este tiempo:

> *Después de esto miré, y vi una gran multitud, que nadie podía contar,*
> *de todas las naciones, tribus, pueblos y lenguas, de pie delante del*
> *trono y delante del Cordero, vestidos con vestiduras blancas y con*
> *palmas en las manos. Y clamaban a gran voz, diciendo: La salvación*
> *pertenece a nuestro Dios, que está sentado en el trono, y al Cordero.*

> *Y uno de los ancianos habló, diciéndome: Estos que están vestidos con vestiduras blancas, ¿quiénes son y de dónde han venido? Y yo le respondí: Señor mío, tú lo sabes. Y él me dijo: Estos son los que vienen de la gran tribulación, y han lavado sus vestiduras y las han emblanquecido en la sangre del Cordero. (Apocalipsis 7:9-10, 13-14)*

Terminología de la Tribulación   Una de las mejores maneras de entender cómo será la Tribulación es anotar el vocabulario, las expresiones, y las frases que usa la Biblia para describir este tiempo terrible. Lo que sigue es una lista de todas las palabras y expresiones bíblicas para el venidero período de la Tribulación.

TERMINOLOGÍA DE LA TRIBULACIÓN[6]

Referencias del Antiguo Testamento	Referencias del Nuevo Testamento
• Dolores de parto (Isaías 21:3; 26:17-18; 66:7; Jeremías 4:31)	• El día del Señor (1 Tesalonicenses 5:2,4)
• Día del Señor (Abdías 1:15; Joel 1:15; 2:1, 11, 31; 3:14; Amós 5:18, 20; Isaías 13:9; Sofonías 1:7, 14; Ezequiel 13:5; 30:3; Zacarías 14:1)	• Tiempo de calamidad (Mateo 24:22; Marcos 13:20)
• Día del Señor grande y terrible (Malaquías 4:5)	• Ira (1 Tesalonicenses 5:9; Apocalipsis 11:18)
• Día de la ira (Sofonías 1:15)	• La ira venidera (1 Tesalonicenses 1:10)
• Día de angustia (Sofonías 1:15)	• El gran día de su ira (Apocalipsis 6:17)
• Día del enojo del Señor (Sofonías 1:18: 2:2-3)	• La ira de Dios (Apocalipsis 15:7; 14:10, 19; 16:1)
• Día de la desolación (Sofonías 1:15)	• La Ira del Cordero (Apocalipsis 6:16)
• Día de la venganza (Isaías 34:8)	• Tiempo de prueba (Apocalipsis 3:10)
• El tiempo de la angustia de Jacob (Jeremías 30:7)	• Aquellos días horribles (Mateo 24:29; Marcos 13:24)
• Día de tinieblas y sombras (Sofonías 1:15; Joel 2:2)	• Días o tiempo del horror más grande (Marcos 13:19)
• Día de trompeta y alarma (Sofonías 1:16)	• La gran Tribulación (Apocalipsis 7:14)
• Día en que la destrucción viene del Todopoderoso (Joel 1:15)	• La hora del juicio (Apocalipsis 14:7)
• Día de la calamidad de ellos (Deuteronomio 32:35; Abdías 1:12-14)	• Principio de dolores (Mateo 24:8)
• Tribulación (Deuteronomio 4:30)	
• Una semana = semana setenta de Daniel (Daniel 9:27)	
• Tiempo o día de angustia, malestar (Daniel 12:1; Sofonías 1:15)	
• La ira del Señor, tiempo de ira (Isaías 26:20; Daniel 11:36)	
• El tiempo del fin (Daniel 12:9)	
• El fuego de su celo (Sofonías 1:18)	

LA SEGUNDA VENIDA DE CRISTO (¡el Rey Viene!)

Los dos acontecimientos culminantes de la gran Tribulación son la guerra del Armagedón y la segunda venida de Jesucristo - cuando Jesús regresa a esta tierra como Rey de reyes y Señor de señores.

En la Biblia nada está más claramente expresado que el hecho del regreso de Jesucristo. La segunda venida de Cristo a esta tierra : su retorno glorioso, físico, literal y visible está explícitamente manifestado 1845 veces en la Biblia. Se menciona en veintitrés de los veintisiete libros del Nuevo Testamento. Tres de los restantes cuatro libros tienen solamente un capítulo: Filemón, 2 Juan y 3 Juan; Gálatas 1:4 se refiere implícitamente a la segunda venida. El Nuevo Testamento tiene 260 capítulos donde hay 318 referencias a la segunda venida de Cristo.

La primera profecía que haya dicho un ser humano tocante a la Segunda venida es la predicción de Enoc de que el Señor viene a juzgar a la tierra (Judas 1:14). Además, la última profecía dada tiene que ver con la segunda venida (Apocalipsis 22:20).

En las Escrituras Cristo mismo menciona veintiuna veces su regreso, incluyendo estos dos ejemplos:

> *Porque así como el relámpago sale del oriente y resplandece hasta el occidente, así será la venida del Hijo del Hombre. Donde esté el cadáver, allí se juntarán los buitres. Pero inmediatamente después de la Tribulación de esos días, el sol se oscurecerá, la luna no dará su luz, las estrellas caerán del cielo y las potencias de los cielos serán sacudidas. Entonces aparecerá en el cielo la señal del Hijo del Hombre; y entonces todas las tribus de la tierra harán duelo, y verán al Hijo del Hombre que viene sobre las nubes del cielo con poder y gran gloria. (Mateo 24:27-30)*

> *Jesús le dijo: "Tú mismo lo has dicho; sin embargo, os digo que desde ahora veréis al Hijo del Hombre sentado a la diestra del Poder, y viniendo sobre las nubes del cielo." (Mateo 26:64)*

Cuando Cristo ascendió al cielo, los ángeles dijeron que iba a regresar:

> *Después de haber dicho estas cosas, fue elevado mientras ellos miraban, y una nube le recibió y le ocultó de sus ojos. Y estando mirando fijamente al cielo mientras él ascendía, aconteció que se presentaron junto a ellos dos varones en vestiduras blancas, que les dijeron: Varones galileos, ¿por qué estáis mirando al cielo? Este mismo Jesús, que ha sido tomado de vosotros al cielo, vendrá de la misma manera, tal como le habéis visto ir al cielo. (Hechos 1:9-11)*

El libro completo sobre profecía bíblica

La segunda venida de Jesucristo es la culminación y consumación de la historia humana. Aunque se han escrito libros enteros sobre este acontecimiento sobrecogedor, esta sección pone la mira en dos puntos importantes de la segunda venida: el lugar y el propósito.

El lugar de la segunda venida   La Biblia es muy clara tocante a que Jesús regresará a la tierra en el mismo lugar desde donde se fue: el Monte de los Olivos. Hay tres pasajes clave que sirven para identificar este sitio como el lugar de su retorno:

1. Zacarías 14:4 que trata la segunda venida de Cristo: "sus pies se posarán aquel día en el Monte de los Olivos, que está frente a Jerusalén, al oriente; y el Monte de los Olivos se hendirá por el medio, de oriente a occidente, formando un enorme valle, y una mitad del monte se apartará hacia el norte y la otra mitad hacia el sur".
2. Jesús dio su gran sermón profético en el Monte de los Olivos, registrado en los capítulos 24 y 25 de Mateo, donde indica las señales de su venida.
3. Los ángeles dijeron que él iba a regresar igual como se había ido, cuando Jesús subió al cielo desde el Monte de los Olivos, lo que está registrado en Hechos 1:9-11.

El propósito de la segunda venida   La Biblia nos dice que Cristo regresará por lo menos con seis propósitos:

VENCER   Cristo viene a derrotar al Anticristo y sus ejércitos (Apocalipsis 19:19-21).

REUNIR Y RESTAURAR   La promesa que más a menudo menciona el Antiguo Testamento es la promesa de Dios de que un día reunirá y restaurará a la nación de Israel (Isaías 43:5-6; Jeremías 30:10; 33:6-9; Ezequiel 36:24-38; 37:1-28). La recogida de Israel empezó en 1948 con la formación de su Estado moderno y seguirá hasta la segunda venida de Cristo. Israel será dispersado por última vez durante la gran Tribulación y, luego, en la segunda venida, Cristo recogerá a los judíos creyentes y los restaurará como su pueblo (Isaías 11:11-16). Cristo enseñó esto a sus discípulos:

Entonces aparecerá en el cielo la señal del Hijo del Hombre; y entonces todas las tribus de la tierra harán duelo, y verán al Hijo del Hombre que viene sobre las nubes del cielo con poder y gran gloria.

Y él enviará a sus ángeles con una gran trompeta y reunirán a sus escogidos de los cuatro vientos, desde un extremo de los cielos hasta el otro. (Mateo 24:30-31)

JUZGAR A LOS VIVOS   Cuando Cristo regrese los gentiles que hayan sobrevivido a la Tribulación, comparecerán ante él para que determine si pueden entrar a su reino (Mateo 25:31-46). Este es el juicio de las ovejas y cabras. Además Cristo reunirá a todos los judíos vivos en el desierto para decidir quiénes entran al Reino (Ezequiel 20:33-38).

RESUCITAR A LOS MUERTOS   Uno de los acontecimientos que ocurrirán poco después de la segunda venida, según se registra en Apocalipsis 19:11-21, es la resurrección y recompensa de los creyentes del Antiguo Testamento y de los mártires de la Tribulación que, entonces, reinarán con Cristo (Apocalipsis 20;4-6; también Daniel 12:1-4).

ATAR AL DIABLO (Apocalipsis 20:1-3)   El acontecimiento inicial mencionado después que Cristo regresa para derrotar al Anticristo es encadenamiento de Satanás por mil años en el abismo sin fondo.

ESTABLECERSE COMO REY (Apocalipsis 19:16)   ¡Cristo regresa como Rey de reyes y Señor de señores! Viene a sentarse en su glorioso trono para reinar en la tierra (Daniel 2:44; Mateo 19:28; Lucas 1:32-33). Charles Wesley escribió:

> *Ved del cielo descendiendo*
> *Al triunfante Redentor;*
> *En su majestad, tremendo*
> *Aparece el Salvador:*
> *¡Aleluya! ¡Aleluya!:*
> *En la tierra reinará..*

El apóstol Juan describe la venida de Cristo: "He aquí, viene con las nubes y todo ojo le verá, aun los que le traspasaron; y todas las tribus de la tierra harán lamentación por él; sí. Amén" (Apocalipsis 1:7).

LA GUERRA DEL ARMAGEDÓN (la madre de todas las guerras)

Probablemente Armagedón es la palabra mejor conocida de toda la profecía bíblica. Muchos la emplean para referirse al fin del mundo. En el verano del hemisferio norte de 1998 se exhibió una película que fue éxito de taquilla, y que trataba del choque de un asteroide grande (como el Estado de Texas) con la tierra; su título era Armagedón. La empresa McDonald unió fuerzas (finanzas) con la compañía productora de la película, ofreciendo bebidas y papas fritas en vasos y cajas llamadas Armagedón. Mientras yo miraba los comerciales de esta película bebiendo mi vaso de Coca Cola, rotulado Armagedón, en un establecimiento McDonald, no pude dejar de preguntarme si los productores de la película tenían idea de lo que significa la palabra *Armagedón*. También me pregunté cuántos de los millones de espectadores que verían la película, tendrían una vaga idea del significado verdadero de Armagedón. Aunque esta palabra se ha vuelto sinónimo del fin del mundo en la cultura norteamericana, la Biblia la usa para referirse a un suceso muy específico de los últimos días.

La palabra *Armagedón* se encuentra una sola vez en la Biblia: Apocalipsis 16:16, "Y los reunieron en el lugar que en hebreo se llama Armagedón".

El significado de la palabra *Armagedón* La palabra *Armagedón* está compuesta por dos palabras del hebreo: *har* (monte o montaña) y *Meguido* (una ciudad del norte del antiguo Israel). La antigua ciudad de Meguido estaba edificada sobre una colina y, por eso, se la llamaba la colina o el monte de Meguido: de ahí Armagedón. La ciudad de Meguido mira a un hermoso valle largo conocido como el valle de Jezreel, o valle de Ascalón o llanuras de Meguido o valle de Taanac. Según Apocalipsis 16:12-16, este es el sitio donde se reunirán los ejércitos de la tierra en los últimos días y sufrirán la derrota total por parte del Rey que vuelve desde el cielo (Apocalipsis 19:19-21).

Armagedón NO es Armagedón no es una batalla. Suele ser corriente escuchar que la gente habla de la "batalla" de Armagedón pero, técnicamente hablando, es una guerra o campaña que comprende una serie de batallas que tienen lugar en la tierra de Israel.

Además, Armagedón no es lo mismo que la batalla de Gog y Magog registrada en los capítulos 38 y 39 de Ezequiel. A continuación unas cuantas diferencias importantes de estos dos acontecimientos

DIFERENCIAS DE DOS GUERRAS DE LOS POSTREROS TIEMPOS

Gog y Magog	Armagedón
Gog dirige la invasión	El Anticristo dirige la invasión
Israel está en paz en el momento de la invasión	No se menciona la paz de Israel
Los ejércitos se juntan para saquear a Israel	Los ejércitos se juntan para pelear contra Cristo
Ocurre a mediados de la Tribulación	Ocurre al final de la Tribulación
Rusia y sus aliados islámicos invaden Israel	Todas las naciones invaden a Israel
Ocurre para que todas las naciones sepan que el Señor es Dios	Ocurre para destruir a las naciones

Finalmente, Armagedón no es la última guerra de la tierra. Suele oírse que se asocia Armagedón con la última batalla o guerra de la tierra. No obstante, la guerra final de la historia es la revuelta final de Satanás, registrada en Apocalipsis 20:7-11. Esta guerra ocurre mil años después del Armagedón.

Armagedón ES   La campaña o guerra del Armagedón es el acontecimiento espectacular de la gran tribulación (en la segunda mitad de la Tribulación) cuando todos los ejércitos de la tierra se juntan para ir en contra de Israel y erradicar al pueblo judío de una vez por todas. Después que capturan Jerusalén, retorna Jesucristo para destruir a los ejércitos invasores y liberar al remanente fiel de los judíos que está en Petra.

Los diez pasajes principales que describen al Armagedón
1. Salmo 2
2. Isaías 34:1-15
3. Isaías 63:1-6
4. Joel 3:1-17
5. Zacarías 12:1-9
6. Zacarías 14:1-15
7. Malaquías 4:1-5
8. Apocalipsis 14:14-20
9. Apocalipsis 16:12-16
10. Apocalipsis 19:19-21

La ubicación del Armagedón   La campaña se difundirá por todo el territorio israelí, desde Meguido al norte hasta Bosra o Edom al sur, abarcando trescientos veintidós kilómetros de norte a sur y ciento sesenta de este a oeste. La Biblia enfoca tres lugares específicos dentro de esta zona grande donde la batalla será más intensa.

EL VALLE DE JOSAFAT (Joel 3:2,12)   Probablemente este sea otro nombre del valle de Cedrón que se ubica en el lado oriental de Jerusalén y corre entre el muro oriental de la ciudad y el Monte de Los Olivos.

EL VALLE DE ASCALÓN (Apocalipsis 16:16)   Esta zona geográfica tiene treinta y dos kilómetros de largo por veintitrés de ancho, y también es conocida como el valle de Jezreel, el valle de Taanach y las llanuras o llanos de Meguido. Las ruinas de Meguido dan hacia este gran valle. Aquí se reunirán los ejércitos de la tierra, aliados del Anticristo, para encontrar su total condenación.

BOSRA / EDOM (Isaías 34:1-5; 63:1)   Bosra es una ciudad al este del río Jordán en la antigua nación de Edom (moderno Jordán). Está cerca de la ciudad de Petra. Luego de bajar en el Monte de Los Olivos, Cristo dirigirá a su ejército hacia Edom para rescatar al remanente judío oculto allí. Cuando regrese de Edom, sus ropas estarán manchadas de rojo y su espada estará empapada de sangre (Isaías 34:6; 63:1-3). La gente impía de Bosra será sometida a una carnicería de tal magnitud que las montañas rezumarán sangre y la tierra quedará totalmente empapada en sangre (Isaías 34:2-7).

Herman A. Hoyt en su libro *The End Times* (Los Tiempos Postreros) describe el ámbito de Armagedón de manera impresionante:

> *El núcleo del acontecer está en torno a la batalla del Armagedón con lo cual llega a su fin el período de la Tribulación. Las dimensiones de este conflicto apenas pueden ser concebidas por el hombre. El campo de batalla se extenderá desde Meguido al norte (Zacarías 12:11; Apocalipsis 16:16) a Edom por el sur (Isaías 34:5-6; 63:1), distancia de trescientos veintidós kilómetros aproximadamente. Irá desde el mar Mediterráneo por el oeste a las colinas de Moab por el este, distancia de casi ciento sesenta y un kilómetros. Abarcará el valle de Josafat (Joel 3:2, 12) y las llanuras de Ascalón. El centro de toda la zona será la ciudad de Jerusalén (Zacarías 14:1-2). En este sitio se amontonarán los muchos millones de hombres que, sin duda se aproximan a los cuatrocientos millones, para el holocausto final de la humanidad. Los reyes con sus ejércitos vendrán desde el norte, el sur, el este y el oeste. Por abajo, habrá una invasión desde el infierno. Y, a último momento, entrará en escena la invasión desde el espacio exterior. Este será "el valle de*

la decisión" para la humanidad en el sentido más dramático (Joel
3:14) y el gran lagar donde será derramado el furor de la ira del
Dios Todopoderoso (Apocalipsis 19:15).[7]

Los siete títulos clave del Armagedón
1. El día de la venganza del Señor (Isaías 34:8)
2. El lagar de la ira de Dios (Isaías 63:2; Joel 3:13;
   Apocalipsis 14:19-20)
3. El día grande y terrible del Señor (Joel 2:31)
4. La cosecha (Joel 3:13; Apocalipsis 14:15-16)
5. El día del juicio (Malaquías 4:1)
6. El día grande y terrible del Señor (Malaquías 4:5)
7. Ese día grande del juicio de Dios Todopoderoso
   (Apocalipsis 16:14)

La siete fases clave del Armagedón   Como el Armagedón es una campaña militar, y no una sola batalla, se desenvolverá en siete fases distintas
que esboza la Escritura.. Como vimos, los acontecimientos del Armagedón
ocurrirán en diversas localidades diferentes del territorio israelita. Por lo
tanto, ordenar cronológicamente las piezas principales del Armagedón es
una tarea difícil. Lo que sigue es una propuesta cronológica para las fases
clave del Armagedón, según lo presenta la Escritura:

- Fase 1: El río Éufrates se seca para aparejar el camino a los reyes del
  oriente (Apocalipsis 6:12)
- Fase 2: Los aliados del Anticristo se reúnen para aniquilar a los judíos
  de una vez por todas (Apocalipsis 16:12-16)
- Fase 3: Los aliados del Anticristo atacan Jerusalén y la ciudad cae (Zacarías 14:1-3)
- Fase 4: Jesucristo regresa personalmente al Monte de Los Olivos (Zacarías 14:4)
- Fase 5: Cristo y sus ejércitos destruyen a los ejércitos reunidos contra
  Jerusalén en el valle de Josafat (Joel 3:9-17; Zacarías 12:1-9; 14:3)
- Fase 6: Cristo baja a Edom para destruir a sus habitantes y librar al remanente judío oculto en y alrededor de la ciudad de Petra (Isaías
  34:1-7; 63:1-5; Joel 3:19)
- Fase 7: El Anticristo juntará en el Armagedón a los ejércitos que que-
  den para luchar con el Señor Jesús y su ejército (Apocalipsis 16:16;
  19:19-21). Los ejércitos del Anticristo sufrirán una derrota total y catas-
  trófica en la mano poderosa del Rey (Salmo 2:9).

Al día siguiente del Armagedón   Dos acontecimientos tendrán lugar como resultado de esta gran guerra. Primero, las aves del aire se reunirán para alimentarse de la carroña putrefacta que ensucia el escenario (Mateo 24:28; Lucas 17:37; Apocalipsis 19:17-21). Enseguida, Jesús arrojará al Anticristo y al falso profeta, vivos, en el lago de fuego (Apocalipsis 19:20).

EL REINO MILENIAL (gozo para el mundo o el encadenamiento de Satanás y el reinado de los santos)

La humanidad siempre ha soñado con una utopía, una gran sociedad, el paraíso en la tierra, el regreso al huerto del Edén, pero la Biblia es muy clara al establecer que la humanidad pecadora nunca podrá producir una sociedad así en la tierra por su propia fuerza e ingenio. Sin embargo, la Palabra de Dios nos dice que cuando el Señor Jesús regrese a esta tierra con poder y gloria, él reinará como Rey de reyes y Señor de señores en la tierra durante mil años. Antes que Cristo empiece su reinado, atará a Satanás y lo arrojará al abismo sin fondo de modo que éste no pueda seguir engañando a las naciones (Apocalipsis 20:1-3). Entonces, Cristo empezará su reinado de mil años. Nótese que los mil años se mencionan cinco veces en Apocalipsis 20:1-6.

Los pasajes clave acerca del reino milenial   Aunque Apocalipsis 20:1-6 es el único pasaje de la Biblia que registra la duración del reinado de Cristo en la tierra, ciertamente no es el único que se refiere a su reino. El Antiguo Testamento está lleno, literalmente, de largos pasajes sobre el reino milenial. Numerosos son los estudiosos de la profecía bíblica que comentan que hay más material profético dedicado al tema milenial que a cualquier otro tema de los últimos tiempos. Por lo tanto, reviste importancia crítica que entendamos el reino milenial aunque sea en forma básica.

Para principiantes sigue a continuación una lista de los diez pasajes del Antiguo Testamento más importantes tocante al reino venidero:

1. Isaías 2:1-5
2. Isaías 11:1-16
3. Isaías 32:1-20
4. Isaías 35:1-10
5. Isaías 60:1-22
6. Jeremías 31:1-40
7. Jeremías 33:1-26
8. Ezequiel 37:14-28

9. Amos 9:11-15
10. Zacarías 14:6-21

La naturaleza o las condiciones del milenio Durante el reino milenario de Cristo la tierra experimentará el regreso a condiciones similares a las del huerto del Edén. Literalmente será el cielo en la tierra, porque el Señor del cielo viene a vivir con su pueblo.

La Biblia dice sobre el milenio mucho más de lo que la gente sabe. A continuación, diez de las condiciones más destacadas que prevalecerán en la tierra durante el reinado de Cristo.

PAZ Todas las guerras cesarán porque el mundo se unifica bajo el mando del Rey verdadero (Isaías 2:4; 9:4-7; 11:6-9; Zacarías 9:10).

GOZO Cuando Isaac Watts compuso "Al Mundo Paz" no lo hizo para que fuera un villancico navideño. Más bien, compuso este himno para anunciar la gloriosa segunda venida de Cristo a gobernar y reinar en esta tierra. Piense en partes de la letra del himno: "Al mundo paz, el Salvador en tierra reinará…. Ya es feliz el pecador…. Al mundo él gobernará, con gracia y poder". Este es un himno milenial cuando el gozo pleno venga al mundo (Isaías 9:3-4; 12:3-6; 14:7-8; 25:8;9; 30:29; Jeremías 30:18-19; Sofonías 3:14-17; Zacarías 8:18-19; 10:6-7).

SANTIDAD La palabra *santo* significa estar "apartado" o "separado" para Dios con propósitos sagrados. El reino de Cristo será un reinado santo. Todo será apartado para que Dios lo use. La santidad del Señor será manifestada en su propia persona como así mismo en los ciudadanos de su reino. La tierra, la ciudad, el templo y los súbditos serán, todos, santos para el Señor (Isaías 4:3-4; 35:8; 52:1; Ezequiel 43:7-12; 45:1; Zacarías 8:3;14:20-21).

GLORIA La gloria refulgente de Dios será manifestada plenamente en el reinado de Cristo (Isaías 35:2; 40:5; 60:1-9; Ezequiel 43:1-5).

JUSTICIA Y RECTITUD Cuando empiece el reino milenial solamente lo habitarán creyentes. Sin embargo, estos creyentes seguirán teniendo cuerpos humanos con una naturaleza caída y capaces de pecar. El pecado de la humanidad será juzgado por la administración de la justicia perfecta a manos del Mesías (Isaías 9:7; 11:5; 32:16; 42:1-4; 65:21-23). El Mesías reinará con "Vara de hierro", restringiendo y juzgando el pecado de modo que la atmósfera imperante en el reino será la justicia (Isaías 11:1-5; 60:21; Jeremías 31:23; Ezequiel 37:23-24; Sofonías 3:13).

CONOCIMIENTO PLENO   El ministerio docente del Señor y el Espíritu que habita llevará a los súbditos del reino al conocimiento pleno de los caminos del Señor (Isaías 11:1-2, 9; 41:19-20; 54:13; Jeremías 31:33-34; Habacuc 2:14).

AUSENCIA DE ENFERMEDAD O DEFORMIDAD   Los políticos se pasan el tiempo elaborando planes para dar una mejor atención de salud a los ciudadanos de la nación. El plan de salud del gobierno del Señor será de otro mundo. El Rey será el rey y el médico. Cristo sanará todas las enfermedades y deformidades de su pueblo (Isaías 29:18; 33:24; 35:5-6; 61:1-2). Como resultado de este plan de atención de la salud, la gente tendrá una vida más larga, como los que vivieron antes del diluvio. La persona que muera a los cien años en este reino, habrá muerto prematuramente (Isaías 65:20).

ADORACIÓN UNIVERSAL DE DIOS   Todos los habitantes de la tierra unirán sus corazones y voces para alabar y adorar a Dios y su Hijo Jesucristo (Isaías 45:23; 52:7-10; 66:17-23; Sofonías 3:9; Zacarías 13:2; 14:16; Malaquías 1:11; Apocalipsis 5:9-14). Durante el milenio la adoración estará centrada en el templo reconstruido de Jerusalén (Isaías 2:3; 60:13; Ezequiel 40-48; Joel 3:18; Hageo 2:7,9). Un aspecto importante de la adoración milenial es el restablecimiento de la institución de los sacrificios de animales en el templo milenial (Isaías 56:6-7; 60:7; Ezequiel 43:18-27; 45:17-23; Zacarías 14:16-21). Estos sacrificios no serán ofrecidos para quitar el pecado. Ningún sacrificio de animales pudo quitar el pecado (Hebreos 10:1-2) sino que estos sacrificios servirán más bien como un recuerdo grande del único sacrificio por el pecado, el sacrificio de Jesucristo. Servirán de perpetuo recuerdo vívido de la santidad de Dios, de lo espantoso del pecado y de la horrible muerte que el Salvador sufrió en lugar nuestro, como hoy sirve la Cena del Señor.

PROSPERIDAD ECONÓMICA   En el reino no se necesitará más de las misiones de socorro, programas de bienestar, estampillas para comida o agencias de ayuda. El mundo florecerá bajo el mando del Rey del cielo

(Isaías 35:1-2, 7; 30:23-25; 62:8, 9; 65:21-23; Jeremías 31:5, 12; Ezequiel 34:26; 36:29-30; Joel 2:21-27; Amós 9:13-14; Miqueas 4:4; Zacarías 8:11-12; 9:16-17)

LA PRESENCIA DE DIOS   La cosa más grande del reino es que el mismo Cristo estará ahí. La presencia de Dios será reconocida por completo y el pueblo del Señor tendrá comunión con él como nunca la ha tenido (Ezequiel 37:27-28; Zacarías 2:10-13). La ciudad de Jerusalén será llamada Jehová Shama que significa "el Señor está ahí" (Ezequiel 48:35).

Los siete títulos clave del milenio   El título de un acontecimiento sirve para iluminar su naturaleza. El título resume la esencia del hecho en una palabra o frase corta. Por ejemplo, el partido anual de la Liga Nacional de Fútbol Americano (NFL) se llama *The Super Bowl* "El Gran Tazón". El día en que las tropas aliadas invadieron las playas de Normandía se tituló "el día D". El día que se derrumbó el mercado accionario se recuerda como "el martes negro". Dios nos ha dado, en forma semejante, siete títulos bíblicos que son clave para captar la esencia del reino venidero:

1. El reino del cielo (Mateo 3:2; 8:11)
2. El reino de Dios (Marcos 1:15)
3. El reino (Mateo 19:28)
4. El mundo futuro (Hebreos 2:5)
5. Maravillosos tiempos de refrigerio (Hechos 3:20)
6. La restauración de todas las cosas (Hechos 3:21)
7. Un Reino que no puede ser destruido (Hebreos 12:28)

Los propósitos del milenio   El milenio servirá por lo menos cuatro funciones importantes en el plan de Dios.

RECOMPENSAR AL FIEL   durante el reino milenial Cristo recompensará a los santos con puestos de autoridad basados en su grado de fidelidad en esta vida (Lucas 19:16-19).

REDIMIR A LA CREACIÓN   Dios pronunció una serie de cinco maldiciones cuando Adán y Eva pecaron en el huerto del Edén. Dios estableció estas maldiciones contra la serpiente, Satanás, la mujer, el hombre y la naturaleza (Génesis 3:14-19). La tierra ha vivido bajo esta maldición desde entonces a la fecha, como lo demuestran "los espinos y los cardos: y el duro trabajo que los seres humanos tienen que realizar para sacar un poco de comida del suelo. La renovada cosecha primaveral de malezas del jardín es un recuerdo pequeño pero vívido de la maldición.

Romanos 8:19-22 describe dramáticamente la maldición de la naturaleza:

> *Porque el anhelo profundo de la creación es aguardar ansiosamente la revelación de los hijos de Dios. Porque la creación fue sometida a vanidad, no de su propia voluntad, sino por causa de aquel que la sometió, en la esperanza de que la creación misma será también liberada de la esclavitud de la corrupción a la libertad de la gloria de los hijos de Dios. Pues sabemos que la creación entera a una gime y sufre dolores de parto hasta ahora.*

Una función milenial importante es revertir la maldición de Dios para la creación. Todos los animales volverán a ser herbívoros en el Reino, como fueron originalmente creados (Génesis 1:30). El lobo y el CORDERO vivirán juntos con armonía, y el niño podrá jugar cerca de una serpiente venenosa (Isaías 11:6-9). La tierra se pondrá sorprendentemente productiva y bella porque hasta los desiertos se repletarán con flores (Isaías 35:1-7). Toda la tierra será como un enorme huerto del Edén.

RECONOCER LAS PROMESAS DE DIOS Hay tres grandes pactos eternos, unilaterales e incondicionales instituidos por Dios, pactos que se cumplirán en el reino milenial con la nación de Israel restaurada y reorganizada. Estas tres promesas se conocen como el pacto abrahámico, el pacto davídico y el nuevo pacto.

El pacto con Abraham (Génesis 12:1-3; 15:18-21) es la triple promesa de Dios para Abraham de darle descendencia, una tierra y su bendición:

1. Descendientes - Dios prometió que los descendientes de Abraham llegarían a ser una gran nación (Génesis 12:1-3; 13:16; 15:5; 17:7; 22:17-18).
2. Tierra - Dios le prometió a Abraham que sus descendientes recibirían un trozo de tierra que podrían llamar suya para siempre. La tierra que Dios prometió abarca la moderna nación de Israel y partes de los actuales países de Egipto, Siria, Líbano e Irak (Génesis 15:18-21). Esta promesa incondicional no se ha cumplido en la historia, pero se cumplirá en el Milenio cuando Cristo le dé al pueblo judío la tierra que Dios prometió a Abraham (Isaías 60:21; Ezequiel 34:11-16).

3. Bendición - Dios también prometió a Abraham que todo el mundo sería bendecido por medio de él y sus descendientes. Esta profecía se ha cumplido en parte, y ciertamente, en la bendición que ha llegado a todo el mundo por medio de Jesucristo, el descendiente más grande de Abraham. Sin embargo, la bendición definitiva de Abraham por medio de Cristo vendrá durante las condiciones prodigiosas que habrá en la tierra durante el Milenio.

La promesa de Dios para David (el pacto davídico) tiene también tres partes básicas (2 Samuel 7:12-16):

1. Casa - esto se refiere a la dinastía o familia real de David;
2. Trono - eso se refiere a la autoridad o derecho a reinar de David, y
3. Reino - esto se refiere al reinado o ámbito político de David que es la nación de Israel.

Dios le prometió, eterna e incondicionalmente, a David que de su casa o dinastía alguien se sentaría en su trono y reinaría para siempre en su reino. Esta promesa será cumplida solamente cuando Jesucristo, que es del linaje de David, se siente en el trono de David en Jerusalén, gobernando a Israel en el reino venidero y por toda la eternidad (Ezequiel 37:22-25; Amós 9:11-15; Sofonías 3:14-17; Lucas 1:30-33, 69).

El nuevo pacto (Jeremías 31:31-34) o promesa de Dios para Israel también tiene una promesa triple:

1. El perdón de pecados - Dios perdonará a Israel sus pecados
2. Morada del Espíritu - Dios pondrá su Espíritu en los corazones del pueblo para instruirlos personalmente en su camino (Ezequiel 36:24-26), y
3. El corazón nuevo - Dios dará a su pueblo un corazón nuevo, limpio, con su ley ya inscrita.

Aunque los creyentes actuales disfrutan de todos estos beneficios como resultado del nuevo pacto en la sangre de Cristo (Mateo 26:28), las promesas específicas de Jeremías 31:31-34, se cumplirán total y definitivamente para Israel en el reino milenial, cuando los judíos sean restaurados a su territorio con Cristo como Rey de ellos (Nótese que el contexto del pacto es el reino futuro, Jeremías 31:35-40).

REAFIRMAR LA DEPRAVACIÓN TOTAL DE LA HUMANIDAD

La Palabra de Dios enseña claramente que la humanidad es pecadora por naturaleza y por costumbre. El reino milenial será la prueba concluyente y definitiva de este hecho. Satanás *será atado* por mil años en ese período milenial y el mismo Señor Jesús estará personalmente presente, gobernando y reinando en la tierra restaurada. No obstante, la Biblia enseña que mucha gente nacida y criada durante el milenio rechazará en sus corazones al Señor a pesar de su perfecta situación. Se amoldarán por fuera para evitar el juicio, pero interiormente, albergarán un corazón rebelde contra el Rey de reyes.

La Biblia nos dice que cuando Satanás quede libre por corto tiempo al finalizar el milenio, "saldrá a engañar a las naciones que están en los cuatro extremos de la tierra, a Gog y a Magog, a fin de reunirlas para la batalla; el número de ellas es como la arena del mar" (Apocalipsis 20:8), para tratar de destruir a Cristo, su ciudad y a su pueblo.

El milenio demostrará sin duda alguna que, apartada de la gracia salvadora de Dios, la humanidad es pecadora e incorregible independientemente de herencia, circunstancias o entorno. Como lo comenta el doctor Pentecost:

La era milenial está concebida por Dios, en las circunstancias ideales de la humanidad caída, como la prueba final para una humanidad rodeada por toda facilidad para obedecer el mando del rey, porque a ella se le quitaron las fuentes externas de tentación, de modo que se halle y quede probado que el hombre es un fracaso aun en esta última prueba de la humanidad caída.[8]

LA REBELIÓN FINAL DE SATANÁS (la resistencia final de Satanás)

Hay un viejo refrán "la próxima vez que venga Satanás y empiece a recordarte el pasado, recuérdale su futuro". La Biblia revela que el futuro de Satanás es horrendo. Está condenado a la destrucción eterna. Sin embargo, la Biblia nos dice que no caerá sin pelear. Apocalipsis 20:1-3, 7-10 registra la desaparición final de Satanás :

Y vi a un ángel que descendía del cielo, con la llave del abismo y una gran cadena en su mano. Prendió al dragón, la serpiente antigua, que es el Diablo y Satanás, y lo ató por mil años; y lo arrojó al abismo, y lo cerró y lo selló sobre él, para que no engañara más a las naciones, hasta que se cumplieran los mil años; después de esto debe ser desatado por un poco de tiempo. Cuando los mil años se cumplan, Satanás será soltado de su prisión, y saldrá a engañar a las naciones que están en los cuatro extremos de la tierra, a Gog y a

Magog, a fin de reunirlas para la batalla; el número de ellas es como la arena del mar. Y subieron sobre la anchura de la tierra, rodearon el campamento de los santos y la ciudad amada. Pero descendió fuego del cielo y los devoró.

Y el diablo que los engañaba fue arrojado al lago de fuego y azufre, donde también están la bestia y el falso profeta; y serán atormentados día y noche por los siglos de los siglos.

Estos versículos revelan tres etapas importantes de la revuelta y destrucción final del diablo: (1) Satanás atado; (2) Satanás liberado; y (3) Satanás derrotado.

Satanás atado   Cuando Cristo regrese como Rey a establecer su reinado, el primer punto de la tabla del día será encarcelar al falso rey, al usurpador de su trono, el Anticristo. El segundo punto de la tabla será apresar a la potestad que hay detrás del Anticristo, al diablo mismo. Cristo despacha inmediatamente a un poderoso ángel para que ate a Satanás en el abismo sin fondo por mil años. Durante la sentencia de encarcelamiento por mil años para Satanás, en el reino milenial la tierra será gobernada por Cristo con sus santos resucitados y arrebatados (Apocalipsis 20:4-6).

Satanás liberado   Al final de los mil años, Dios suelta a Satanás por corto tiempo permitiéndole un último intento de dominar el mundo. Sorprendentemente, cuando el diablo sea soltado, encontrará a mucha gente que vive en la tierra durante el reinado de Cristo dispuesta para incorporarse a su infame rebelión contra el Rey. La Biblia dice que la cantidad de personas que el diablo engaña es tan numerosa como las arenas de la playa. Satanás reúne este ejército insubordinado para atacar al pueblo de Dios y la amada ciudad de Jerusalén donde Cristo tiene su trono terrenal.

Satanás derrotado   Esta debe ser una de las batallas más cortas de la historia. Al reunirse la enorme muchedumbre de rebeldes en el ancho llano de la tierra para rodear la ciudad de Jerusalén, Dios envía fuego del cielo para destruirlos. Inmediatamente después de la tormenta de fuego divino, Satanás es arrojado al lago de fuego para siempre uniéndose a los otros dos miembros de la falsa trinidad, el Anticristo y el falso profeta.

El enemigo número uno del hombre que entró a escena en el huerto del Edén, allá por el tercer capítulo del Génesis, sale de escena para caer al lago de fuego por siempre, en el capítulo veinte del Apocalipsis.

EL JUICIO DEL GRAN TRONO BLANCO (día del juicio)

En las últimas décadas hemos presenciado un continuo torrente de programas televisivos que tienen un tribunal como tema: *Perry Mason, La ley y el orden, El Tribunal del Pueblo, y la Práctica*. El escritor secular norteamericano John Grisham vende millones de libros y entradas de cine enfocando en sus libretos la alta tensión de todo lo que se arriesga en la sala de un tribunal. Los norteamericanos se pasaron varios meses hechizados por el juicio al famoso deportista negro O. J. Simpson. Todo este preámbulo es para decir que los norteamericanos están enamorados del dramatismo de la sala de un tribunal.

La Biblia nos dice que un día ocurrirá el drama final en la sala del tribunal de Dios en el cielo cuando llegue el día de la cita de todos los que le rechazaron. La Biblia llama el Juicio del Gran Trono Blanco a este episodio.

La fecha de comparecencia ante el gran trono blanco está fijada en la agenda de Dios para después del final del reino milenial y cuando Satanás ya fue arrojado al lago de fuego. La escena de este gran juicio final es el cuadro más sobrecogedor de todas las páginas de la Biblia. Apocalipsis 20:11-15 describe gráficamente este acontecimiento que entorpece la mente:

> Y *vi un gran trono blanco y al que estaba sentado en él, de cuya presencia huyeron la tierra y el cielo, y no se halló lugar para ellos. Y vi a los muertos, grandes y pequeños, de pie delante del trono, y los libros fueron abiertos; y otro libro fue abierto, que es el libro de la vida, y los muertos fueron juzgados por lo que estaba escrito en los libros, según sus obras. Y el mar entregó los muertos que estaban en él, y la Muerte y el Hades entregaron a los muertos que estaban en ellos; y fueron juzgados, cada uno según sus obras. Y la Muerte y el Hades fueron arrojados al lago de fuego. Esta es la muerte segunda: el lago de fuego. Y el que no se encontraba inscrito en el libro de la vida fue arrojado al lago de fuego.*

Para comprender mejor el juicio al final del tiempo, dividiré la escena de la sala del tribunal en siete partes: La sala del tribunal, el juez, los acusados, la convocatoria, las pruebas, el veredicto y la sentencia.

El tribunal   La mayoría de los adultos ha visto una sala de tribunal y muchos han estado allí como jurado, como testigo o como parte de un juicio. La escena es imponente. Las salas de los tribunales suelen tener casi siempre cielo rasos altos y abovedados con enormes lámparas en forma de candelabros. La gente que ocupa la galería se sienta en duros bancos de madera oscura que tienen respaldos altos y rectos. Siempre la atmósfera es seria y el silencio casi completo, salvo unos pocos susurros muy bajos. De repente se abre la puerta que da a la oficina del juez y entra el procurador, que manda pararse a todos los presentes cuando el juez, vestido con túnica negra, entra a la sala. La corte sesiona mientras el juez se siente detrás del enorme escritorio. El juez llama a las partes del juicio por sus nombres y empieza el juicio. Esta es la escena que ocurrirá un día en la sala del tribunal de Dios en el cielo: solo que multiplicada por el infinito.

Toda persona debe preguntarse en algún momento de su vida cómo será ver "El Tribunal supremo del Universo", ver al Anciano de Días sentado en su gran trono blanco. El trono de Dios es "grande" (*Mega* en el griego) porque es el trono más elevado del universo. Es "blanco" porque es absolutamente puro, santo y justo. Todos los veredictos emanados de este trono son perfectamente rectos, justos y verdaderos. Esta es la sala del tribunal de Dios: el trono de justicia de Dios. Es el tribunal supremo del cielo y la tierra.

El juez Fíjese enseguida quién se sienta en este trono majestuoso. Nadie menos que el mismo Señor Jesucristo. La Biblia dice claramente que Jesucristo es el juez final ante el cual debe comparecer el mundo incrédulo. Como nos lo recuerda Juan 5:22, "ni aun el Padre juzga a nadie, sino que todo juicio se lo ha confiado al Hijo". Hechos 17:31 reitera esta misma verdad: "porque él ha establecido un día en el cual juzgará al mundo en justicia, por medio de un Hombre a quien ha designado, habiendo presentado pruebas a todos los hombres al resucitarle de entre los muertos". Segunda a Timoteo 4:1 dice que Jesucristo es aquel que "ha de juzgar a los vivos y a los muertos".

Los acusados La Escritura se refiere a los acusados que están en esta sala del tribunal como "los muertos, grandes y pequeños" (Apocalipsis 20:12). El contexto de este pasaje deja sumamente claro que estas son todas las personas que murieron en el curso de la historia sin creer en Cristo.

Nótese que estarán presentes grandes y pequeños y todos los que quedan en medio. No hay nadie demasiado grande para escapar del juicio ni nadie demasiado insignificante que pase inadvertido. Alejandro el

Grande, Julio César, Stalin y Hitler estarán ahí. También la gente cuyas vidas nunca significaron nada.

El que se cree justo estará ahí. Los pecadores terribles estarán ahí. Los negligentes estarán ahí. Los miembros inconversos de la iglesia estarán ahí. Ninguna persona réproba escapará de la cita al tribunal de Dios.

La convocatoria Cuando llegue el día del juicio no habrá dónde esconderse. No habrá abogados carísimos que posterguen el caso o lo saquen del tribunal. Nadie podrá salir bajo fianza. Todos los citados deben comparecer.

Los muertos serán convocados de toda clase de lugares: "Y el mar entregó los muertos que estaban en él, y la Muerte y el Hades entregaron a los muertos que estaban en ellos" (Apocalipsis 20:13). En el mundo antiguo se creía que el mar era el lugar más inaccesible. Nadie podía aventurarse en las profundidades del océano. Creían que nunca se podía perturbar a alguien enterrado en el océano. Pero Dios quiere que sepamos que para él son totalmente accesibles hasta los lugares más misteriosos, difíciles, fuera de rutas transitadas, prohibidos para la humanidad. El día del juicio es seguro (Hebreos 9:27).

Las evidencias El caso presentado por el fiscal en este juicio será a prueba de todo. Se admitirá solamente dos pruebas: la acusación presentará solamente dos:

1. Prueba A: compuesta por "los libros" abiertos en Apocalipsis 20:12. Estos libros son los registros sin errores de Dios que tienen la cuenta meticulosa de todas las obras de cada persona réproba. Dios lleva en sus libros la cuenta inescrutable de la vida de cada persona (ver Daniel 7:10). El perdido será condenado por sus obras pecadoras registradas en esos libros: "y fueron juzgados, cada uno según sus obras" (Apocalipsis 20:13).
2. Prueba B: Tiene hechos aún más condenadores. Esta prueba es "el Libro de la Vida". Libro inmenso que tiene la lista de todos los nombres de los pecadores perdidos sin remedio que confiaron en Jesucristo para que los salvara y los perdonara de tener que comparecer a este tribunal. La Prueba B será consultada para ver si el nombre del acusado aparece en el Libro de la Vida. "Y el que no se encontraba inscrito en el libro de la vida fue arrojado al lago de fuego" (Apocalipsis 20:15).

El veredicto   Luego de consultar los libros y el Libro de la Vida, el veredicto de culpabilidad resonará por todo el universo. El martillo de Dios caerá y el perdido no tendrá apelación. El veredicto regirá toda la eternidad.

La sentencia   En este juicio la sentencia será la más dura que se pudiera imaginar: una eternidad en el infierno, sin libertad, bajo palabra. El famoso predicador norteamericano del siglo diecinueve, Jonathan Edwards, escribió estas impactantes palabras sobre la sentencia final de los condenados:

> *Cuando usted mire hacia adelante verá una duración ilimitada y larga para siempre, duración que le tragará los pensamientos y asombrará a su alma. Y usted perderá absolutamente la esperanza de liberación, final, atenuantes, o descanso en algún momento. Usted sabrá con toda seguridad que deberá pasar largas edades, millones de millones de eras luchando y en conflicto con esta despiadada venganza todopoderosa. Y cuando haya hecho eso, cuando haya pasado realmente tantas eras de esta manera sabrá que todo eso no es más que un punto de lo que queda. De modo que indudablemente su castigo será infinito. Ay, quién pudiera expresar cuál es el estado de un alma en tales circunstancias. Todo lo que podemos decir solo es una pálida representación muy débil de esto que es inexpresable e inconcebible porque nadie conoce el poder de la ira de Dios.[9]*

Sin embargo, la Biblia enseña que hasta en el infierno habrá grados de castigo basados en las pruebas contenidas en aquellos libros. El largo de la sentencia es el mismo para todos los perdidos pero la severidad del castigo se basará a la vez en el monto y la naturaleza del pecado cometido y en el monto de verdad rechazada (Mateo 11:21-23; Lucas 12:47-48; Romanos 2:5-6).

Warren Wiersbe capta algo del dramatismo del juicio del gran trono blanco:

> *El juicio del gran trono blanco no será en absoluto como nuestros casos legales de la actualidad. En el trono blanco habrá un Juez pero sin jurado; un fiscal pero sin defensor; una sentencia pero sin apelación. Nadie será capaz de defenderse ni de acusar de injusticia a Dios. ¡Qué escena tan sobrecogedora será![10]*

La buena noticia es que usted no tiene que comparecer a este juicio. La Biblia dice que Jesús sufrió la ira de Dios en la cruz por usted y por mí. Todo lo que usted tiene que hacer para eximido de este día de juicio y pasarse la eternidad con Dios en el cielo es aceptar el perdón gratuito de Dios a través de la fe en Jesucristo. ¡Qué oferta! ¡Qué Salvador!

LA CREACIÓN DEL CIELO NUEVO Y LA TIERRA NUEVA (el Paraíso recuperado)

El doctor John Walvoord, una de las autoridades más reconocidas en profecía bíblica, cuenta una anécdota acerca de una breve conversación que sostuvo con el editor de la revista *Eternidad* mientras caminaba por un aeropuerto de Dallas, estado de Texas. Él y el editor iban acercándose a la puerta del vuelo cuando una mujer que conocía al doctor Walvoord se acercó y entabló una conversación con él. Mientras charlaban el doctor Walvoord presentó la señora a su amigo y ésta le preguntó, "¿Qué hace usted?" Él contestó, "Administro *Eternidad*" a lo cual ella comentó, "Debe de ser un trabajo enorme".

Piense en el enorme trabajo que debe ser realmente administrar la eternidad. Llega a marear solo pensar en eso, pero la Biblia declara que el todopoderoso Creador trascendente administra cada molécula sin esfuerzo alguno. ¡Él es el que manda toda la eternidad!

La Palabra de Dios revela que después del reino milenial y del juicio del gran trono blanco, el mismo Dios que creó los actuales cielo s y tierra, los destruirá y creará un cielo nuevo y una tierra nueva trayendo así el estado eterno.

Y vi un cielo nuevo y una tierra nueva, porque el primer cielo y la primera tierra pasaron, y el mar ya no existe. Y vi la ciudad santa, la nueva Jerusalén, que descendía del cielo, de Dios, preparada como una novia ataviada para su esposo. Entonces oí una gran voz que decía desde el trono: He aquí, el tabernáculo de Dios entre los hombres, y él habitará entre ellos y ellos serán su pueblo, y Dios mismo estará entre ellos. Él enjugará toda lágrima de sus ojos, y ya no habrá muerte, ni habrá más duelo, ni clamor, ni dolor, porque las primeras cosas han pasado. Y el que está sentado en el trono dijo: He aquí, yo hago nuevas todas las cosas. Y añadió: Escribe, porque estas palabras son fieles y verdaderas. También me dijo: Hecho está. Yo soy el Alfa y la Omega, el principio y el fin. Al que tiene sed, yo le daré gratuitamente de la fuente del agua de la vida. El vencedor heredará estas cosas, y yo seré su Dios y él será mi hijo. Pero los cobardes, incrédulos, abominables, asesinos, inmorales, hechiceros, idólatras y todos los mentirosos tendrán su herencia en el lago que arde con fuego y azufre, que es la muerte segunda. (Apocalipsis 21:1-8)

Los capítulos 21 y 22 del Apocalipsis destacan cinco puntos clave acerca del cielo nuevo y la tierra nueva:

La incineración del cielo y la tierra actuales Antes que puedan crearse el cielo nuevo y la tierra nueva, los actuales cielo y tierra deben ser destruidos. El cielo y la tierra viejos desaparecerán, acontecimiento mencionado varias veces en la Biblia

- *Desde la antigüedad tú fundaste la tierra, y los cielos son la obra de tus manos. Ellos perecerán, pero tú permaneces; y todos ellos como una vestidura se desgastarán, como vestido los mudarás, y serán cambiados. (Salmo 102:25-26)*

- *Todo el ejército de los cielos se consumirá, y los cielos se enrollarán como un pergamino; también todos sus ejércitos se marchitarán como se marchita la hoja de la vid, o como se marchita la de la higuera. (Isaías 34:4)*

- *Alzad vuestros ojos a los cielos, y mirad la tierra abajo; porque los cielos como humo se desvanecerán, y la tierra como un vestido se gastará. (Isaías 51:6)*

- *El cielo y la tierra pasarán. (Mateo 24:35)*

- *Pero el día del Señor vendrá como ladrón, en el cual los cielos pasarán con gran estruendo, y los elementos serán destruidos con fuego intenso, y la tierra y las obras que hay en ella serán quemadas. Puesto que todas estas cosas han de ser destruidas de esta manera, ¡qué clase de personas no debéis ser vosotros en santa conducta y en piedad, esperando y apresurando la venida del día de Dios, en el cual los cielos serán destruidos por fuego y los elementos se fundirán con intenso calor! (2 Pedro 3:10-12)*

- *Y el mundo pasa, y también sus pasiones. (1 Juan 2:17)*

Según Apocalipsis 20:11, este acontecimiento ocurrirá justo antes del juicio del gran trono blanco: "Y vi un gran trono blanco y al que estaba sentado en él, de cuya presencia huyeron la tierra y el cielo, y no se halló lugar para ellos". Solamente piense en cómo será para toda la gente reunida ante el gran trono blanco. Justo antes que Dios los juzgue y los eche al infierno para siempre lo último que verán es que todo el universo se disipa en humo. Dios desplegará definitivamente su poder y les mostrará la inutilidad de todo lo que codiciaron y atesoraron en esta tierra. Dios desatará o romperá simultáneamente por su palabra hablada a todos los átomos del cosmos y el universo entero se disolverá y desintegrará en un holocausto ígneo (2 Pedro 3:7, 10-13).

La creación del cielo nuevo y la tierra nueva Después que Dios destruya el orden presente, lo volverá a crear. Lo que todos los reyes humanos no pudieron hacer por el personaje de cuento Humpty Dumpty, Dios lo hará por el universo entero. Reunirá todos los bloques de construcción de la creación original y hará un universo totalmente nuevo.

La Biblia tiene solamente cuatro pasajes que mencionan la creación del cielo nuevo y la tierra nueva: Isaías 65:17; 66:22; 2 Pedro 3:13 y Apocalipsis 21:1.

Las condiciones en el cielo nuevo y tierra nueva La Biblia no dice mucho del estado eterno pero lo que dice entusiasma mucho. Es un lugar de perfección caracterizado por lo que hay y lo que no hay:

Tres cosas que habrá
1. La Ciudad Santa, la Nueva Jerusalén
2. Dios mismo habitando en medio de su pueblo
3. Justicia (2 Pedro 3:13).

Diez cosas que no habrá
1. El mar (Apocalipsis 21:1)
2. La muerte (Apocalipsis 21:4)
3. Tristeza (Apocalipsis 21:4)
4. Llanto (Apocalipsis 21:4)
5. Dolor (Apocalipsis 21:4)
6. Noche (Apocalipsis 21:25; 22:5)
7. Sol ni luna (Apocalipsis 21:23)
8. El templo (Apocalipsis 21:22) - Dios mismo será el templo manifestando su gloria por medio de toda la nueva creación.
9. Maldición (Apocalipsis 22:3)
10. Pecado (Apocalipsis 21:8; 21:27) - el cielo estará libre de esta contaminación.

La capital del cielo nuevo y la tierra nueva (Apocalipsis 21:9-22:5)

Cuando en su visión Juan mira el cielo nuevo y la tierra nueva, repentinamente ve a la nueva Jerusalén, la Ciudad Santa, que desciende desde Dios, del cielo. La ciudad es un cubo: 2253 kilómetros de largo, ancho y alto. Su capacidad es de 8.363.712 metros cúbicos suficiente para albergar cien trillones de personas. Juan ve esta ciudad cúbica –tamaño de un continente– flotando a través del espacio.

Creo que esta ciudad celestial bajará y reposará en la tierra nueva y servirá como su capital. El hecho que la Escritura mencione esta ciudad junto con la tierra nueva y que la ciudad tenga unas piedras de fundación enormes, parece sugerir que se apoyará sobre la tierra nueva (ver Hebreos 11:10).

¿Cómo será esta ciudad? ¿Qué habrá ahí?

LA GLORIA DE DIOS   La característica principal de esta ciudad es que tiene la gloria de Dios (Apocalipsis 21:11, 23) descrita como luz, piedras preciosas y oro bruñido como espejo brillante. El perfil del firmamento celestial relumbra como la luz de Dios brilla sobre la belleza de la ciudad.

EL MURO DE JASPE   EL muro es para protección, seguridad y separación. Destaca la seguridad eterna del pueblo de Dios y la separación eterna del perdido tocante a esta ciudad. El muro tiene 66 metros de ancho, y 2253 kilómetros de alto, está confeccionado con jaspe que, probablemente, se refiere a un diamante o una gema que luce como hielo. El muro luce como una sábana de hielo que refulge.

LAS DOCE PUERTAS   Las puertas de la ciudad que siempre están abiertas (Apocalipsis 21:25) dan acceso y entrada al pueblo del Señor. Cada puerta está hecha de una sola perla.

LAS DOCE PIEDRAS DEL FUNDAMENTO   Los cimientos revelan la permanencia de la ciudad (Hebreos 11:10). Están recamados con doce piedras preciosas: Jaspe (Diamante) zafiro (azul oscuro), ágata (verde), esmeralda (verde), sardónice (piedra roja en capas) sardio (rojo sangre) crisólito (amarillo dorado), berilo (verde mar), topacio (dorado verdoso o amarillo), crisoprasa (verde dorado) jacinto (violeta dorado) y amatista (cuarzo violeta).

LA CALLE   La gente habla a menudo de las calles de oro del cielo pero, en realidad, hay solamente una calle de oro. Todos viven en la Calle Principal y esa calle estará pavimentada con oro bruñido que brilla como espejo. EL oro es tan abundante para el Creador que Él lo usa para pavimentar su calle.

UN RÍO   Un río de claras aguas cristalinas correrá desde el trono de Dios calle abajo por la Calle Principal.

EL ÁRBOL DE LA VIDA   El árbol que Dios excluyó de la humanidad cuando Adán y Eva fueron expulsados del huerto del Edén, estará a disposición de todo el pueblo de Dios por la eternidad.

Como indican estas descripciones en esta ciudad no habrá nada que no sea lo óptimo. No habrá cenizas de leña, alfombras gastadas ni imitaciones baratas. Solamente los mejores materiales serán empleados. La ciudad celestial descrita en los capítulos 21 y 22 del Apocalipsis es el lugar que Jesús fue a prepararnos como registra el pasaje de Juan 14:1-3. Jesús ha estado trabajando en la casa del Padre, que tiene muchas habitaciones, ya por dos mil años a la fecha. ¡Qué lugar será!

Los ciudadanos del cielo nuevo y la tierra nueva   Hebreos 12:22-24 describe a los habitantes del nuevo mundo de Dios:

> *Vosotros, en cambio, os habéis acercado al monte Sion y a la ciudad del Dios vivo, la Jerusalén celestial, y a miríadas de ángeles, a la asamblea general e iglesia de los primogénitos que están inscritos en los cielos, y a Dios, el Juez de todos, y a los espíritus de los justos hechos ya perfectos, y a Jesús, el mediador del nuevo pacto, y a la sangre rociada que habla mejor que la sangre de Abel.*

Hay tres grupos de habitantes en la Nueva Jerusalén que se puede identificar además de Dios y Jesús: los ángeles, los creyentes de la era de la iglesia ("la asamblea general de los primogénitos") y el resto del pueblo de Dios de las otras eras ("Los espíritus de los justos hechos ya perfectos").

Apocalipsis 21:8 describe ocho clases de personas que no estarán allí:

1. cobardes – aquellos que se avergüenzan de Cristo (Mateo 10:33)
2. incrédulos,
3. abominables,
4. asesinos (Una persona que comete asesinato puede ser salvo por la gracia de Dios. El rey David es un perfecto ejemplo. Esto se refiere a personas que asesinan y no buscan el perdón de Dios.)
5. inmorales (De nuevo se refiere a aquellos que practican este estilo de vida y no se arrepienten.)

6. hechiceros,
7. idólatras y
8. mentirosos

Naturalmente lo crucial es ¿usted va a estar allí? ¿Usted será un ciudadano del cielo nuevo, la tierra nueva y la nueva Jerusalén? ¿Ha recibido la oferta de salvación de parte de Dios?

CONCLUSIÓN

Luego de este rápido viaje por los diez principales acontecimientos de la profecía bíblica importa detenerse y dejar que todo empape nuestro corazón y mente. Yo le exhorto que repase repetidamente este capítulo hasta que tenga firmemente fijados esos diez acontecimientos en su mente. Esos acontecimientos forman el esquema básico para entender los últimos días.

Que Dios use este capítulo para que entendamos mejor su programa profético para este mundo y que nos dirija a amarlo, adorarlo y venerarlo más profundamente.

[1]Estos cinco puntos, tomados de Erwin W. Lutze, *Your Eternal Reward,* (Chicago: Moody Press, 1998), 25-36.

[2]Ibid, 23.

[3]Algunos puntos fueron tomados del *Libro Panorama de la Profecía,* de Harold Willmington, 7-11.

[4]Esta lista fue tomada del Libro de Listas de la Biblia, de Harold Willmington (Wheaton, Ill., Tyndale House Publishers, 1987), 193-194.

[5]J. Dwight Pentecost resume en este libro *Things to Come* (Grand Rapids: Zondervan Publishing House, 1958, p. 235), la naturaleza de la Tribulación con diez palabras muy descriptivas: ira, juicio, indignación, prueba, angustia, destrucción, tiniebla, desolación, trastorno y castigo.

[6]Estas listas se adaptaron de una lista de palabras referidas a la Tribulación que me proporcionó Randall Price.

[7]Herman A. Hoyt, *The End Times* (Chicago: Moody Pres 1969), 163.

[8]J. Dwight Pentecost, *Things to Come* (Grand Rapids: Zondervan Publishing House, 1958), 538.

[9]Esto fue tomado de un famoso sermón de Jonathan Edwards titulados "Pecadores en las manos de un Dios airado".

[10]Warren Wiersbe, *The Bible Expository Commentary*, vol. 2 (Wheaton, Ill., Victor Books, 1989), 621.

DIEZ LUGARES CLAVE
DE LA PROFECÍA BÍBLICA

RUSIA 124
La manifestación
Los aliados
La actividad
La aniquilación
La secuela
    Las aves y las bestias
    El entierro de los muertos (siete meses)
    La quemazón de las armas (siete años)
    La bendición de la salvación

EL VALLE DE JOSAFAT 128

El estudio de cualquier nación, imperio o religión revela rápidamente que ciertos lugares son muy importantes para los ciudadanos o miembros de la religión o fe en cuestión. Lugares como Washington D.C., Plymouth Rock, Valley Forge, Gettysburg, Kitty Hawk, Wall Street y El Álamo son importantes para la historia de los Estados Unidos de Norteamérica.

Los lugares suelen adquirir importancia no por la localización misma, sino debido a algún acontecimiento grande ocurrido o que ocurre ahí. Lo mismo rige para la profecía bíblica. Hay ciertos lugares que son clave debido a lo que ha pasado o a lo que pasará ahí en el futuro como dice la Biblia. Aunque hay muchos lugares, en la profecía bíblica solamente diez tienen importancia suprema para darnos una comprensión general de los últimos días.

BABILONIA

Los capítulos 17 y 18 del Apocalipsis describen una gran ciudad de los últimos días llamada Babilonia. Hay siete claves en estos capítulos que sirven para identificar esta gran ciudad de los postreros tiempos.

1. Babilonia es una ciudad literal (Apocalipsis 17:18)
2. Babilonia es una ciudad de importancia e influencia mundial, probablemente sea la capital del mundo (Apocalipsis 17:15, 18).
3. Babilonia y el Anticristo están íntimamente relacionados. El Apocalipsis describe a la mujer (Babilonia) que monta sobre la Bestia (Anticristo).
4. Babilonia es el centro de la falsa religión (Apocalipsis 17:4-5; 18:1-2).
5. Babilonia es el centro del comercio mundial (Apocalipsis 18:9-19). Estos dos sistemas, el religioso y el comercial, compartirán la misma ubicación geográfica bajo el mando del Anticristo.[1]

6. Babilonia persigue al pueblo del Señor (Apocalipsis 17:6; 18:20, 24).
7. Babilonia será destruida súbita y completamente al final de la Tribulación para nunca más resurgir (Apocalipsis 18:8-10, 21-24).

Reuniendo estas claves se descubre que Babilonia será la gran capital religiosa y económica del reino del Anticristo en los últimos tiempos, pero ¿a qué ciudad representa Babilonia?

La gran ramera de los últimos días ha sido identificada con la iglesia católica Romana y el Vaticano, la cristiandad apóstata, la ciudad de Nueva York, Jerusalén, y Roma. Sin embargo, lo más probable es que Babilonia, la ciudad literal a orillas del río Éufrates, en el moderno Irak, sea reconstruida en los últimos días. Hay siete puntos principales en los capítulos 17 y 18 del Apocalipsis que favorecen esta identificación de Babilonia.

Nombre de la ciudad   El Apocalipsis llama seis veces "Babilonia" específicamente a la gran ciudad descrita como la capital del Anticristo en los tiempos postreros (14:8; 16:19;17:5; 18:2, 10, 21). Aunque es posible que el nombre Babilonia sea una codificación de Roma, Nueva York, Jerusalén u otra ciudad, pareciera mejor entender esto como la Babilonia literal puesto que el texto no indica si debe entenderse simbólica o figuradamente.

Mención de la ciudad   Exceptuando Jerusalén no hay otra ciudad que la Biblia mencione más. La Escritura se refiere 290 veces a Babilonia presentando a esta ciudad como el epítome del mal y la rebelión contra Dios. Los pasajes siguientes indicarían que Babilonia es la capital de Satanás en la tierra:

- Babilonia es la ciudad donde el hombre comenzó a adorarse a sí mismo en una rebelión organizada contra Dios (Génesis 11:1-9).
- Babilonia fue la capital de Nimrod, el primer rey del mundo (Génesis 10:8-10).
- Nabucodonosor, rey de Babilonia, destruyó la ciudad de Jerusalén y el templo en el 586 a.C.
- Babilonia fue la capital del primero de los cuatro imperios gentiles mundiales que dominaron a Jerusalén.

Como Babilonia fue la ciudad capital del primer rey del mundo y es retratada como la capital de Satanás en la tierra en toda la Escritura, tiene sentido que Satanás vuelva a levantar esta ciudad en los últimos días como la capital del último rey del mundo. Charles Dyer escribe en su excelente libro, *Babilonia Renace*:

> *En el curso de la historia, Babilonia ha representado la máxima rebelión y oposición a los planes y propósitos de Dios, de modo que Dios permite que Babilonia continúe durante los últimos días. Esto es casi como si Él "la retara" a un duelo definitivo pero, en esta ocasión, el conflicto entre Dios y Babilonia llega a su final. La ciudad de Babilonia será destruida.[2]*

Especificaciones de la ciudad Babilonia cumple los requisitos de la ciudad descrita en Apocalipsis 17 y 18s. Como lo nota Robert Thomas:

> *Además, Babilonia, a orillas del Éufrates, tiene una ubicación que corresponde a esa descripción política y geográfica; además, tiene todas las características de accesibilidad, instalaciones comerciales, lejanía para no ser interferida por la iglesia ni el estado, aunque es central para el comercio de todo el mundo.[3]*

Ubicación de la ciudad El Apocalipsis menciona el río Éufrates dos veces por su nombre (9:14; 16:12). El texto de Apocalipsis 9:14 expresa que hay cuatro ángeles caídos atados junto al río Éufrates, esperando que llegue su hora para dirigir una horda de demonios que destruirá a un tercio de la humanidad. En Apocalipsis 16:12 se registra el juicio de la sexta copa que seca al río Éufrates para preparar el camino a los reyes del Este. Estas referencias al río Éufrates apuntan a que algo importante y malo ocurre ahí. La reconstruida ciudad de Babilonia, a orillas del río Éufrates, que funciona como centro religioso y político del Anticristo, es una buena explicación del resalte que Apocalipsis da a este río.

Maldad de la ciudad Zacarías 5:5-11 registra una visión increíble relacionada con la ciudad de Babilonia en los últimos días:

> *Salió el ángel que hablaba conmigo, y me dijo:*
> *Alza ahora tus ojos y mira qué es esto que sale.*
> *Y dije: ¿Qué es?*
> *Y él dijo: Esto es el efa que sale. Y añadió: Esta es la iniquidad de ellos en toda la tierra.*
> *Y he aquí, una tapa de plomo fue levantada, y había una mujer sentada dentro del efa. Entonces dijo: Esta es la Maldad. Y la arrojó al interior del efa y arrojó la tapa de plomo sobre su abertura.*
> *Luego alcé los ojos y miré, y he aquí dos mujeres salían con el viento en sus alas; y tenían alas como alas de cigüeña, y alzaron el efa entre la tierra y el cielo.*

Dije entonces al ángel que hablaba conmigo: ¿Adónde llevan el efa?
Y me respondió: A la tierra de Sinar para edificarle un templo; y
cuando esté preparado, será asentado allí sobre su base.

Alrededor del 520 a.C., unos veinte años después de la caída de Babilonia en manos de los medopersas, el profeta Zacarías escribió sobre la maldad que volvería a esta ciudad en el futuro. Zacarías ve a una mujer llamada Maldad que es llevada en un canasto a la tierra de Babilonia en los últimos días, donde le construirán un templo.

Los paralelos de Zacarías 5:5-11 y los capítulos 17 y 18 del Apocalipsis son impresionantes:

PARALELOS DE ZACARÍAS Y EL APOCALIPSIS

ZACARÍAS 5:5-11	APOCALIPSIS 17 y 18
Mujer en un canasto	Mujer montada en la bestia, siete colinas y muchas aguas (17:3, 9, 15)
Énfasis en el comercio (canasto para pesar trigo)	Énfasis en el comercio (mercaderes de grano - 18:13)
El nombre de la mujer es Maldad	El nombre de la mujer es Babilonia la Grande, la madre de todas las rameras y obscenidades del mundo
Enfoque en la adoración falsa	Enfoque en la adoración falsa (18:1-3)
La mujer es llevada a Babilonia	La mujer se llama Babilonia

La Palabra de Dios enseña que en los últimos días la maldad volverá a levantar su horrible cabeza en el mismo lugar donde empezó: Babilonia. La prostituta del Apocalipsis cumple la profecía de Zacarías 5:5-11 pues Babilonia es establecida en los últimos días como la ciudad que personifica la maldad.

Destrucción de la ciudad   Puesto que la ciudad de Babilonia nunca fue destruida súbita y completamente, como predijeron Isaías (Capítulo 13) y Jeremías (capítulos 50 y 51), estos pasajes deben referirse a una futura ciudad de Babilonia que será totalmente destruida en el Día del Señor.

Descripción de la ciudad   Los capítulos 50 y 51 de Jeremías describen claramente a la ciudad geográfica de Babilonia que está a orillas del río Éufrates. Las abundantes comparaciones de este pasaje y la futura Babilonia descrita en los capítulos 17 y 18 del Apocalipsis indican que ambos textos se refieren a la misma ciudad.

PARALELOS DE JEREMÍAS 50–51 Y APOCALIPSIS 17–18[4]

DESCRIPCIÓN	JEREMÍAS 50-51	APOCALIPSIS 17-18
Se compara con una copa de oro	51:7	17:3,4; 18:6
Asentada sobre muchas aguas	51:13	17:1
Relacionada con las naciones	51:7	17:2
Mismo nombre	50:1	18:10
Destruida súbitamente	51:8	18:8
Destruida por fuego	51:30	17:16
Nunca más será habitada	50:39	18:21
Castigada conforme a sus obras	50:29	18:6
Ilustración de su caída	51:63-64	18:21
Huida del pueblo de Dios	51:6, 45	18:4
El cielo se regocija	51:48	18:20

La ciudad de Babilonia será reconstruida en los últimos tiempos para servir como la capital religiosa y comercial del imperio del Anticristo. La maldad regresará a este lugar para ofrecer su última resistencia. Entonces, al final de la Tribulación, en el juicio de la séptima copa, Dios pondrá en el corazón del Anticristo el deseo de destruir con fuego a la gran ciudad de Babilonia (Apocalipsis 17:16-17; 18:8). ¡Babilonia caerá para no volver a levantarse nunca más!

La entrada de Irak a la escena política y económica mundial de los últimos años no es un accidente. A pesar de la guerra del Golfo Pérsico y de la tremenda presión mundial, Irak sigue siendo un rival formidable. La actual reconstrucción y resurgimiento de Babilonia pudiera ser parte clave del plan de Dios para los últimos días.

BOSRA/PETRA

La Palabra de Dios revela que a mediados de la Tribulación el Anticristo romperá su pacto de paz con el pueblo judío. En ese momento invadirá Jerusalén e instalará la abominación desoladora en el templo (Mateo 24:15). La Biblia dice que entonces un tercio del pueblo judío huirá a los montes, y ahí Dios los protegerá en forma sobrenatural durante tres años y medio contra los pillajes del Anticristo y Satanás (Apocalipsis 12:6, 14).

La Escritura indica que este escondite de los últimos días para el remanente judío será la ciudad de Petra ubicada al sur de la moderna Jordania. Hay cuatro razones principales que apoyan este criterio:

Específicamente   Miqueas 2:12-13 dice:

> *Ciertamente os reuniré a todos, oh Jacob, ciertamente recogeré al remanente de Israel, los agruparé como ovejas en el aprisco; como rebaño en medio de su pastizal, harán estruendo por la multitud de hombres. El que abre brecha subirá delante de ellos; abrirán brecha, pasarán la puerta y saldrán por ella; su rey pasará delante de ellos, y el Señor a su cabeza.*

La palabra del hebreo para "aprisco" es *BOSRA* que significa "redil para las ovejas". Este pasaje predice que un día el rey de Israel conducirá a su pueblo desde el exilio al aprisco (BOSRA). La antigua ciudad de BOSRA estaba situada en la región del Monte Seir, en Edom. La ubicación exacta de BOSRA sigue debatiéndose, porque podría ser la actual aldea árabe de Buseria o la ciudad que hoy se conoce como Petra. Pareciera más lógico identificar a la futura ciudad de refugio para el pueblo judío con la ciudad de Petra. Arnold Fruchtenbaum comenta:

> *Petra está situada en una cuenca dentro del Monte Seir y está rodeada totalmente por montañas y acantilados. La única vía de acceso de la ciudad es un estrecho pasadizo llamado el "Sig" que significa brecha, fisura, garganta, o grieta. El Sig se extiende casi mil seiscientos metros y puede cruzarse caminando o a caballo. Los picachos a lo largo de esta angosta pasaje se elevan sobre el Sig a alturas de hasta ciento ochenta y tres metros. Esto hace que la ciudad sea fácil para defender y los altos picachos que la rodean agregan significado y confirmación a Isaías 33:16. Solamente dos o tres personas, una al lado de la otra, pueden entrar por este pasillo en un momento dado, lo cual aumenta la posibilidad de defensa de la ciudad. El nombre "BOSRA" significa "redil para ovejas". El antiguo redil tenía una entrada muy angosta para que el pastor pudiera contar sus ovejas. Una vez dentro del redil, las ovejas tenían más espacio para moverse. Petra tiene la forma de un gigantesco redil con su estrecho pasaje de entrada que se abre a un espacioso círculo rodeado de montes.[5]*

Militarmente   BOSRA es uno de los primeros lugares del antiguo Edom a donde Cristo va cuando regresa a la tierra. Al regresar de BOSRA, chorrea sangre de sus enemigos (Isaías 34:5-10; 63:1-6), pero ¿por qué la

Escritura destaca el hecho de que Cristo irá a Petra cuando regrese? La mejor respuesta es que va allá como parte de la campaña del Armagedón, para rescatar al remanente judío que ha estado ocultándose ahí durante tres años y medio.

Políticamente   La única nación del Oriente Medio que escapará del control directo del Anticristo es la moderna nación de Jordania. Daniel 11:41 dice "También entrará a la Tierra Hermosa, y muchos países caerán; mas éstos serán librados de su mano: Edom, Moab y lo más selecto de los hijos de Amón".

Esto hace de la región de Petra, que está en el antiguo Edom, el perfecto lugar de refugio contra el Anticristo durante el período de la Tribulación.

Geográficamente   La Escritura dice que el Señor preparará una ciudad de refugio para el remanente judío durante la última mitad de la Tribulación. Será un lugar que Dios preparará, lo que significa que será adecuado como lugar de refugio. La Escritura describe coherentemente este lugar como situado en los montes o en el desierto (Mateo 24:16; Apocalipsis 12:6, 14).

La ciudad de Petra satisface todos estos criterios. Es adecuada para albergar lo que pudiera ser un millón de judíos; está en los montes, en el desierto y es accesible para el remanente que huye.

EGIPTO

En el Antiguo Testamento hay unos 250 versículos que profetizaban, en la época en que se dieron, sucesos que debían ocurrir en Egipto.[6] Este solo punto hace que Egipto sea un lugar importante en la profecía bíblica.

Hay cinco pasajes principales de la profecía bíblica que tratan a Egipto: Isaías 11:15-16; 19:1-25; Jeremías 46:2-28; Ezequiel 29-32 y Daniel 11:40-43. Estos pasajes describen tres períodos principales de la historia egipcia: la época actual, la tribulación y el reino del milenio.

Egipto en el presente   La Biblia dice que durante esta época actual Egipto nunca volverá a ser una potencia internacional importante. Egipto seguirá siendo un reino de poca monta y escasa importancia: "Será el más humilde de los reinos y jamás se levantará sobre las naciones; y los empequeñeceré para que no dominen a las naciones" (Ezequiel 29:15).

Esto ha sido verdadero en la historia de Egipto. Luego que Persia subió al poder, Egipto no volvió a ser una potencia internacional, grande e independiente. Egipto fue dominado sucesivamente por Grecia, Roma, los sarracenos, los mamelucos, los turcos y los británicos. Egipto siguió bajo la soberanía de una potencia extranjera hasta 1922. La actual existencia de la nación soberana de Egipto es en preparación para su importante papel de los últimos tiempos.

Egipto en la Tribulación   La Escritura tiene mucho que decir acerca de la nación de Egipto durante la tribulación:

- Egipto, "el rey del sur" dirigirá a la gran confederación norafricana contra Israel a mediados de la tribulación (Daniel 11:40). Esta confederación abarcará a Libia y Sudán. Rusia, "el rey del norte" unirá a Egipto en esta invasión (Daniel 11:40; Ezequiel 38:1-23).
- El ejército de Egipto será destruido por Dios (Isaías 19:16; Ezequiel 38-39)
- Luego que Dios destruya al ejército de Egipto, la nación misma será presa fácil para el Anticristo que conquistará y saqueará a Egipto (Daniel 11:41-43).
- Egipto será una desolación y un desierto (Isaías 19:16-17; Joel 3:19).
- Muchos egipcios se volverán al Señor en pos de salvación (Isaías 19:22).

Egipto en el milenio   La Biblia también tiene mucho que decir sobre Egipto en el milenio:

- Egipto instituirá la adoración verdadera de Dios. Ahí se edificará un altar para el Señor y el pueblo ofrecerá sacrificios y ofrendas al Señor (Isaías 19:18-21).
- Egipcios irán a Jerusalén a celebrar las fiestas del Señor (Zacarías 14:16-19).
- El Señor construirá una carretera entre Egipto, Israel y Asiria (Irak) (Isaías 11:15-16; 19:23-25).

Imagínese a Egipto, Israel e Irak como vecinos amistosos en armonía. Hoy esa idea parece absurda, pero como dice Wilbur Smith:

> *Este es el único lugar del Antiguo Testamento en que Dios asigna un lugar a dos naciones gentiles en la trinidad de naciones que incluye a Israel, dando un tercio a cada una. Alguien ha dicho correctamente que aquí tenemos la promesa de bendición de las tres grandes divisiones de la raza humana: los semitas, los jafetitas y los camitas.... La relación pacífica entre estas tres naciones que se*

> *promete para el final de lo tiempos, es el extremo opuesto de las*
> *condiciones que hoy prevalecen.*[7]

Los tratos futuros de Dios con Egipto se hallan entre las más bellas demostraciones de su gracia. Ninguna nación tiene una historia más larga de rechazo de la revelación divina que Egipto. Desde la época de Abraham, José y Moisés, Egipto ha rechazado continuamente al Dios verdadero. Sin embargo, en su gracia y misericordia infinita, Dios se dará a conocer a los egipcios, los bendecirá y los llevará a tener armonía con sus vecinos.

JERUSALÉN

En la Biblia hay 802 referencias a Jerusalén. 489 de ellas eran proféticas al ser pronunciadas. Otra manera de entender el significado de esta ciudad es fijarse en que los dos tercios de los libros del Antiguo Testamento y casi la mitad de los libros del Nuevo Testamento mencionan a Jerusalén.[8] Claramente Jerusalén es la ciudad central de la profecía bíblica.

Jerusalén no solo es el centro de la profecía bíblica, sino también el centro de una tormentosa nube de debates y atención del mundo actual. Cuesta mucho encontrar un periódico, un semanario importante o un programa de noticias que no mencione la nación de Israel y el debate por Jerusalén. El proceso de paz del Oriente Medio se enfoca en Jerusalén. Sorprende que este pequeño trozo de territorio pueda captar tanta atención. La única explicación es sobrenatural.

Randall Price resume muy bien la importancia de Jerusalén en la profecía bíblica:

> *Sea que se capte o no, Jerusalén ocupa el centro del escenario debido al plan profético de Dios para el futuro... Hoy es incuestionable que Jerusalén se halla en el centro del debate, porque se está armando el escenario del conflicto final... Jerusalén es la ciudad del centro. Está en el centro de la esperanza de la humanidad y de los propósitos de Dios. Dios la ama, Satanás la odia. Jesús lloró por ella, el Espíritu Santo descendió en ella, las naciones son atraídas a ella, y Cristo regresará a ella y reinará en ella. Indudablemente, el destino del mundo está ligado al futuro de Jerusalén.*[9]

La importancia de Jerusalén en la profecía bíblica se aprecia también en la diversidad de nombres dados a esta ciudad. Los rabinos judíos dicen que en la Biblia hay sesenta nombres diferentes para Jerusalén. Aunque algunos creen que exageran, persiste el hecho de que la Biblia se refiere a esta ciudad con muchos nombres y títulos diferentes. A continuación, solo una muestra de algunos de los nombres y títulos más conocidos:

- Sion
- Ciudad de David
- Ariel (Isaías 29:1-2)
- La Ciudad Santa (Isaías 48:2; 52:1)
- Ciudad de nuestro Dios (Salmos 48:1, 8)
- El trono del Señor (Jeremías 3:17)
- Ciudad del Gran Rey (Salmos 48:2; Mateo 5:35)

Puesto que la profecía menciona tan a menudo a Jerusalén, esta sección agrupará las profecías más importantes acerca de esta ciudad, en cuatro encabezamientos principales: (1) Jerusalén en la Tribulación; (2) Jerusalén durante el milenio; (3) Jerusalén después del milenio; (4) La Nueva Jerusalén.

Jerusalén en la Tribulación   La Biblia dice lo que sigue acerca de Jerusalén en la Tribulación:

- El Anticristo hará un tratado de siete años de paz con Israel, que traerá paz a Jerusalén (Daniel 9:27)
- El templo judío será reconstruido en Jerusalén (Daniel 9:27; Apocalipsis 11:1)
- El Anticristo romperá el tratado de paz a mediados de la tribulación e invadirá a Israel, poniendo su trono en Jerusalén (Daniel 11:40-45)
- El Anticristo profanará el templo, instalará la abominación desoladora en el Lugar Santísimo y se proclamará dios (Daniel 9:27; 12:11 Mateo 24:15; 2 Tesalonicenses 2:3-4; Apocalipsis 13:11-15)
- Jerusalén y todo Israel sufrirán terrible persecución (Jeremías 30:4-7)
- El Anticristo matará a los dos testigos, y sus cadáveres yacerán en las calles de Jerusalén durante tres días y medio (Apocalipsis 11:7-11)
- El Anticristo juntará a sus aliados para atacar a Jerusalén (Zacarías 12:1-3)
- Jerusalén caerá en las manos del Anticristo y la mitad de la ciudad será destruida (Zacarías 14:2)
- Cristo retornará al monte de los Olivos al este de Jerusalén (Zacarías 14:4)
- En una movida final desesperada el Anticristo reunirá a sus fuerzas contra Cristo, solo para ser destruido en la ciudad de Jerusalén y sus alrededores (Joel 3:12-13; Apocalipsis 19:19)
- Un terremoto muy fuerte partirá en tres partes la ciudad de Jerusalén (Zacarías 14:4-5).

Jerusalén durante el milenio   La ciudad de Jerusalén será la capital política, religiosa y económica del mundo durante el reino del milenio. A continuación, siete de las descripciones más importantes de Jerusalén en el reino:

1. Ciudad de santidad (Isaías 33:5; Jeremías 31:40)
2. Ciudad de la presencia de Dios (Ezequiel 48:35)
3. Ciudad de adoración - el centro del reinado milenario (Isaías 60:3; Jeremías 3:17; Zacarías 8:23)
4. Ciudad del gobierno político (Salmos 2:6; 110:2; Isaías 2:2-4; 24:23; Miqueas 4:7)
5. Ciudad de protección, paz y seguridad (Isaías 40:2; 66:20; Jeremías 31:6)
6. Ciudad de prosperidad - el centro del comercio mundial (Isaías 2:2; 60:11; 66:12; Miqueas 4:1)
7. Ciudad prominente (Isaías 2:2-4; Zacarías 14:9-10)

La topografía de la ciudad cambiará espectacularmente. Literalmente Dios levantará esta ciudad por encima de su altura actual y Jerusalén será un lugar de belleza magnífica.

Jerusalén después del milenio   Satanás será soltado por corto tiempo luego del reino del milenio. Apocalipsis 20:7-10 dice que Satanás reunirá a todos los que rechazaron a Cristo durante el milenio para atacar al pueblo de Dios y su amada ciudad. Esto es una clara referencia a Jerusalén y el ataque será el último contra la ciudad de Dios, porque él enviará fuego del cielo para consumir a los seguidores de Satanás y este será echado al lago de fuego para siempre.

La Nueva Jerusalén   Después del juicio del gran trono blanco, Dios destruirá el cielo y la tierra actuales y creará un cielo nuevo y una tierra nueva. La capital de esta nueva creación será "la ciudad santa, la nueva Jerusalén, que descendía del cielo, de Dios, preparada como una novia ataviada para su esposo" (Apocalipsis 21:2). Jerusalén será la ciudad de Dios para la eternidad.

MEGUIDO (Armagedón)

Armagedón es uno de los lugares clave de la profecía bíblica aunque se menciona solo una vez en la Biblia. El lugar es muy significativo por dos razones: Primera, ahí es donde el Anticristo reunirá todas sus fuerzas para el ataque final contra Jerusalén en los últimos tiempos. Segunda, el Armagedón se ha

convertido en palabra clave de la sociedad moderna para significar el fin del
mundo. Por esta sola razón importa que los creyentes entiendan qué significa
Armagedón.

El único lugar donde se halla la palabra es Apocalipsis 16:16: "Y los
reunió en el lugar que en hebreo se llama Armagedón". La palabra *Armagedón* está compuesta por dos palabras del hebreo, *har* (montaña, monte o
cerro) y *Meguido* (ciudad en el norte de Israel). Las ruinas del antiguo Meguido forman un pequeño montículo o colina que mira a un bello valle
grande y fértil. Este valle tiene forma triangular, con un tamaño de 24 x 24
x 32 kilómetros. Este valle se conoce con diferentes nombres:

- Valle de Jezreel
- Llanura de Esdraelón (forma griega de Jezreel)
- Llanura de Meguido
- Valle de Taanac

En este valle, cerca del monte de Meguido, reunirá sus fuerzas el Anticristo para atacar al Cristo vencedor cuando regrese desde el cielo.

EL MONTE DE LOS OLIVOS

El monte de los Olivos es una pequeña cadena montañosa al este de la ciudad de Jerusalén. El Nuevo Diccionario de la Biblia lo describe así: "El
monte de los Olivos... es una pequeña cadena montañosa de cuatro colinas,
la más alta de 830 metros que mira a Jerusalén y al Templo desde el este a
través del Valle del Cedrón y el estanque de Siloé".[10]

El monte de los Olivos es un lugar importante de la profecía bíblica por
dos razones principales: Primera, es el lugar donde Jesús dio su gran sermón
profético tres días antes de morir. Este sermón, llamado el Sermón del Monte, proporciona el esquema básico de Jesús para los últimos días. El sermón
se halla en los capítulos 24 y 25 de Mateo, 13 de Marcos y 21 de Lucas.

Segunda, el monte de los Olivos es el lugar donde regresará Jesús a la
tierra en su segunda venida. Hay dos pasajes que lo caracterizan como el
lugar donde sus pies tocarán tierra:

> *Entonces saldrá el Señor y peleará contra aquellas naciones, como
> cuando El peleó el día de la batalla. Sus pies se posarán aquel día en
> el monte de los Olivos, que está frente a Jerusalén, al oriente; y el
> monte de los Olivos se hendirá por el medio, de oriente a occidente,*

> formando un enorme valle, y una mitad del monte se apartará hacia
> el norte y la otra mitad hacia el sur (Zacarías 14:3-4).

> Después de haber dicho estas cosas, fue elevado mientras ellos
> miraban, y una nube le recibió y le ocultó de sus ojos. Y estando
> mirando fijamente al cielo mientras El ascendía, aconteció que se
> presentaron junto a ellos dos varones en vestiduras blancas, que les
> dijeron: Varones galileos, ¿por qué estáis mirando al cielo? Este
> mismo Jesús, que ha sido tomado de vosotros al cielo, vendrá de la
> misma manera, tal como le habéis visto ir al cielo. (Hechos 1:9-11)

PATMOS

La única importancia de Patmos en la profecía bíblica se refiere a que es el lugar donde el apóstol Juan recibió la revelación de Jesucristo. Fue en esa isla insignificante que el Cristo glorificado se le apareció al apóstol Juan y le reveló el futuro del mundo.

El Nuevo Testamento nombra a Patmos una sola vez en Apocalipsis 1:9, "Yo, Juan, vuestro hermano y compañero en la tribulación, en el reino y en la perseverancia en Jesús, me encontraba en la isla llamada Patmos, a causa de la palabra de Dios y del testimonio de Jesús".

Patmos es una isla en forma de media luna, rocosa y angosta que se halla en el Mar Egeo. Tiene un perímetro de 48 kilómetros, 16 kilómetros de largo y casi 10 kilómetros de ancho. Está unos 56 kilómetros al sudoeste de Mileto, en la costa de Asia Menor (Turquía actual) y a 80 kilómetros de Éfeso, donde vivía Juan antes de ser deportado. Patmos ocupaba un lugar estratégico en las rutas navieras entre Éfeso y Roma.

Los comentaristas modernos suelen describir a Patmos como una colonia penal. A veces, se le caracteriza como el Alcatraz del siglo primero de esta era. También es corriente que la gente diga que Juan era miembro de una pandilla que trabajó en las minas de Patmos como parte de su exilio. Sin embargo, no hay fuentes antiguas que hablen así de Patmos. Efectivamente y al contrario, se refieren a una isla habitada y floreciente.

Patmos no era una isla desierta al final del siglo primero. Probablemente estaba habitada, puesto que había una base militar ahí. Una inscripción del siglo segundo a.C., menciona un gimnasio en la isla. Una inscripción del siglo segundo d.C., habla de un templo a Artemisa o Diana (la diosa de la caza).[11] El actual monasterio de San Juan, cerca de la aldea de Cora, fue construido encima del antiguo templo de Artemisa. Otras evidencias indican que pudo haber un templos a Apolo (el dios de la música, la poesía y la profecía) y a Afrodita o Venus (diosa del amor y la belleza). Hay una inscripción que menciona la presencia de un hipódromo (lugar para carreras de caballos y carruajes). La acrópolis de la isla tenía un gran centro administrativo.

Juan fue deportado a esta isla por unos dieciocho meses durante el reinado de Domiciano, probablemente para limitar su influencia espiritual en las iglesias de Asia Menor. Juan escribió el Apocalipsis en Patmos alrededor del 95 a.C. La tradición dice que cuando asesinaron a Domiciano en el 96 d.C., Juan volvió a Éfeso y murió ahí.

EUROPA

En las grandes profecías registradas en los capítulos 2 y 7 de Daniel, la Biblia prevé el curso de la historia mundial desde la época del reinado de Nabucodonosor hasta la segunda venida de Cristo a establecer su reinado. Esos pasajes revelan que habría cuatro grandes imperios gentiles que gobernarían sucesivamente al mundo desde el 605 a.C. hasta la Segunda Venida. Estos imperios mundiales eran Babilonia, Medopersia, Grecia y Roma. Por la historia sabemos que estos imperios gobernaron efectivamente al mundo en forma sucesiva en el orden exacto predicho alrededor del 530 a.C. por Daniel.

El problema es que la Biblia dice que Roma, el cuarto reino, será la gran potencia mundial cuando Cristo vuelva para reinar en el mundo (Daniel 7:23-28). ¿Cómo explicar esta aparente discrepancia? La respuesta es muy evidente en realidad. El Imperio Romano debe volver a armarse en los últimos días antes del retorno de Cristo.

Resulta interesante considerar que el Imperio Romano nunca fue destruido en realidad, como sus predecesores. Sencillamente se partió. Roma fue simplemente dividida, primordialmente en las naciones de la Europa actual. La Biblia predice que el Imperio Romano será reunido o reorganizado en los últimos días bajo la forma de una alianza de diez reinos dirigidos por el Anticristo (Daniel 7:8, 23-25). El capítulo 2 de Daniel describe la forma definitiva de esta potencia gentil mundial en los diez dedos de los pies de la estatua; el capítulo 7 de Daniel lo retrata con los siete cuernos de la cuarta bestia (ver también Apocalipsis 13:1-2; 17:12-14).

El surgimiento actual de la Unión Europea parece ser un cumplimiento directo de la profecía. La Europa actual hasta tiene una divisa unificada, el Euro, y económicamente va fortaleciéndose a diario. Todo lo que queda es que diez naciones europeas se ubiquen en la cumbre y formen un gobierno consolidado en común. Cuando esto pase, Roma revivirá y, desde esta confederación occidental, el Anticristo surgirá para reinar en el mundo durante la gran tribulación

RUSIA

Mucha gente puede asombrarse al saber que uno de los lugares clave mencionados en la profecía bíblica sea Rusia. La Escritura predice que el gran oso ruso surgirá en los últimos días para montar una furiosa invasión contra Israel (Ezequiel 38-39). Hace 2600 años el profeta Ezequiel predijo que en los últimos días Israel será invadida por un pueblo del lejano norte (38:6, 15). Muchos pensaron equivocadamente que el oso iba a hibernar permanentemente cuando se disolvió la Unión Soviética, pero hoy el oso ruso es mucho más peligroso que antes. Rusia es un oso famélico por su economía en ruinas. Rusia es la madre osa a la que le robaron sus cachorros al disolverse la gran Unión Soviética.

El cumplimiento de las profecías de Dios acerca de Rusia parece más inminente que nunca. Al seguir al oso en los últimos días descubrimos que sus huellas van directamente a la tierra de Israel. Al seguir al oso, consideraré cinco puntos: la manifestación, los aliado, la actividad, la aniquilación, la secuela.

La manifestación   La única referencia a Rusia que hay en la Escritura está en Ezequiel 38:2 donde se halla la palabra del hebreo *rosh* que sencillamente significa "cabeza, tope, cumbre o jefe, principal", palabra muy corriente de todos los lenguajes semitas. Se la halla unas 750 veces en el Antiguo Testamento junto con su raíz y sus derivados. El problema es que *rosh* como la usa Ezequiel 38:2 puede traducirse como nombre propio o como adjetivo. Muchas traducciones entienden *rosh* como adjetivo y así la tradujeron como "principal". Las versiones de la Biblia en inglés; *King James, Revised Standard Version, New American Bible* y *New International Version* adoptan esa traducción.

La mejor traducción es entender *rosh* como nombre propio referido a un lugar específico. Los grandes académicos hebreos C. F. Keil, y Wilhelm

Gesennius manifiestan claramente que *rosh* en Ezequiel 38:3 y 39:1 es el nombre de una localidad geográfica.[12] Además, la Septuaginta, versión griega del Antiguo Testamento, traduce *rosh* como el nombre propio Ros.

Gesenius dice que, sin duda, Ros son los rusos, que los escritores bizantinos del siglo diez d.C. mencionan con el nombre Ros, y que habitaban al norte de Taurus sobre el río Rha (Volga).[13]

125

Los aliados   Rusia será dirigida por Gog, un insano enloquecido por el poder (examinaré a Gog en el próximo capítulo). Una hueste de aliados se unirá a Gog, el líder de Rusia. Ezequiel 38:9 dice "tú y todas tus tropas; muchos pueblos están contigo". Ezequiel 38:1-6 menciona ocho localidades geográficas específicas.

LOCALIDADES GEOGRÁFICAS DE EZEQUIEL 38:1-6

NOMBRE ANTIGUO	NACIÓN MODERNA
Magog	Asia Central (repúblicas islámicas del sur de la ex Unión Soviética)
Mesec	Turquía
Tubal	Turquía
Persia	Irán
Etiopía (Cus)	Sudán
Libia (Fut)	Libia
Gomer	Turquía
Bet-togarma	Turquía

De esta tabla queda claro que Rusia tendrá cinco aliados: Turquía, Irán, Libia, Sudán y las naciones del Asia Central. Sorprendentemente todas esas naciones son musulmanas; Irán, Libia y Sudán son tres de los más fervorosos opositores de Israel. Muchas de estas naciones están formando o fortaleciendo sus lazos en el presente. Esta lista de naciones parece el Quién es Quién de los titulares de la prensa internacional de la semana. No cuesta mucho imaginar que estas naciones conspiren para invadir Israel en el futuro cercano.

La actividad   Ezequiel dice que estas naciones, dirigidas por Rusia, atacarán a Israel en un momento en que el pueblo de Israel vive en paz y prosperidad (38:8-12). Es probable que esto describa la primera mitad de la tribulación, cuando Israel viva bajo un tratado de paz con el Anticristo. A mediados de la tribulación, Rusia y sus aliados islámicos bajarán a la nación de Israel

como una tormenta cubriendo la tierra como una nube (38:9). Hay cuatro razones principales por las cuales Rusia y sus aliados invadirán a Israel.[14]

1. Usar la riqueza de Israel (Ezequiel 38:11-12)
2. Controlar al Oriente Medio
3. Aplastar a Israel (Las naciones islámicas mencionadas en la Escritura
   odian a Israel)
4. Desafiar la autoridad del Anticristo (Daniel 11:40-44)

"Por qué un ataque contra Israel es un desafío contra la autoridad del
Anticristo? Porque Israel estará bajo un tratado de paz con el Anticristo y,
entonces cualquier ataque contra Israel es un desafío directo al Anticristo.
Sin embargo, después que Dios destruya sobrenaturalmente a los ejércitos
invasores, el Anticristo hará una movida para consolidar su imperio y, entonces, romperá su pacto con Israel invadiéndola (Daniel 11:41-44).

La aniquilación   Cuando estas naciones invadan la tierra de Israel será la
peor combinación de la historia, que hará empalidecer, comparativamente,
las invasiones árabes de 1967 y 1973. Cuando Rusia reúna su fuerza de ataque en los últimos días, parecerá que Israel será eliminado, pero Dios es el
que manda toda la situación. Él intervendrá con ira para destruir los impíos
invasores: "Sucederá en aquel día, cuando venga Gog contra la tierra de
Israel –declara el Señor Dios– que subirá mi furor y mi ira" (Ezequiel
38:18). Dios vendrá a rescatar a su pueblo indefenso usando los cuatro medios siguientes para destruir a Rusia y sus aliados::

1. Un gran terremoto (Ezequiel 38:19-20)
2. Luchas internas entre las tropas de las diversas naciones aliadas
   (Ezequiel 38:21)[15]
3. Enfermedad (Ezequiel 38:22)
4. Lluvia torrencial, granizo, fuego y azufre quemante (Ezequiel
   38:22)[16]

La secuela   Hay cuatro acontecimientos clave que ocurren al día siguiente de la invasión.

LAS AVES Y LAS BESTIAS (Ezequiel 39:4-5, 17-20)   También Apo-
calipsis19:17-18) La carnicería resultante de esta matanza dará un tremendo festín a las aves del aire y las bestias del campo. Dios se refiere a la carnicería como "el sacrificio" y "mi mesa" a la cual invita a las aves y las bestias.

EL ENTIERRO DE LOS MUERTOS (siete meses) (Ezequiel 39:11-12, 14-16)   Las escuadras de limpieza se reunirán para limpiar la tierra. Pondrán marcas donde vean un hueso humano. Cuando lleguen los enterradores, que vienen tras las escuadras de limpieza, verán las marcas y llevarán los restos al valle de las Hordas de Gog para enterrarlos. La limpieza será tan grande que se instalará una ciudad en el valle cercano a las tumbas para ayudar a los que limpian la tierra. El nombre de la ciudad será Hamoná (La Horda).

LA QUEMAZÓN DE LAS ARMAS (siete años) (Ezequiel 39:9-10)
Puesto que este acontecimiento ocurre a mediados de la tribulación, los Israelitas continuarán quemando esas armas durante los últimos tres años y medio de la tribulación y seguirán en el reino por otros tres años y medio.

LA BENDICIÓN DE LA SALVACIÓN   En medio de su ira y furor Dios también derramará su gracia y misericordia. Dios usará el abrumador despliegue de su poder contra Rusia y sus aliados para llevar a la salvación a muchos judíos y gentiles:

> Y *subirás contra mi pueblo Israel como una nube para cubrir la tierra. Sucederá en los postreros días que te traeré contra mi tierra, para que las naciones me conozcan cuando yo sea santificado por medio de ti ante sus ojos, oh Gog.' Y mostraré mi grandeza y santidad, y me daré a conocer a los ojos de muchas naciones; y sabrán que yo soy el Señor.' " Mi santo nombre daré a conocer en medio de mi pueblo Israel, y nunca más permitiré que mi santo nombre sea profanado; y sabrán las naciones que yo soy el Señor, el Santo en Israel. Y pondré mi gloria entre las naciones; y todas las naciones verán el juicio que he hecho y mi mano que he puesto sobre ellos. Y sabrá la casa de Israel que yo soy el Señor su Dios desde ese día en adelante. (Ezequiel 38:16, 23; 39:7, 21-22)*

Muchos de los que se vuelvan al Dios verdadero como resultado de esta demostración de poder, indudablemente se hallarán en el vasto grupo de los redimidos de Apocalipsis 7:9-14. Esta es una de las profecías más asombrosas de toda la Biblia. Todo parece estar alistándose para el cumplimiento en el futuro cercano. Rusia es un lugar clave para vigilar a medida que se acerca la venida de Cristo.

EL VALLE DE JOSAFAT

La Biblia menciona al valle de Josafat solamente dos veces (Joel 3:2, 12) identificándolo como el lugar definitivo donde Dios reunirá a las naciones para destruirlas. La palabra *Josafat* significa "Yavé juzga" así que es un lugar apropiado para que sea derramado el juicio de Dios. Joel 3:14 llama también a este lugar "el valle de la decisión".

Este valle es muy significativo en la profecía bíblica por lo que pasará en él al final de la Tribulación, como lo expresa la Biblia:

> *Porque he aquí que en aquellos días y en aquel tiempo, cuando yo restaure el bienestar de Judá y Jerusalén, reuniré a todas las naciones, y las haré bajar al valle de Josafat. Y allí entraré en juicio con ellas a favor de mi pueblo y mi heredad, Israel, a quien ellas esparcieron entre las naciones, y repartieron mi tierra. Despiértense y suban las naciones al valle de Josafat, porque allí me sentaré a juzgar a todas las naciones de alrededor. Multitudes, multitudes en el valle de la decisión. Porque cerca está el día del Señor en el valle de la decisión. (Joel 3:1, 2,12, 14)*

Aunque está claro lo que sucederá en este valle, hay desacuerdo tocante a su ubicación. Hay cuatro puntos de vista principales acerca de la ubicación de este valle:

1. El valle aparecerá cuando se parta en dos el Monte de Los Olivos (Zacarías 14:3-5)
2. Un valle desconocido en la actualidad
3. El Valle de Beraca (bendición), al sur de Belén, donde Josafat reunió sus tropas después de la batalla (2 Crónicas 20:26)
4. El Valle del Cedrón al este de Jerusalén entre la ciudad y el Monte de Los Olivos

La mejor opción es la cuarta. Zacarías localiza el juicio final de las naciones cerca de la ciudad de Jerusalén (Zacarías 14:1-5). Las tradiciones judía, cristiana y musulmana también ubican el lugar del juicio final de las naciones en el valle de Cedrón.[17]

[1]Robert Thomas, *Revelation 1-7: An Exegetical Commentary* (Chicago: Moody Press, 1992), 313.

[2]Charles Dyer, *Babilonia renace* (Editorial Unilit, Miami, Florida).

[3]Robert Thomas, 307.

[4]Estos puntos fueron tomados de apuntes de clase sin publicar sobre "Babylon and the Bible", de Charles Dyer, Seminario Teológico de Dallas.

[5]Arnold Fructenbaum, Las huellas del Mesías: Estudio de la secuencia de los acontecimientos proféticos (A Study of the Sequence of Prophetic Events) Tustin, Calif.: Ariel Ministries, 1982), 203.

[6]Wilbur Smith, *Egypt in Bible Prophecy* (Boston: W. A. Wilde Company, 1957), 6.

[7]Ibid., 241-242

[8]Randall Price, Jerusalén en la Profecía: El Último Escenario de Dios para el Último Drama (Eugene, Ore. Harvest House, 1998). 78, 79.

[9]Ibid., 65, 74. Thomas Ice y Timothy Demy (The Truth about Jerusalem in Bible Prophecy, Pocket Prophecy Series, Eugene Oregon: Harvest House Publishers, 1996, p. 8) también destacan la centralidad de esta ciudad: "La dinámica histórica de esta ciudad gloriosa sigue desarrollándose en la actualidad: La historia proclama su pasado; los titulares proclaman su presente; la profecía proclama su futuro".

[10]*New Bible Dictionary*, 2a. edición,m ver "Olives, Mount of".

[11]David Aune, *Word Biblical Commentary: Revelation 1-5*, vol. 52 (Dallas: Word Books, 1997), 77.

[12]C. F. Keil, Ezekiel, Daniel, Commentary on the Old Testament, traducción del alemán por James Martin (reimpresión, Grand Rapids: Eerdmans Publishing Company, 1982) 159, y Wilhelm Gesenius, *Gesenius' Hebrew-Chaldee Lexicon to the Old Testament* (Grand Rapids: Eerdmans Publishing Company, 1949), 752.

[13]Wilhelm Gesenius, 862.

[14]Tres de estos cuatro puntos fueron tomados de Harold Wilmington, *The King Is Coming* (Wheaton, Ill: Tyndale House Publishers, 1981), 155.

[15]Los ejércitos de cada nación representada se atacarán unos a otros en el caos que seguirá al fuerte terremoto. Este será el caso más grande de la historia humana de muertes debida a "fuego amigo".

[16]La famosa Guerra de los Seis Días que hubo en Israel en junio de 1967. Cuando Dios destruya a esa horda rusa islámica será La Guerra de Un Solo Día o, mejor aun, la Guerra de Una Sola Hora.

[17]*New Bible Dictionary*, 2a. edición, ver artículo, "Jehoshaphat, Valley of".

DIEZ PROTAGONISTAS CLAVE DE LA PROFECÍA BÍBLICA

Todo acontecimiento atlético, película, obra de teatro o programa de televisión tiene actores o protagonistas principales. Estos personajes son fundamentales para el tema principal del libreto y determinan el resultado final de la última escena o del último período de juego. Aunque hay muchos actores secundarios en la profecía bíblica, hay diez actores o protagonistas clave que desempeñan los papeles principales del último acto de la historia humana.

JESUCRISTO

Decir que Jesucristo es la persona clave de la profecía bíblica es poco. En su calidad de figura suprema de toda la historia, él empequeñece a los demás actores. Él es el Rey de reyes y el Señor de señores. Él es quien revela y que es revelado en la profecía bíblica, como lo dijo el ángel a Juan en Apocalipsis 19:10: "Porque el testimonio de Jesús es el espíritu de la profecía".

La manera más clara y concisa de captar que Cristo es el centro de la profecía bíblica es hacer una lista con los treinta y cinco nombres y títulos que se le dan en el Apocalipsis:

1. Jesucristo (1:1)
2. Testigo fiel (1:5)
3. Primogénito de los muertos (1:5)
4. Soberano de los reyes de la tierra (1:5)
5. Alfa y la Omega (1:8)
6. Principio y el fin (1:8)
7. El que es, que era y que ha de venir, el Todopoderoso (1:8)
8. Hijo del Hombre (1:13)
9. El primero y el último (1:17; 2:8)
10. El que vive, y estuve muerto (1:18)
11. El que tiene las siete estrellas en su mano derecha (2:1)
12. El que anda entre los siete candeleros de oro (2:1)
13. El que tiene la espada aguda de dos filos (2:12)
14. El Hijo de Dios (2:18)
15. El que tiene ojos como llama de fuego (2:18)
16. El que tiene pies semejantes al bronce bruñido (2:18)
17. El que tiene los siete Espíritus de Dios y las siete estrellas (3:1)
18. El Santo, el Verdadero (3:7)
19. El que tiene la llave de David (3:7)
20. El Amén (3:14)
21. El Testigo fiel y verdadero (3:14)
22. Principio de la creación de Dios (3:14)
23. León de la tribu de Judá (5:5)
24. Heredero del trono de David (5:5)
25. El Cordero (veintiocho veces)
26. Soberano Señor, santo y verdadero (6:10)
27. Su Señor (11:8)
28. Hijo varón, que ha de regir a todas las naciones con vara de hierro (12:5)
29. Hijo (12:5)
30. Señor Dios Todopoderoso (15:3)
31. Rey de las naciones (15:3)
32. Fiel y verdadero (19:11).
33. La Palabra de Dios (19:13)
34. Rey de reyes y Señor de señores (19:16)
35. El lucero resplandeciente de la mañana (22:16)

EL ARCÁNGEL MIGUEL

Aunque hay miríadas de ángeles que no cayeron solo se nombran dos en los libros canónicos de la Escritura. Los ángeles nombrados son Gabriel (el poderoso o el fuerte de Dios) y Miguel (quien es como Dios). La Escritura les da lugares especiales de importancia, y aparecen en ambos Testamentos: el Antiguo y el Nuevo.

Gabriel es el mensajero jefe de Dios. Cada vez que la Escritura lo menciona, Gabriel está entregando mensajes al pueblo de Dios, acerca del programa para el reino de Dios (Daniel 8:15-22; 9:21; Lucas 1:19, 26).

Por otro lado, Miguel puede caracterizarse como el comandante del ejército celestial de Dios que protege a su pueblo. La Escritura nombra cinco veces a Miguel (Daniel 10:13, 21; 12:1; Judas 1:9; Apocalipsis 12:7).

Miguel recibe la designación especial de arcángel (Daniel 10:13; 12:1). Aunque este título lo pone por encima de la mayoría de los ángeles no significa necesariamente que él sea el único ángel de esta clasificación. Pudiera haber otros ángeles de la misma clase o rango. A Miguel se le llama "uno de los arcángeles" en Daniel 10:13 dice "uno de los primeros príncipes". Sin embargo, el hecho de que la Escritura lo singularice cinco veces por su nombre, sin duda señala su alto rango entre los ángeles que no cayeron. Además, como puede resistir al poder de Satanás en combate, puede uno de los querubines, que son una clase de ángeles de igual rango que Satanás (Ezequiel 28:14-16; Apocalipsis 12:7).

Miguel realiza cuatro actividades específicas en la Escritura. Primero, Miguel disputa con Satanás sobre el cadáver de Moisés (Judas 1:9). Segundo, Miguel ayudó a un ángel de menor rango para que fuera a responder la oración de Daniel (Daniel 10:13, 21). Cuando los demonios se opusieron a un ángel de rango menor (Daniel 10:12-15), Miguel fue a ayudar al ángel. Se le llama "Miguel, vuestro príncipe" (Daniel 10:21). Aunque pareciera que otras naciones también tienen sus príncipes angélicos, buenos y malos, Miguel es el defensor angélico especial de Israel.

Tercero, Miguel defenderá al pueblo de Israel durante la tribulación (Daniel 12:1).

Cuarto, Miguel comandará los ejércitos celestiales contra las fuerzas de Satanás en los invisibles lugares celestiales (Apocalipsis 12:7). La naturaleza del ministerio protector de Miguel en cuanto a Israel se detalla más en Apocalipsis 12:7-9. Cuando Satanás persiga a la nación de Israel en el período de la tribulación, estallará la guerra en el mundo invisible, entre los ángeles elegidos y los ángeles malos ya que Miguel y su ejercito van a librar al remanente judío que es perseguido.

> *Entonces hubo guerra en el cielo: Miguel y sus ángeles combatieron contra el dragón. Y el dragón y sus ángeles lucharon, pero no pudieron vencer, ni se halló ya lugar para ellos en el cielo. Y fue arrojado el gran dragón, la serpiente antigua que se llama el Diablo y Satanás, el cual engaña al mundo entero; fue arrojado a la tierra y sus ángeles fueron arrojados con él.*

Esta batalla tiene lugar a mediados de la Tribulación porque el período de la protección de Israel dura 1,260 días (Apocalipsis 12:6). Este período de tres años y medio corresponde a la última mitad de la Tribulación, en que Dios resguarda a este remanente judío contra los ataques satánicos.

Nombres y títulos de Miguel
- Uno de los arcángeles (Daniel 10:13)
- Miguel, vuestro príncipe (Daniel 10:21)
- El príncipe (el arcángel) (Daniel 12:1)
- El arcángel Miguel (uno de los ángeles más poderosos) (Judas 1:9)

LOS VEINTICUATRO ANCIANOS

Apocalipsis menciona doce veces un grupo de seres a los que designa como los veinticuatro ancianos (4:4, 10: 5:5, 6, 8, 11, 14; 7:11, 13; 11:16; 14:3; 19:4). El hecho que sean mencionados doce veces los constituye en un grupo protagonista clave de la profecía bíblica.

Su identidad (¿quiénes son?)   Hay cuatro puntos de vista principales acerca de la identidad de los veinticuatro ancianos: (1) seres angélicos; (2) Israel; (3) la iglesia, y (4) todos los redimidos: Israel y la iglesia. En Apocalipsis hay siete indicios que revelan que los veinticuatro ancianos representan a la iglesia o cuerpo de Cristo:

EL TÍTULO   Se les trata de ancianos (presbíteros) que son los representantes del pueblo de Dios en la Escritura. Estos ancianos representan a la iglesia.

LA CANTIDAD   El sacerdocio levítico de la época del Antiguo Testamento llegaba a los miles (ver 1 Crónicas 24). Puesto que no todos los sacerdotes podían adorar dentro del templo al mismo tiempo, se dividió al sacerdocio en veinticuatro grupos; un representante de cada grupo servía en el templo cada dos semanas en forma rotativa. Aunque toda la nación de Israel era un reino de sacerdotes (Éxodo 19:6) solamente los hijos de Aarón eran admitidos en la presencia de Dios. No obstante, *todos* los creyentes de la iglesia son sacerdotes para Dios (1 Pedro 2:5, 9). Por lo tanto, estos veinticuatro ancianos son representantes de toda la iglesia de Jesucristo.

LA POSICIÓN Se sientan en tronos. Dios prometió a la iglesia que se sentaría en tronos con Cristo (Apocalipsis 3:21).

LAS CORONAS La Escritura nunca pinta a los ángeles con coronas, pero los creyentes de la era de la iglesia recibirán coronas en el juicio del trono de Cristo (Apocalipsis 2:10). Los ancianos no pueden ser Israel porque los creyentes del Antiguo Testamento no resucitarán ni recibirán recompensa hasta después del final de la Tribulación (Daniel 12:1-3).

VESTIDURAS El ropaje blanco de los ancianos es el ropaje de los redimidos de la era de la iglesia (Apocalipsis 3:5, 18; 19:8).

LA ALABANZA Solamente la iglesia puede cantar la alabanza que cantan los ancianos de Apocalipsis 5:9-8.

DISTINCIÓN (la diferencia) Apocalipsis 5:11 distingue claramente a los ancianos de los ángeles.

Su localización (¿Dónde están?) A juzgar por su primera aparición en Apocalipsis 4:4, los veinticuatro ancianos están en el cielo, juzgados, recompensados e instalados en tronos. Puesto que los ancianos representan a la iglesia, esta es otra indicación de que la iglesia debe ser arrebatada al cielo antes de la Tribulación.

Su función (¿qué hacen?) Dicho sencillamente, los ancianos adoran. La postura más corriente de los ancianos es postrados sobre sus rostros ante Aquel qué se sienta en el trono y ante el Cordero. Si alguna vez usted se preguntó qué hará la iglesia en el cielo después del arrebatamiento y del tribunal de Cristo, esta es la respuesta. La iglesia se reunirá en torno al trono, pondrá sus coronas a los pies del Cordero que tienen las cicatrices de los clavos que los atravesaron (Apocalipsis 4:10) y cantarán alabanzas a su Nombre. Los ancianos adoran al Cordero por cuatro cosas: (1) creación

(Apocalipsis 4:11); (2) redención (Apocalipsis 5:9-10); (3) reinado (Apocalipsis 11:17); y (4) juicio justo (Apocalipsis 19:4).

LOS DOS TESTIGOS

Durante el período de la Tribulación Dios levantará dos testigos especiales que ministrarán por cuenta de Dios en medio de las tinieblas y la destrucción.

¿Qué sabemos de esos dos testigos? ¿Quiénes son? ¿Qué harán? ¿Cuándo servirán? Hay cinco puntos importantes sobre los dos testigos en Apocalipsis 11:1-12.[1]

Los testigos son personas Se puede interpretar a los dos testigos en forma simbólica como el Antiguo Testamento y el Nuevo Testamento o la ley y los profetas. Sin embargo, la Escritura identifica claramente a los dos testigos como personas que

- visten cilicio
- hacen milagros
- profetizan por Dios durante 1,260 días
- mueren y yacen en la calle durante tres días y medio
- vuelven a la vida, y
- ascienden al cielo.

Apocalipsis 11:4 entrega más pruebas de que los testigos son personas. Ahí los llama "los dos olivos" y "los dos candeleros" que están ante el Señor de toda la tierra. Como lo dice David Jeremiah:

> *¿Cómo nos pudieran servir estas dos descripciones para determinar que los testigos son personas literales? Si consideramos la profecía de Zacarías volvemos a ver dos testigos: Josué y Zorobabel (4:1-14). Dios usa el candelero y los olivos como un retrato de ellos. El candelero iluminaba mucho y el olivo producía el aceite que se quemaba en el candelero. Esto es un cuadro del hecho de que esos dos testigos van a brillar en las tinieblas de la Tribulación y que tendrán el combustible del aceite santo del Espíritu de Dios.[2]*

John Walvoord dice lo que sigue sobre la comparación de los dos testigos con los olivos y el candelero que se halla en Apocalipsis 11:4:

> *Los dos testigos son descritos como dos olivos y dos candeleros que están ante el Dios de la tierra. Evidentemente esto se refiere al capítulo 4 de Zacarías donde se mencionan un candelero y dos olivos... El aceite sacado de los olivos en la imagen de Zacarías dio combustible para los dos candeleros. Los dos testigos de este período de la historia de Israel, a saber el sumo sacerdote Josué y Zorobabel, eran los dirigentes de Israel en la época de Zacarías. Así como los dos testigos son levantados para ser candeleros o testigos de Dios y reciben poder del aceite de olivo, que representa al poder del Espíritu Santo, igualmente los dos testigos del capítulo 11 del Apocalipsis, ejecutarán su oficio profético. El ministerio de ellos no radica en la habilidad humana, sino en el poder de Dios.[3]*

Habiendo concluido que los dos testigos son personas de verdad, la pregunta que sigue es, ¿son personas que vivieron antes? Muchos de los primeros cristianos como Tertuliano, Ireneo e Hipólito, creían que los dos testigos serían Enoc y Elías. Otros sostienen que Moisés sería uno de los dos testigos junto con Enoc o Elías. Hay varias razones por las cuales ellos fueron identificados como los dos testigos.

ENOC   Se dan dos razones principales para afirmar que Enoc es uno de los dos testigos. Primero, Enoc no murió (Génesis 5:23-24) y la Biblia dice que "... está decretado que los hombres mueran una sola vez, y después de esto, el juicio" (Hebreos 9:27). Naturalmente, ese versículo establece sencillamente la verdad general de que todos debemos morir. Habrá millones de excepciones a esta regla general en el arrebatamiento, cuando todos los santos vivos sean trasladados al cielo sin saborear la muerte física. Segundo, Enoc fue un profeta de juicio que anunciaba la venida del Señor en la época anterior al diluvio (Judas 1:14-15).

MOISÉS   Hay tres razones principales para identificar a Moisés como uno de los dos testigos. Primero, los testigos convertirán en sangre los ríos y traerán otras plagas a la tierra, como hizo Moisés (Apocalipsis 11:6). Segundo, Moisés y Elías aparecieron con Cristo en el Monte de la Transfiguración, hecho que retrataba la segunda venida de Cristo (Mateo 17:1-9). Tercero, Moisés fue profeta.

ELÍAS   Hay cuatro razones principales para identificar a Elías como uno de los dos testigos. Primero, igual que Enoc, nunca saboreó la muerte física

(2 Reyes 2:11). Segundo, aparece en la Transfiguración, como Moisés. Tercero, la Escritura predice que Elías vendrá antes del día del Señor, grande y terrible, (Malaquías 4:5). Y, cuarto, Elías fue profeta como los dos testigos.

Si yo tuviera que elegir dos de estos tres varones del pasado, que son los candidatos más probables para ser los dos testigos, me parece que Moisés y Elías serían los mejores. El ministerio de los dos testigos se parece mucho al de estos dos hombres, que aparecieron en la Transfiguración junto con Cristo. Sin embargo, el hecho de que no sean nombrados en el capítulo 11 del Apocalipsis me lleva a rechazar esta teoría. El hecho es que no sabemos con seguridad quienes son puesto que el Señor no nos lo dice. Por lo tanto, aunque es posible que los dos testigos pudieran ser dos de estos tres varones del pasado, traídos de vuelta a la tierra, parece mejor enfocar a los dos testigos como hombres que nunca vivieron antes, a los que Dios levantará como sus testigos especiales en la Tribulación.

Los testigos son profetas   La Escritura dice que los dos testigos "profetizarán por mil doscientos sesenta días" (Apocalipsis 11:3). Irrumpirán en el sombrío escenario de la Tribulación, vestidos de cilicio —el ropaje de duelo— y proclamarán el mensaje de salvación y juicio de Dios al mundo despedazado por el pecado.

La Biblia manifiesta claramente que el tiempo del ministerio de los dos testigos es mil doscientos sesenta días o tres años y medio. Un punto de debate es si los dos testigos ministrarán durante la primera mitad de la tribulación o durante la gran tribulación de los últimos tres años y medio. Hay tres razones que favorecen la ubicación del ministerio de ellos durante la mitad final de la tribulación:

CONTEXTO   El contexto de Apocalipsis 11:2-3 favorece mucho a la última mitad de la tribulación como período del ministerio de los dos testigos: "Me fue dada una caña de medir semejante a una vara, y alguien dijo: Levántate y mide el templo de Dios y el altar, y a los que en él adoran. Pero excluye el patio que está fuera del templo, no lo midas, porque ha sido entregado a las naciones, y estas hollarán la ciudad santa por cuarenta y dos meses. Y otorgaré autoridad a mis dos testigos, y ellos profetizarán por mil doscientos sesenta días, vestidos de cilicio". En otras palabras, los dos testigos ministrarán durante los mismos cuarenta y dos meses o tres años y medio en que el templo es hollado por los gentiles. Claramente este período es la última mitad de la tribulación.

LA SÉPTIMA TROMPETA   El acontecimiento que sigue inmediatamente a la descripción de los dos testigos es el toque de la séptima trompeta que anuncia la segunda venida de Cristo al final de la tribulación (Apocalipsis 11:15-19).

LOS CUARENTA Y DOS MESES   Cuando Apocalipsis usa los períodos de cuarenta y dos meses o mil doscientos sesenta días siempre parece referirse con ellos a la última mitad de la tribulación. Lo mismo vale para los mil doscientos sesenta días de ministerio de los dos testigos (11:3).

Los testigos son poderosos   Dios dará un poder increíble a los dos testigos. Apocalipsis 11:3, 6 dice:

> *Y otorgaré autoridad a mis dos testigos, y ellos profetizarán por mil doscientos sesenta días, vestidos de cilicio. Estos tienen poder para cerrar el cielo a fin de que no llueva durante los días en que ellos profeticen; y tienen poder sobre las aguas para convertirlas en sangre, y para herir la tierra con toda suerte de plagas todas las veces que quieran.*

Evidentemente, los dos testigos son instrumentos humanos que Dios emplea para ejecutar los primeros seis juicios de las trompetas: igual como Moisés ejecutó las plagas de Egipto.

Los testigos son perseguidos   Como se puede imaginar, todo el mundo odiará a los dos testigos. A medida que ellos vayan trayendo plaga tras plaga a la tierra, la bestia y sus seguidores verán a esos dos testigos como el enemigo público número uno. Sin embargo, Dios los rodeará con su protección sobrenatural durante tres años y medio: " Y si alguno quiere hacerles daño, de su boca sale fuego y devora a sus enemigos; así debe morir cualquiera que quisiera hacerles daño" (Apocalipsis 11:5).

Sin embargo, Dios permitirá que el Anticristo los mate cuando los dos testigos hayan terminado su ministerio de tres años y medio. Todo el mundo se regocijará por la muerte de esos dos profetas, y sus cadáveres serán vistos en la televisión mundial, tirados en las calles de Jerusalén. La gente de todo el mundo estará tan feliz que celebrarán con mucho regocijo y se enviarán regalos unos a otros:

Cuando hayan terminado de dar su testimonio, la bestia que sube del abismo hará guerra contra ellos, los vencerá y los matará. Y sus cadáveres yacerán en la calle de la gran ciudad, que simbólicamente se llama Sodoma y Egipto, donde también su Señor fue crucificado. Y gente de todos los pueblos, tribus, lenguas y naciones, contemplarán sus cadáveres por tres días y medio, y no permitirán que sus cadáveres sean sepultados. Y los que moran en la tierra se regocijarán por ellos y se alegrarán, y se enviarán regalos unos a otros, porque estos dos profetas atormentaron a los que moran en la tierra (Apocalipsis 11:7-10).

Resulta interesante que esta sea la única mención de regocijo o celebración en la tierra durante todo el período de la Tribulación.

Los testigos son preservados   Asombrosamente, el Señor devolverá la vida a estos dos testigos, luego que sus cadáveres hayan estado pudriéndose al sol durante tres días y medio, para horror del mundo. Apocalipsis 11:11-12 describe la resurrección de ellos: "Pero después de los tres días y medio, el aliento de vida de parte de Dios vino a ellos y se pusieron en pie, y gran temor cayó sobre quienes los contemplaban. Entonces oyeron una gran voz del cielo que les decía: Subid acá. Y subieron al cielo en la nube, y sus enemigos los vieron". John Phillips describe muy bien la escena:

Imagine la escena: las calles de Jerusalén bañadas de sol, el gentío enfiestado que llega de todos los rincones de la tierra para dar vistazo a los cadáveres de estos odiados hombres, a los soldados de la Bestia con sus uniformes, y a la policía del templo. Ahí están: hombres diabólicos de todo reino bajo el cielo, que vienen a danzar y festejar el triunfo de la Bestia. ¡Entonces, sucede! Un cambio súbito empieza a ocurrir mientras las multitudes se aprietan contra los cordones de seguridad para mirar con curiosidad los dos cuerpos muertos. El color cambia desde el matiz cadavérico a la piel rosada y floreciente de la juventud. Las extremidades duras y rígidas, ¡se doblan, se mueven! ¡Ay, qué panorama! ¡Se levantan! El gentío retrocede, se abre, y se vuelve a formar.[4]

Después de esto quedan unos pocos días, a lo sumo, para el regreso de Cristo con gran poder y gloria.

LOS 144,000

Entre los protagonistas de los últimos días hay un grupo misterioso de 144,000 personas que sirven fielmente al Señor. Están en la lista de Apocalipsis 7:1-8 y en Apocalipsis 14:1-5 se vuelve a hablar de ellos.

La identidad de los 144,000   Primero, importa aclarar quiénes no son los 144,000. No son la iglesia que ya está en el cielo, como lo retratan los veinticuatro ancianos, y tampoco son los testigos de Jehová.

¿Quiénes son estos 144,000 siervos de Dios? Si entendemos literalmente la Escritura, es evidente que estas personas son un grupo de 144,000 varones judíos a razón de 12,000 por cada una de las doce tribus de Israel, a los que Dios levanta en la Tribulación para que le sirvan.

Los estudiosos de la profecía bíblica suelen cuestionar por qué se omite a la tribu de Dan de la lista de las tribus del Apocalipsis 7:1-8. Una respuesta corriente es que el Anticristo vendrá a la tribu de Dan, sin embargo, mejor es explicar la omisión de la tribu de Dan porque fue la primera tribu que se dedicó a la idolatría (Jueces 18:2, 30-31; 1 Reyes 11:26; 12:28-30). Deuteronomio 29:18-21 exige que se borre el nombre de toda persona que introduzca la idolatría a Israel.

Las características de los 144,000   Apocalipsis menciona cinco características principales de los 144,000 que dan una idea de la identidad y ministerio de estos siervos de Dios.

PREPARADOS   Lo primero que se dice de los 144,000 se refiere a su preparación para el servicio de Dios: "No hagáis daño, ni a la tierra ni al mar ni a los árboles, hasta que hayamos puesto un sello en la frente a los siervos de nuestro Dios. Y oí el número de los que fueron sellados: ciento cuarenta y cuatro mil sellados de todas las tribus de los hijos de Israel" (Apocalipsis 7:3-4).

En la tierra, durante la tribulación, los seguidores de la Bestia llevarán su marca en la mano derecha o en la frente como prueba que le pertenecen (Apocalipsis 13:16). Durante ese mismo tiempo el Señor pondrá su marca o sello de propiedad en la frente de los 144,000: "Miré, y he aquí que el Cordero estaba de pie sobre el Monte Sión, y con él ciento cuarenta y cuatro mil que tenían su nombre y el nombre de su Padre escrito en la frente" (Apocalipsis 14:1). Este sello los aparta y prepara para el servicio de Dios. Robert Thomas dice:

No era raro que a un soldado o a un miembro de una fraternidad se le marcara como a un devoto religioso. La marca era una señal de consagración a la deidad. Se prefería ponerla en la frente por ser la parte más notoria del cuerpo, la más noble y por la cual se suele identificar a la persona. Así se hace evidente a quien pertenecen y sirven esos esclavos.[5]

Una pregunta que se hacen muchos cristianos: ¿cómo van a llegar a creer en Cristo estos 144,000 al comienzo de la tribulación si todos los creyentes serán arrebatados al cielo antes que comience? ¿Quién les predicará el evangelio? Aunque no sabemos con seguridad qué medios usará Dios para salvar a los 144,000, pudiera ser con Biblias, libros y videos cristianos que serán dejados atrás o, pudiera ser que haya 144,000 experiencias estilo "Saulo de Tarso en el camino a Damasco" en que el Cristo glorificado se revele personalmente a estos hombres para llamarlos (Hechos 9:1-9).

PROTEGIDOS   Dios no solo prepara a los 144,000 para el servicio, sino que también los protege con su sello que es su prenda de seguridad. Él los sella antes que los cuatro ángeles derramen el juicio de Dios sobre la tierra (Apocalipsis 7:1-3). Por lo tanto, los 144,000 están exentos de la ira de Dios y de Satanás durante la tribulación (Apocalipsis 9:4; 12:17). Al final de la tribulación, (Apocalipsis 14:1-5), Juan ve a los 144,000 triunfantes de pie en el Monte Sion. Ellos han pasado toda la Tribulación y aún siguen en la tierra. Dios ha conservado y protegido a sus siervos sellados durante siete años a través del horror de la Tribulación.

PUROS   Apocalipsis 14:4 dice que los 144,000 son vírgenes, puros, que no se contaminaron con mujeres. Muchos interpretan figuradamente esto diciendo que ellos son espiritualmente puros e incorruptos. Sin embargo, el hecho de que la Escritura diga que no se contaminaron con mujeres pareciera señalar que estos hombres con siervos célibes de Dios. A la luz de las exigencias del período de la tribulación, Dios les pide que se abstengan de la vida conyugal normal y se dediquen totalmente a su servicio (ver 1 Corintios 7:29-35).

PERSISTENTES   Los 144,000 son perseverantes para vivir y servir al Señor, aun en las circunstancias más terribles. Durante los espantosos días de la tribulación, siguen constantemente al Cordero, donde él vaya (Apocalipsis 14:4).

PREDICADORES   El ministerio primordial de estos siervos judíos es proclamar intrépidamente el evangelio durante el período de la tribulación. Pareciera haber una relación de causa y efecto en el capítulo 7 del Apocalipsis entre los 144,000 citados en los versículos 1 al 8 y la multitud de creyentes que nadie puede contar de los versículos 9-17. El ministerio de los 144,000 es la causa que produce el efecto de la salvación de millones de personas. Estos siervos sellados de Dios cumplirán Mateo 24:14: "Este evangelio del reino se predicará en todo el mundo como testimonio a todas las naciones, y entonces vendrá el fin".

Ellos serán los evangelistas más grandes que el mundo haya visto. La importancia principal de los 144,000 es que revelan que Dios tiene en su corazón la salvación de la gente aun en medio del juicio inconcebible de la tribulación. De pura gracia hasta en el mismo final el Salvador continúa buscando y salvando a los que están perdidos (Lucas 19:10).

GOG

Rusia y sus aliados islámicos montarán un ataque masivo contra la tierra de Israel cuando se aproxime la mitad de la Tribulación. Ezequiel 38:2 llama Gog al dirigente de esta invasión. El nombre Gog, fuera de los capítulos 38 y 39 de Ezequiel y de Apocalipsis 20:8 aparece en la Biblia una vez más en 1 Crónicas 5:4. No obstante el Gog de 1 Crónicas no se relaciona con el Gog de los últimos días.

El nombre Gog se halla once veces en los capítulos 38 y 39 de Ezequiel, más que cualquier otro nombre en esos capítulos. Por lo tanto, sabemos que Gog es la persona más importante de esta coalición. Claramente Gog es el actor principal de este gran drama de los tiempos postreros.

El nombre Gog significa "alto", "supremo", "una altura" o "una montaña alta o un monte alto". La manera en que el libro de Ezequiel usa este nombre revela que Gog es una persona que viene de la antigua tierra de Magog, que es la parte sur de la ex Unión Soviética. Probablemente Gog no sea el nombre de una persona, sino un título de la realeza como faraón, César, zar o presidente. También se llama príncipe a Gog.

Algunos concluyen erróneamente que Gog es solo otro título del Anticristo, pero Gog dirige una fuerza invasora ruso-islámica, y no al Imperio Romano reorganizado. Daniel 11:40 llama Gog al rey del norte, y su invasión a Israel constituye un desafío directo al tratado del Anticristo con

Israel. Por lo tanto, Gog no es el Anticristo. Gog es el último gobernante o rey de Rusia que la llevará, junto con sus aliados, a su condenación en Israel durante el período de la tribulación.

EL PUEBLO JUDÍO

El pueblo judío desempeña un papel clave en los últimos días. El pueblo judío de los tiempos postreros estará dividido en cuatro grupos por lo menos. Para entender completamente el papel de los judíos en los últimos días, importa considerar brevemente cada uno de estos grupos para entender cuáles son los papeles específicos que desempeñan:[6]

Grupo 1: judíos apóstatas   Estos son los judíos de Daniel 9:27, que hacen un pacto con el Anticristo. De ellos habló Jesús en Juan 5:43, diciendo que aceptarán fácilmente a los "que vienen en su propio nombre". Este grupo constituirá dos tercios de la nación de Israel aproximadamente, y morirá en las persecuciones mundiales del Anticristo cuando este traicione su pacto de paz con ellos (Zacarías 13:8; 12:17; 14:1-5).

Grupo 2: 144,000 judíos   Este grupo de creyentes de los últimos días difundirá el evangelio de Cristo durante la tribulación (Apocalipsis 7:1-8; 12:17; 14:1-5).

Grupo 3: cristianos hebreos   Además del grupo especial de los 144,000 habrá muchos judíos más que se volverán a Cristo para salvación durante la tribulación. El grupo de gente de Apocalipsis 7:9 debe incluir algunos creyentes de Israel.

Grupo 4: el remanente fiel   Estos son judíos, son la mayoría del tercio que sobrevivirá la tribulación (Zacarías 13:8). Ellos no creerán en Cristo como su Mesías mientras pasan la tribulación, pero tampoco aceptarán al Anticristo. Se les describe como la mujer divinamente protegida contra el Anticristo durante la última mitad de la tribulación (Apocalipsis 12:6, 13-17).

Este remanente se volverá a Cristo justo antes que Jesús regrese a la tierra. Este es el requisito clave de la segunda venida. Jesús no regresará hasta que el pueblo judío y sus dirigentes se vuelvan a él para salvación y le pidan que vuelva. Hay dos pasajes clave de la Escritura que apoyan este enfoque:

> *Y derramaré sobre la casa de David y sobre los habitantes de Jerusalén, el Espíritu de gracia y de súplica, y me mirarán a mí, a quien han traspasado. Y se lamentarán por Él, como quien se lamenta por un hijo único, y llorarán por Él, como se llora por un primogénito (Zacarías 12:10).*

> *¡Jerusalén, Jerusalén, la que mata a los profetas y apedrea a los que son enviados a ella! ¡Cuántas veces quise juntar a tus hijos, como la gallina junta sus pollitos debajo de sus alas, y no quisiste! He aquí, vuestra casa se os deja desierta. Porque os digo que desde ahora en adelante no me veréis más hasta que digáis: "Bendito el que viene en nombre del Señor" (Mateo 23:37-39).*

El remanente fiel entrará en el reino milenial después que regrese Cristo, y Dios les dará la tierra que prometió a Abraham en Génesis 15:18 y Cristo reinará sobre ellos desde su trono en Jerusalén.

SATANÁS

Los próximos tres protagonistas forman la trinidad impía de los últimos días: Satanás, el Anticristo y el falso profeta. Cada uno de estos personajes es una falsificación de una de las personas de la Santísima Trinidad. Satanás es el Padre falso, el Anticristo es el Cristo falso y el falso profeta es el equivalente falso del Espíritu Santo.

LA TRINIDAD IMPÍA DE LOS TIEMPOS POSTREROS

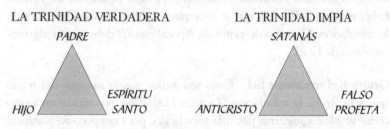

LA TRINIDAD VERDADERA — PADRE — HIJO — ESPÍRITU SANTO

LA TRINIDAD IMPÍA — SATANÁS — ANTICRISTO — FALSO PROFETA

Cristo es el gran protagonista de la profecía bíblica y Satanás se el gran antagonista de la profecía bíblica. Satanás es opone ferviente y perversamente a Dios, su obra y su pueblo.

Las actividades primordiales de Satanás en los últimos días   Satanás se dedicará a siete actividades principales durante los últimos días:

1. Dirigirá a la falsa trinidad impía (Apocalipsis 13:2; 16:13).
2. Será expulsado del cielo por Miguel a mediados de la Tribulación (Apocalipsis 12:7-9).
3. Perseguirá la pueblo judío (Apocalipsis 12:13-15).
4. Sabrá que le queda poco tiempo así que derramará su ira sobre la tierra (Apocalipsis 12:12).
5. Reunirá a los ejércitos del mundo en el Armagedón (Apocalipsis 16:13-16).
6. Continuará engañando al mundo (Apocalipsis 12:9; 20:8).
7. Fomentará y dirigirá la rebelión final contra Dios (Apocalipsis 20:7-10).

Los nombres y títulos proféticos del diablo   Apocalipsis tiene, por lo menos, ocho nombres o títulos del diablo que nos dan una idea de su carácter.

1. Satán (Apocalipsis 2:9).
2. Diablo (Apocalipsis 2:10; 12:9).
3. Dragón grande y rojo (Apocalipsis 12:3).
4. Este gran dragón (Apocalipsis 12:9).
5. Serpiente antigua (Apocalipsis 12:9).
6. El que engaña a todo el mundo (Apocalipsis 12:9).
7. Acusador (Apocalipsis 12:10).
8. Serpiente antigua (Apocalipsis 20:2).

EL ANTICRISTO O LA BESTIA

Aparte de Jesucristo, el personaje principal de la profecía bíblica y de toda la historia humana es el Anticristo, el futuro gobernante del mundo. El doctor Harold Willmington describe muy bien las peculiaridades únicas de este futuro dictador del mundo:

> *Se ha calculado que han nacido, aproximadamente, unos cuarenta mil millones de seres humanos en la tierra desde los días de Adán. Casi seis mil millones de esa cantidad viven hoy. Sin embargo, el ser humano más grande conforme a cualquier norma que uno emplee para medir habilidad y logros (fuera del mismo Hijo de Dios), aún tiene que aparecer en nuestro planeta.*[7]

¿Quién es este superhombre satánico que aún tiene que irrumpir en la escena mundial? ¿Qué hará? ¿Cómo será? La siguiente información acerca del Anticristo, presentada en una lista, dará un vistazo general de la persona y obra de este gobernante de los últimos días.

Su persona La Escritura revela ocho atributos o características de la personalidad del Anticristo:

1. Un genio intelectual (Daniel 8:23).
2. Un genio de la oratoria (Daniel 11:36).
3. Un genio político (Apocalipsis 17:11-12).
4. Un genio comercial (Daniel 11:43; Apocalipsis 13:16-17).
5. Un genio militar (Apocalipsis 6:2; 13:2).
6. Un genio religioso (2 Tesalonicenses 2:4; Apocalipsis 13:8).
7. Será gentil (Apocalipsis 13:1).
8. Surgirá en Imperio Romano reorganizado (Daniel 7:8; 9:26).

Sus actividades La Escritura también revela veintiséis actividades específicas asociadas con el Anticristo:

1. Se manifestará en la época del final de la historia de Israel (Daniel 8:17).
2. Su manifestación señalará el comienzo del día del Señor (2 Tesalonicenses 2:1-3).
3. Su manifestación está impedida actualmente por "aquel que lo retiene" (2 Tesalonicenses 2:3-7).
4. Su subida al poder acontecerá por medio de programas de paz. Él instituirá un tratado de paz con Israel (Daniel 9:27). Este acontecimiento señalará el comienzo de los siete años de la tribulación. Posteriormente romperá este pacto a mediados de este período.
5. El Anticristo será asesinado o morirá violentamente a mediados de la tribulación (Daniel 11:45; Apocalipsis 13:3, 12, 14).
6. Descenderá al abismo (Apocalipsis 17:8).
7. Será resucitado (Apocalipsis 11:7; 13:3, 12, 14; 17:8).
8. Todo el mundo se asombrará y lo seguirá (Apocalipsis 13:3).
9. Estará controlado y dinamizado totalmente por Satanás (Apocalipsis 13:2-5).
10. Someterá a tres de los diez reyes o gobernantes del reorganizado Imperio Romano (Daniel 7:24).
11. Los restantes siete reyes darán toda autoridad a la Bestia (Apocalipsis 17: 12-13).
12. Invadirá la tierra de Israel y profanará el templo reconstruido (Daniel 9:27; 11:41; 12:11; Mateo 24:15; Apocalipsis 11:2).
13. Perseguirá despiadadamente al pueblo judío (Daniel 7:21, 25; Apocalipsis 12:6).
14. Se instalará en el templo como dios (2 Tesalonicenses 2:4).
15. Será adorado como dios durante tres años y medio (Apocalipsis 13:4-8).
16. Su proclama de deidad irá acompañada de grandes señales y prodigios (2 Tesalonicenses 2:9-12).

17. Blasfemará grandemente a Dios (Daniel 7:8; Apocalipsis 13:6).
18. Gobernará política, religiosa y económicamente al mundo por tres años y medio (Apocalipsis 13:4-8, 16-18).
19. Será promovido por una segunda bestia que dirigirá al mundo en la adoración al Anticristo (Apocalipsis 13:11-18).
20. Exigirá que todos acepten su marca para comprar y vender (Apocalipsis 13:16-18).
21. Establecerá su capital política, religiosa y económica en Babilonia (Apocalipsis 17:1-18).
22. Él y los diez reyes destruirán Babilonia (Apocalipsis 17:16).
23. Matará a los dos testigos (Apocalipsis 11:7).
24. Reunirá a las naciones contra Jerusalén (Zacarías 12:1-2; 14:1-3; Apocalipsis 16:16; 19:19).
25. Luchará contra Cristo cuando él regrese a la Tierra; será totalmente derrotado (Apocalipsis 19:19).
26. Será arrojado vivo al lago de fuego (Daniel 7:11; Apocalipsis 19:20).

Su falsificación de Cristo El Anticristo será una parodia o falsificación sorprendente del Cristo verdadero. He aquí unas cuantas maneras en que el Anticristo copiará el ministerio del Hijo de Dios.

SEMEJANZAS Y DIFERENCIAS DE CRISTO Y EL ANTICRISTO

CRISTO	ANTICRISTO
Milagros, señales y prodigios (Mateo 9:32-33; Marcos 6:2).	Milagros, señales y prodigios (Mateo 24:24; 2 Tesalonicenses 2:9).
Hace que los hombres adoren a Dios (Apocalipsis 1:6).	Hace que los hombres adoren a Satanás (Apocalipsis 13:3-4).
Seguidores con sus frentes selladas (Apocalipsis 7:4; 14:1).	Seguidores con sus frentes o mano derecha selladas (Apocalipsis 13:16-18).
Muerte violenta (Apocalipsis 13:8).	Muerte violenta (Apocalipsis 13:3).
Coronado con muchas coronas (Apocalipsis 19:12).	Coronado con diez coronas (Apocalipsis 13:1).
Nombre digno (Apocalipsis 19:16).	Nombres blasfemos (Apocalipsis 13:1).
Resurrección (Mateo 28:6).	Resurrección (Apocalipsis 13:3, 14).
Segunda venida (Apocalipsis 19:1-21).	Segunda venida (Apocalipsis 17:8).
Reinado por mil años en todo el mundo (Apocalipsis 20:4-6).	Reinado por tres años y medio en todo el mundo (Apocalipsis 13:5-8).
Parte de la Santa Trinidad (Padre, Hijo, Espíritu Santo).	Parte de una trinidad impía (Satanás, Anticristo, falso profeta).
Tiene el poder y el trono de Dios (Apocalipsis 12:5).	Tiene el poder y el trono de Satanás (Apocalipsis 13:2).

Sus precursores La personalidad y los atributos del Anticristo no serán cosa nueva en esta tierra. Muchos hombres de la historia fueron tipos o retratos de cómo será el venidero Anticristo. Lo que sigue es una lista corta:

150

- Nimrod, (Génesis 10-11) - organizó la primera rebelión mundial contra Dios; primer gobernante o rey del mundo.
- Faraón - oprimió al pueblo de Dios y desafió abiertamente a Dios
- Nabucodonosor - jactancioso y orgulloso; erigió una imagen que el pueblo debía adorar o morir; destruyó el templo de Jerusalén.
- Alejandro el grande - poderoso conquistador del mundo; se proclamó dios.
- Césares romanos - rigieron al mundo; fomentaron el culto al emperador
- Antíoco Epifanes - el tipo más claro y del Anticristo (Daniel 8:15-23).

Diez comparaciones del Anticristo y Antíoco
1. Ambos persiguen al pueblo judío.
2. Ambos exigen adoración.
3. Ambos instalan una imagen en el templo (abominación desoladora).
4. Ambos imponen a los judíos un sistema extraño de creencias.
5. Ambos se relacionan con el Imperio Romano.
6. Ambos tienen un dirigente religioso que les ayuda: Antíoco tuvo un sacerdote de nombre Menelao; el Anticristo tendrá al falso profeta (Apocalipsis 13:11-18).
7. Ambos se oponen al remanente fiel.
8. Se dice que ambos mueren pero vuelven a aparecer vivos (comparar 2 Macabeos 5:5 con Apocalipsis 13:3, 12, 14).[8]
9. Ambos están activos por siete años en el Oriente Medio.
10. Ambos son derrotados por la llegada de un gran libertador —Antíoco fue derrotado por Judas Macabeo; el Anticristo será derrotado por Jesucristo.

Sus nombres y títulos La Escritura da muchos nombres y títulos diferentes al futuro dictador del mundo. Como lo comenta A. W. Pink, "la sombra de una figura dominante y ominosa cae sobre las diversas escenas descritas en la profecía. Bajo muchos y variados nombres, como los alias de un criminal, se ponen delante de nosotros su carácter y sus movimientos".[9] Estos son los principales alias de este dictador mundial:

Los diez nombres y títulos principales del futuro gobernante del mundo
1. El cuerno pequeño (Daniel 7:8).
2. Un rey altivo de rostro (Daniel 8:23).
3. Desolador (Daniel 9:27).

4. El rey (Daniel 11:36).
5. Pastor insensato (Zacarías 11:15).
6. Hombre de pecado (2 Tesalonicenses 2:3).
7. Hijo de perdición (2 Tesalonicenses 2:3).
8. Anticristo (1 Juan 2:18, 22; 4:3; 2 Juan 1:7).
9. Jinete en un caballo blanco (Apocalipsis 6:2).
10. La Bestia (Apocalipsis 13:1-9; 17:3, 8).

EL FALSO PROFETA O LA SEGUNDA BESTIA

Siempre ha habido falsos profetas y falsos maestros. Uno de los principales métodos de operación que usa Satanás es la simulación o falsificación corrompiendo el mensaje verdadero de Dios por medio de sus mensajeros falsos. Esta estrategia de Satanás se intensificará espectacularmente en los últimos días. La Biblia dice que en los últimos días del planeta tierra habrá muchos falsos profetas que harán grandes señales y prodigios y que dirán mentiras engañosas (Mateo 24:24).

En esta gran masa de engaño habrá un falso profeta que se destacará entre los demás por su habilidad para captar la atención del mundo. Es el falso profeta de Apocalipsis 13:11 y es la última persona de la trinidad impía de los tiempos postreros. El falso profeta es la falsificación satánica del Espíritu Santo y, copiando el ministerio del Espíritu Santo que es dar gloria a Cristo y guiar hacia él a la gente con fe y adoración, el ministerio principal del falso profeta será dar gloria al Anticristo y dirigir a la gente para que le tenga fe y lo adore. El Anticristo, o primera bestia de Apocalipsis 13:1-8 primordialmente será una figura militar y política, mientras la segunda bestia será una figura religiosa. Este será una especie satánica de Juan el Bautista, que prepara el camino para la venida del Anticristo. El falso profeta será el publicista principal de la bestia, su mano derecha, su colega y compañero más íntimo y dirigirá al mundo a la falsa adoración de su emperador.

El Nuevo Testamento menciona juntos al Anticristo y al falso profeta en cuatro pasajes:

1. Apocalipsis 13:1-8: comparten un objetivo común
2. Apocalipsis 16:13: comparten una agenda común para el mundo
3. Apocalipsis 19:20: reciben una sentencia común
4. Apocalipsis 20:10: comparten un destino común

Está claro que un gentil es la primera bestia que sale del mar (Apocalipsis 13:1). En el libro del Apocalipsis el mar es un retrato de las naciones gentiles. Posiblemente la segunda bestia que sale de la tierra sea un apóstol judío (Apocalipsis 13:11).

Hay tres hechos clave acerca del falso profeta que destaca el pasaje de Apocalipsis 13:11-18: su aspecto engañador, su autoridad diabólica y su actividad mortal.

Aspecto engañoso (Apocalipsis 13:11) "Y vi otra bestia que subía de la tierra; tenía dos cuernos semejantes a los de un cordero y hablaba como un dragón". ¡Engaño total! He aquí un hombre descrito como una bestia salvaje, un cordero y un dragón. Tiene la naturaleza de la bestia salvaje; es hostil para el rebaño de Dios; destruye al pueblo de Dios, pero parece cordero. Se ve amable, tierno, manso e inofensivo. Además tiene la voz de un dragón. Él es la voz del infierno, que eructa las mentiras feroces de Satanás. Cuando habla, se convierte en el vocero de Satanás. John Phillips resume el aspecto engañoso y el enfoque mortal del falso profeta:

> *El papel del falso profeta será hacer que la nueva religión parezca atractiva y deseable para los hombres. Sin duda combinará todas las características de los sistemas religiosos humanos, apelará a toda la personalidad del hombre y se aprovechará bien de sus apetitos carnales. El atractivo dinámico del falso profeta radicará en su destreza para mezclar la diligencia política con la pasión religiosa, el egoísmo con la filantropía benévola, los sentimientos elevados con los sofismas flagrantes, las trivialidades morales con el hedonismo desenfrenado. Sus argumentos serán sutiles, convincentes y atractivos. Su oratoria será hipnótica, porque podrá conmover a las masas al punto del llanto o conducirlas al frenesí a latigazos. Controlará los medios de comunicación del mundo y organizará diestramente la publicidad masiva para promover sus objetivos. Será el maestro de todas las tretas y artificios de publicidad y relaciones públicas. Administrará la verdad con malicia detrás de las palabras, doblándola, torciéndola y distorsionándola. La opinión pública estará a sus órdenes. Moldeará el pensar del mundo y la opinión humana como el alfarero moldea la arcilla. Su mortal atractivo residirá en el hecho de que sus palabras sonarán tan*

*justas, tan sensatas, tan exactamente iguales a lo que el hombre ré-
probo siempre ha querido oír.*[10]

Autoridad diabólica (Apocalipsis 13:12)   La segunda bestia ejercerá
"toda la autoridad de la primera bestia". Su poder provendrá de la misma
fuente de la primera: el mismo diablo.

Actividad mortal (Apocalipsis 13:13-18)   Aquí se esbozan seis activida-   153
des mortales del falso profeta. Estas actividades revelan cómo usará su influencia y su experiencia durante la época de la gran tribulación.

1. Hará que caiga fuego del cielo y obrará otros milagros (versículos
   13-14). Copiará los milagros de los dos testigos igual a como los
   magos egipcios simulaban los milagros de Moisés (Éxodo 7:11-13,
   22: 8:7; Apocalipsis 11:4-6).
2. Erigirá una imagen (estatua) al Anticristo para que todo el mundo la adore (versículo 14). Esta imagen o abominación desoladora
   será instalada en el templo de Jerusalén (Mateo 24:15). Todos
   tendrán que inclinarse ante esta imagen o morir como pasó con
   la imagen de Nabucodonosor en la llanura de Dura (Daniel 3).
3. Resucitará al Anticristo (versículo 14). Aunque el texto bíblico no
   dice expresamente esto, el mismo texto lo sugiere intensamente.
   El capítulo 13 del Apocalipsis menciona tres veces la muerte y la
   resurrección del Anticristo (versículos 3, 12, 14). Puesto que el falso profeta es un hacedor de milagros (milagrero) que engaña al
   mundo, probablemente el diablo use al falso profeta como instrumento humano para devolver a la vida al Anticristo.
4. Dará vida a la imagen de la bestia (versículo 15).
5. Obligará a que todos lleven la marca de la bestia (versículo 16).
6. Controlará el comercio del mundo por cuenta de la bestia (versículo 17).

[1] Estos cinco puntos fueron tomados de la guía de estudio de David Jeremiah: *Escape the Coming Night: Messages from the Book of Revelation*, tomo 2 (Dallas: Word, 1997), 121-125.

[2] Ibid., 122.

[3] John Walvoord, *The Revelation of Jesus Christ* (Chicago: Moody Press, 1966) 179-180.

[4] John Phillips, *Exploring Revelation* (Neptune, N.J.: Loizeaux Brothers, 1991) 150

[5] Robert L. Thomas, *Revelation 1-7: An Exegetical Commentary* (Chicago: Moody Press, 1992), 473.

[6] Arnold Fruchtenbaum, *Footsteps of the Messiah* (Tustin, CA: Ariel Ministries, 1982), 473.

[7] Harold Willmington, *The King Is Coming* (Wheaton, Ill: Tyndale House Publishers, 1981), 81.

[8] Segunda de Macabeos es uno de los libros apócrifos, que registra la historia del pueblo judío durante el período intertestamentario (esto es, el tiempo transcurrido entre el Antiguo y el Nuevo Testamentos).

[9] Arthur W. Pink, *The Antichrist*, (Grand Rapids: Kregel Publications, 1988), 9

[10] John Phillips, 171.

CAPÍTULO 7

SEIS COSAS CLAVE QUE LA PROFECÍA BÍBLICA PUEDE HACER POR USTED

Todo pasaje clave sobre la venida de Cristo tiene una aplicación práctica íntimamente relacionada con esta. La profecía no fue dada por el gusto de estimular nuestra imaginación o captar nuestra atención. Dios concibió la profecía para que cambiara nuestras actitudes y acciones y alinearse mejor con su palabra y su carácter. Charles Dyer destaca este propósito de la profecía bíblica.

> *Dios dio la profecía para cambiar nuestro corazón, no para llenar de conocimiento nuestra cabeza. Dios no predijo nunca acontecimientos solo para satisfacer nuestra curiosidad sobre el futuro.*
>
> *Cada vez que Dios anuncia acontecimientos futuros, incluye*

aplicaciones prácticas para vivir junto con sus predicciones. Las
declaraciones de Dios acerca del futuro llevan consigo el consejo
específico para el "aquí y ahora."[1]

Por lo menos hay seis efectos o influencias que la comprensión de la profecía bíblica puede ejercer en nuestro corazón para cambiar nuestra vida.

LA PROFECÍA BÍBLICA INFLUYE EN LA CONVERSIÓN DE LOS CORAZONES QUE BUSCAN

Nadie sabe cuánto tiempo le queda en la Tierra, sea en el ámbito personal o profético. Personalmente todos tomamos conciencia de nuestra mortalidad en uno u otro momento del vivir. No se nos garantiza que veremos el mañana. Proféticamente hablando, Cristo puede venir en cualquier momento a buscar a su esposa, la iglesia, para llevarla al cielo y todos los incrédulos serán dejados atrás para soportar los horrores del período de la tribulación.

Teniendo esto presente la pregunta más importante que el lector o lectora tiene que encarar es si tiene o no una relación personal con Jesucristo como Salvador. El mensaje de salvación por intermedio de Jesucristo es un mensaje que contiene simultáneamente una buena noticia y otra mala.

La mala noticia dice que la Biblia declara que todas las personas, incluidos usted y yo, son pecadoras y, por lo tanto, están separadas del santo Dios del universo (Isaías 59:2; Romanos 3:23). Dios es santo y sencillamente no puede pasar por alto al pecado. Debe efectuarse un pago justo por la deuda del pecado, pero nosotros estamos en la bancarrota espiritual, sin recursos en nosotros mismos para pagar la enorme deuda que tenemos.

La buena noticia, el evangelio, dice que Jesucristo vino y satisfizo nuestra deuda de pecado. Él soportó nuestro juicio y pagó el precio de nuestros pecados. Murió en la cruz por nuestros pecados y resucitó al tercer día para demostrar, en forma concluyente, que la obra de la salvación fue completamente consumada. Colosenses 2:14 dice que él canceló "el acta de los decretos que había contra nosotros y que nos era contraria, quitándola de en medio, clavándola en la cruz". Primera de Pedro 3:18 dice: "Cristo murió por los pecados una sola vez, el justo por los injustos, para llevarnos a Dios, muerto en la carne, pero vivificado en el espíritu".

La salvación que Cristo realizó por nosotros está a disposición de todos por medio de la fe en Jesucristo. La salvación del pecado es un regalo que

Dios ofrece a la gente pecadora merecedora del juicio. ¿No querría usted recibir hoy mismo el regalo? Deposite su fe y confianza en Cristo, nada más que en él solo, para su salvación eterna. "Cree en el Señor Jesús, y serás salvo, tú y toda tu casa" (Hechos 16:31). Ahora que usted sabe lo que se avecina a este mundo en los últimos días, y cuántas de esas señales parecen estar alineándose tal como lo predice la Biblia, responda a la invitación antes que sea demasiado tarde.

LA PROFECÍA BÍBLICA INFLUYE EN LA PREOCUPACIÓN DE LOS CORAZONES QUE GANAN ALMAS

Ningún creyente en Jesucristo puede estudiar la profecía bíblica sin sentirse tomado por el poder y la ira sobrecogedora de Dios. Entender la Biblia nos pone cara a cara con lo que está en juego para quienes no reconocen a Cristo como su Salvador. En 2 Corintios 5:20 se nos recuerda nuestra vocación en esta era presente: "Por tanto, somos embajadores de Cristo, como si Dios rogara por medio de nosotros; en nombre de Cristo os rogamos: ¡Reconciliaos con Dios!" Aquellos que ya reaccionaron al mensaje de gracia y perdón de Dios por intermedio de Cristo, saben adonde va este mundo, y nosotros somos los embajadores de Cristo en este mundo que perece, y en el cual representamos a Cristo y sus intereses.

LA PROFECÍA BÍBLICA INFLUYE EN LA LIMPIEZA DE LOS CORAZONES PECADORES

La Palabra de Dios deja muy claro que la comprensión apropiada de la profecía bíblica debe producir una vida de santidad y pureza: "Amados, ahora somos hijos de Dios y aún no se ha manifestado lo que habremos de ser. Pero sabemos que cuando Él se manifieste, seremos semejantes a Él porque le veremos como Él es. Y todo el que tiene esta esperanza puesta en él, se purifica, así como Él es puro" (1 Juan 3:2-3). Centrar la mente y el corazón en la profecía bíblica, especialmente en la venida de Cristo, es una fórmula probada para mantener la pureza personal. Fíjese en la certeza: "Y todo el que tiene esta esperanza puesta en Él, se purifica". La receta perfecta para llevar una vida santa es centrarse en la venida de Cristo. Sin embargo, su venida debiera ser una realidad para nosotros. Una cosa es que nosotros sostengamos la sana doctrina acerca de la venida de Cristo y otra cosa, muy distinta, es que ¡la doctrina nos sostenga a nosotros!

En 1988 se publicó un libro con el título *88 Reasons Why Christ Will Return in 1988* (88 razones del retorno de Cristo en 1988). El autor expresaba que tenía pruebas concluyentes de que Cristo arrebataría a la iglesia a comienzos de octubre de 1988. Un amigo mío, que era pastor en la parte oriente del estado de Oklahoma, me llamó en el verano de 1988 para hacerme unas preguntas sobre el libro. En nuestra conversación me dijo que el libro causó furor en muchas personas de su iglesia y de otras iglesias de la zona. Naturalmente, la Biblia declara que es inútil y necio ponerse a fijar fechas para la venida de Cristo (Mateo 24:36; Lucas 21:8). Sin embargo, este libro equivocado hizo que mucha gente examinara de nuevo su vida, no fuera que el libro estuviera en lo correcto.

Evidentemente el libro estaba totalmente equivocado, pero la idea es que hubo vidas transformadas cuando la gente empezó a considerar el hecho de la probabilidad del pronto retorno de Cristo. La Biblia declara que *siempre* debemos esperar la venida de Cristo, no solo cuando alguien fija una fecha arbitraria. "Vivamos en este mundo sobria, justa y piadosamente, aguardando la esperanza bienaventurada y la manifestación de la gloria de nuestro gran Dios y Salvador Cristo Jesús" (Tito 2:12-13).

Romanos 13:11-14 reúne la profecía y la pureza:

> *Y haced todo esto, conociendo el tiempo, que ya es hora de despertaros del sueño; porque ahora la salvación está más cerca de nosotros que cuando creímos. La noche está muy avanzada, y el día está cerca. Por tanto, desechemos las obras de las tinieblas y vistámonos con las armas de la luz. Andemos decentemente, como de día, no en orgías y borracheras, no en promiscuidad sexual y lujurias, no en pleitos y envidias; antes bien, vestíos del Señor Jesucristo, y no penséis en proveer para las lujurias de la carne.*

Segunda de Pedro 3:10-14 presenta también los efectos prácticos y limpiadores de la profecía:

> *El día del Señor vendrá como ladrón, en el cual los cielos pasarán con gran estruendo, y los elementos serán destruidos con fuego intenso, y la tierra y las obras que hay en ella serán quemadas. Puesto que todas estas cosas han de ser destruidas de esta manera, ¡qué clase*

de personas no debéis ser vosotros en santa conducta y en piedad, esperando y apresurando la venida del día de Dios, en el cual los cielos serán destruidos por fuego y los elementos se fundirán con intenso calor! Pero, según su promesa, nosotros esperamos nuevos cielos y nueva tierra, en los cuales mora la justicia. Por tanto, amados, puesto que aguardáis estas cosas, procurad con diligencia ser hallados por Él en paz, sin mancha e irreprensibles.

159

Cuando alguno dice que no es práctico estudiar profecía bíblica, revela que no entiende lo que dice la Biblia sobre el impacto personal de la profecía. ¿Qué pudiera ser más práctico que la pureza personal en una sociedad pecadora e inmoral como la nuestra?

LA PROFECÍA BÍBLICA INFLUYE PARA CALMAR LOS CORAZONES INQUIETOS

Otro efecto práctico de la profecía bíblica es que nos calma cuando nuestro corazón está con problemas e inquieto. En Juan 14:1-4, Jesús dijo:

No se turbe vuestro corazón; creed en Dios, creed también en mí. En la casa de mi Padre hay muchas moradas; si no fuera así, os lo hubiera dicho; porque voy a preparar un lugar para vosotros. Y si me voy y preparo un lugar para vosotros, vendré otra vez y os tomaré conmigo; para que donde yo estoy, allí estéis también vosotros. Y conocéis el camino adonde voy.

El verbo *turbar* significa "remover, inquietar, perturbar, o confundir". En nuestro mundo actual hay muchas cosas que nos inquietan y confunden: el deterioro moral de la sociedad, la delincuencia, la incertidumbre económica, el terrorismo, los problemas raciales, etcétera. Agréguese a estos problemas las pruebas y dificultades personales que todos enfrentamos en nuestro diario vivir, y es comprensible que podamos alterarnos mucho. Los trastornos son el denominador común de toda la humanidad. A menudo estos trastornos y dificultades pueden dejarnos angustiados, distraídos y perturbados. Uno de los grandes consuelos en momentos como estos es recordar que nuestro Señor regresará un día para llevarnos a vivir con él.

Juan 14:1-13 destaca tres puntos principales para calmar nuestro inquieto corazón: una persona, un lugar y una promesa. La persona es nuestro Señor, el lugar es la ciudad celestial (la Nueva Jerusalén), y la promesa es que él volverá y nos llevará a estar con él para siempre.

LA PROFECÍA BÍBLICA INFLUYE EN EL CONSUELO DE LOS CORAZONES ENTRISTECIDOS

Toda persona que lea estas palabras se ha visto o se verá enfrentada con el dolor de perder a un amigo íntimo o a un ser querido debido a la muerte. Cuando la muerte golpea, las trivialidades piadosas no sirven para consolar a los amigos y a la familia en forma duradera. El único consuelo real y duradero cuando la muerte se lleva a alguien que amamos es la esperanzas de volver a ver a esa persona en el cielo. La Palabra de Dios nos dice con toda certeza que no tenemos que lamentarnos como gente sin esperanzas porque en ocasión del arrebatamiento nos reuniremos con nuestros seres queridos y amigos salvados.

> *Pero no queremos, hermanos, que ignoréis acerca de los que duermen, para que no os entristezcáis como lo hacen los demás que no tienen esperanza. Porque si creemos que Jesús murió y resucitó, así también Dios traerá con Él a los que durmieron en Jesús. Por lo cual os decimos esto por la palabra del Señor: que nosotros los que estemos vivos y que permanezcamos hasta la venida del Señor, no precederemos a los que durmieron. Pues el Señor mismo descenderá del cielo con voz de mando, con voz de arcángel y con la trompeta de Dios, y los muertos en Cristo se levantarán primero. Entonces nosotros, los que estemos vivos y que permanezcamos, seremos arrebatados juntamente con ellos en las nubes al encuentro del Señor en el aire, y así estaremos con el Señor siempre. Por tanto, confortaos unos a otros con estas palabras* (1 Tesalonicenses 4:13-18).

La verdad del arrebatamiento debiera transformar nuestro enfoque de la muerte. Dios prometió que la muerte iba a perder su aguijón, que será abolida definitivamente y reinará la vida. Esto no quiere decir que no lloremos cuando mueren nuestros amigos y seres queridos. Por ejemplo, Jesús lloró ante la tumba de Lázaro (Juan 11:35). Los amigos de Esteban lloraron a gritos sobre su cuerpo apedreado (Hechos 8:2). Sin embargo, la Biblia declara que nuestro llanto no es el llanto de la desesperación. Tenemos que hallar profundo solaz, esperanza y consuelo para nuestro corazón apesadumbrado en la verdad de la Palabra de Dios acerca del futuro de sus hijos.

LA PROFECÍA BÍBLICA INFLUYE EN EL CONTROL DE LOS CORAZONES DE SIERVO

En 1 Corintios 15:58, luego de presentar la verdad de la venida de Cristo por los suyos, Pablo concluye con una fuerte amonestación: "Por tanto, mis amados hermanos, estad firmes, constantes, abundando siempre en la obra del Señor, sabiendo que vuestro trabajo en el Señor no es en vano". Pablo dice aquí que como usted sabe que un día Cristo vendrá a recibirlo, no deje que nada le conmueva; sea fuerte y constante en el servicio cristiano. Hoy hay tantos que son inestables y desequilibrados que vacilan constantemente en la obra cristiana.

El conocimiento de la venida de Cristo y los acontecimientos futuros, debiera remediar el problema de la inestabilidad e incoherencia de la obra cristiana. Darse cuenta que Cristo puede volver en cualquier momento, debiera darnos entusiasmo, energía y fuerzas para servir al Señor. Las dos primeras preguntas que Saulo (posteriormente Pablo) hizo cuando vio al Cristo glorificado en el camino a Damasco, fueron, "¿Quién eres, Señor?" y "¿Qué debo hacer, Señor?" (Hechos 22:8, 10). Hoy hay muchos cristianos profesantes que no han superado la primera pregunta. ¡Muchos creyentes en Cristo están espiritualmente cesantes!

El principio bíblico es claro: los que atienden son obreros. Cuando Cristo venga tenemos que estar "siempre preparados" y manteniendo "las lámparas encendidas" (Lucas 12:35). Si los acontecimientos de la profecía bíblica son reales para nosotros, nos motivarán para trabajar fielmente para nuestro Señor. El Señor quiere que nuestro conocimiento de la profecía bíblica se traduzca en servicio consagrado a los que nos rodean mientras esperamos su regreso.

EL COMITÉ DE BIENVENIDA

Warren Wiersbe cuenta que una vez, cuando era joven, predicó sobre los últimos tiempos, con todos los acontecimientos proféticos claramente explicados y perfectamente planeados. Al terminar el servicio se le acercó un señor mayor y le dijo al oído, "yo solía tener bien planeado el regreso del Señor, hasta los últimos detalles, pero hace años que me trasladé del comité de planificación al comité de bienvenida".

Por cierto que queremos estudiar la profecía bíblica y saber acerca del plan de Dios para el futuro. Este libro trata de esto, pero debemos tener cuidado de no dejarnos atrapar en la planificación olvidándonos de la bienvenida. ¿Usted está en el comité de bienvenida en el regreso del Señor? ¿Vive a diario para complacer al Maestro? Que Dios quiera usar nuestro estudio de los últimos tiempos para transformar nuestra vida mientras esperamos que regrese nuestro Salvador.

[1]Charles Dyer, *Noticias Mundiales y la Profecía Bíblica. (Editorial Unilit, Miami, Florida.)*

TRES PASAJES CLAVE
DE LA PROFECÍA BÍBLICA

Tema
Bosquejo
Marco de referencias y resumen general

Aunque todos los pasajes que tratan la profecía bíblica aportan cosas únicas, hay tres secciones principales de la profecía que contienen las claves esenciales para entender el futuro. Estas tres secciones son: (1) el libro de Daniel; (2) el Sermón del Monte de los Olivos (Mateo 24-25); y (3) el libro de Apocalipsis. Para adquirir una comprensión básica de la profecía bíblica uno debe entender en general estos tres pasajes clave. Presentaré en este capítulo un repaso amplio de cada uno de ellos. El formato que emplearé para el estudio de estas partes de la Escritura es el viejo esquema de autor, trasfondo y contenido.

1. EL LIBRO DE DANIEL (la escritura en el muro)

El libro de Daniel es uno de los libros más amados y provechosos de la Palabra de Dios. Las historias narradas en este libro no tienen comparación en cuanto a drama y suspenso. Todo niño que haya asistido a la escuela dominical ha oído la historia de los tres jóvenes hebreos metidos en el horno ardiente y de Daniel en el foso de los leones. Sin embargo, en este libro precioso hay mucho más que algunas historias bíblicas infantiles. También es uno de los pasajes clave de la Biblia que describe los acontecimientos de los tiempos postreros. Dediquemos un poco de tiempo a profundizar más en este libro inolvidable.

Autor   El libro de Daniel lleva el nombre de su autor humano, el profeta Daniel. Casi todo lo que sabemos de los tiempos y la vida de Daniel proviene de este libro. Ezequiel, contemporáneo suyo, lo menciona como uno de los hombres más santos que hayan vivido (Ezequiel 14:14, 20). Los ejércitos de Nabucodonosor deportaron a Daniel a Babilonia en el 605 a.C., cuando tenía entre catorce y diecisiete años de edad. Daniel vivió el resto de su vida en Babilonia y otros lugares cercanos y murió alrededor de los noventa años.

Trasfondo   En el 605 a.C., Nabucodonosor, rey de Babilonia, venció a la nación de Judá. Esta conquista fue el castigo de Dios para la desobediente nación (Deuteronomio 28:47-52; Jeremías 25:7-11). Dios había enviado a sus profetas para que advirtieran al pueblo acerca del venidero juicio, si no se arrepentían. Hubo un avivamiento superficial y transitorio bajo el reinado de Josías, pero cuando este murió en combate, la nación comenzó a seguir una vía irreversible de rebeldía que desembocó en que los vencieron e hicieron cautivos.

Parte de la política de conquistas de Nabucodonosor era deportar a Babilonia a algunos de los mejores y más inteligentes jóvenes varones de la nobleza para prepararlos en el idioma, la cultura, la religión y el gobierno de Babilonia, de modo que pudieran ayudarle en la administración de su imperio. Junto con otros jóvenes, Daniel fue deportado desde Judá a Babilonia. Daniel, alejado de las santas influencias de sus padres, y despojado de su cultura quedó expuesto a las abrumadoras influencias paganas.

Es difícil imaginar todo lo que debe de haber sentido este joven hebreo cuando vio por primera vez la ciudad de Babilonia, mientras entraba por la enorme puerta de Istar y era llevado por las avenidas de la ciudad llenas de ídolos decorados. Pero Daniel se mantuvo fiel al Dios del cielo toda su vida, aun en este ambiente impío.

Contenido

TEMA   El tema de Daniel es la trascendencia y soberanía absoluta de Dios en los asuntos de los pueblos y las naciones. Dios es Aquel que quita y pone reyes y reinos. Dios revela misterios ocultos. Dios rescata a su pueblo de situaciones evidentemente imposibles.

El libro de Daniel tiene setenta y ocho títulos de Dios: En Daniel Dios es soberano, amante, omnipotente (todopoderoso), compasivo, omnisciente (lo sabe todo) y justo. Es Dios Altísimo, Rey del cielo, Dios vivo, el Anciano de Días, Dios de dioses, Dios del cielo, Comandante de los ejércitos celestiales, y el Altísimo. Daniel presenta a Dios como Rey, Revelador y Redentor.

PROPÓSITO   El propósito de Daniel puede resumirse en dos palabras: profecía y piedad. Daniel revela el programa profético para el futuro de este mundo, e indica cómo tiene que vivir el pueblo de Dios en una sociedad impía.

Como dije antes, la Biblia siempre enlaza el estudio de la profecía bíblica con una vida santa. Daniel no constituye excepción. Este libro tiene muchas de las más grandes profecías de la Biblia y algunos de los ejemplos más grandiosos de una vida santa. Por lo tanto, la profecía y la piedad son las dos columnas gemelas de Daniel.

PROFECÍA   Hay cinco secciones proféticas importantes en Daniel que revelan el programa de Dios para este mundo. Cada una de ellas brinda información acerca del futuro dada por Dios a Daniel, sea por medio de una visión, una visita celestial o ambos medios en algunos casos. Las secciones proféticas de Daniel son las que siguen:

1. Capítulo 2 - Visión en sueños de Nabucodonosor (la gran estatua)
2. Capítulo 7 - Visión nocturna de Daniel (las cuatro bestias que salen del mar)
3. Capítulo 8 - Visión que tuvo Daniel en la fortaleza de Susa (el carnero y el macho cabrío)
4. Capítulo 9:24-27 - Visita del ángel Gabriel (profecía de los setenta y siete)
5. Capítulos 10-12 - Visión final de Daniel (levantamiento y caída del Anticristo)

Estas cinco secciones cubren mucho terreno, porque muestran el transcurso y la consumación de la historia del mundo gentil desde el 605 a.C., época de Nabucodonosor, hasta la segunda venida de Cristo. Nos sirven para entender de dónde viene este mundo y hacia dónde va. Daniel nos ofrece un viaje turbulento en esos capítulos:

* Del siglo quinto a.C. al último siglo d.C.
* Del primer imperio mundial (Babilonia) al último imperio mundial (el reino de Cristo)
* Del comienzo del dominio gentil sobre Israel a su finalización.
* De Nabucodonosor a la Nueva Jerusalén
* Del horno de fuego al lago de fuego
* Del sueño de Nabucodonosor a la pesadilla del Anticristo.

PIEDAD   También hay cinco secciones clave en el libro de Daniel que revelan cómo tenemos que vivir en el presente en medio de la sociedad pagana mientras esperamos los acontecimientos de los últimos días. Los capítulos 1, 3 y 6 dan los ejemplos positivos (Daniel y sus tres amigos) que se negaron a transar sus principios cuando el mundo los apremió. Además, los capítulos 4 y 5 advierten contra el orgullo y la rebelión contra Dios:

1. Daniel 1 - Daniel rehúsa corromperse con la comida del rey
2. Daniel 3 - Tres hebreos se niegan a venerar la imagen del rey

3. Daniel 4 - Dios humilla al orgulloso rey Nabucodonosor.
4. Daniel 5 - El dedo de Dios termina espectacularmente la orgía y borracheras de Belsasar.
5. Daniel 6 - Daniel insiste en orar a Dios, aunque está amenazado de muerte.

BOSQUEJO   El libro de Daniel se divide en tres secciones generales.

I. LA HISTORIA PERSONAL DE DANIEL (capítulo 1)

II. LA HISTORIA PROFÉTICA DE LOS TIEMPOS
DE LOS GENTILES (capítulos 2 a 7)

    A. La estatua y la piedra (capítulo 2)

    B. ¿Dios o la estatua de oro? (capítulo 3)

    C. La bella se convierte en la bestia (capítulo 4)

    D. La escritura en el muro (capítulo 5)

    E. Daniel entra y sale del foso de los leones (capítulo 6)

    F. El libro de la selva (capítulo 7)

III. LA HISTORIA PROFÉTICA DE ISRAEL DURANTE EL
TIEMPO DE LOS GENTILES (capítulos 8 al 12)

    A. Vista anticipada de las atracciones venideras (capítulo 8)

    B. La oración de Daniel (9:1-19)

    C. Profecía de los setenta siete (9:20-27)

    D. La última visión (10:1-12:4)

    E. Al final todo termina bien (12:5-13)

ESTRUCTURA DE LOS CAPÍTULOS 2 A 7 DE DANIEL   Estos seis capítulos forman el corazón del libro. Presentan lo que se conoce como estructura quiásmica, es decir, cada capítulo de esta sección tiene un capítulo paralelo correspondiente a medida que el lector avanza hacia el centro y desde el centro. El punto de cruce de este quiasmo está formado por los capítulos 4 y 5. La tabla que sigue representa esta estructura:

Estructura quiásmica de los capítulos 2 al 7 del libro de Daniel

- Daniel 2 -Imperios mundiales simbolizados por los cuatro metales de la estatua
- Daniel 3 - Tres jóvenes varones rescatados del horno ardiente
- Daniel 4 – Humillación de Nabucodonosor
- Daniel 5 – Humillación de Belsasar
- Daniel 6 - Daniel liberado del foso de los leones
- Daniel 7 - Imperios mundiales simbolizados por cuatro bestias salvajes

TRES SECCIONES PROFÉTICAS CLAVE DE DANIEL El libro de Daniel tiene tres secciones indispensables para entender apropiadamente los últimos tiempos.

La primera es el capítulo 2 que narra el sueño que una noche tuvo Nabucodonosor. Vio una enorme estatua de un hombre, hecha con cuatro metales diferentes. Mientras contemplaba la estatua cayó una piedra gigantesca que despedazó la estatua. Entonces la piedra se transformó en una montaña enorme que llenó toda la tierra. Daniel interpretó este sueño a Nabucodonosor. Dijo que los cuatro metales diferentes de la estatua representaban a los imperios gentiles del mundo que iban a reinar sucesivamente.

EL HOMBRE METÁLICO

CUERPO	IMPERIO
Cabeza de oro	Babilonia
Pecho y brazos de plata	Medopersia
Vientre y muslo de bronce	Grecia
Piernas de hierro	Roma
Pies y dedos de hierro y barro	Roma II (los diez dedos de los pies son una confederación de diez naciones)

La piedra que golpeó la estatua y la destruyó describe la segunda venida de Cristo cuando él destruirá a todos los que se opongan a su reinado. La montaña que llenó la tierra es el reinado mundial del Mesías que reemplazará a los reinos de la humanidad.

La segunda sección es el capítulo 7 de Daniel que trata lo mismo que el capítulo 2, pero usando imágenes diferentes y agregando unos cuantos detalles. H. A. Ironside comenta una diferencia interesante de estos capítulos:

> *El capítulo siete trata prácticamente lo mismo que el dos. Abarca todo el transcurso del tiempo de los gentiles empezando por Babilonia y terminando con la destitución de toda autoridad derivada y el establecimiento del reino del Hijo del Hombre. La diferencia entre la primera y la segunda división es la que sigue: nos ocupamos principalmente de la historia profética desde el punto de vista del hombre en lo que ya tratamos; en la segunda mitad del libro tenemos las mismas escenas pero vistas con la luz impoluta de Dios. En el segundo capítulo, cuando un rey gentil tiene una visión del transcurso del imperio del mundo, éste ve la imagen del hombre —figura majestuosa y noble— que lo llenó de tanta admiración que mandó a hacer una estatua parecida para que fuera*

*adorada como dios. Sin embargo, en este capítulo que inicia la se-
gunda división del libro, Daniel, el hombre de Dios, tiene una visión de los mismos imperios, pero los ve como cuatro bestias
salvajes y rapaces, de un carácter tan brutal y tan absolutamente
monstruosas que ninguna criatura real conocida por el hombre
pudiera comparárseles en forma adecuada.[1]*

La tabla que sigue representa la visión de Daniel que registra el capítulo 7:

LAS CUATRO BESTIAS DEL CAPÍTULO 7 DE DANIEL

BESTIA	IMPERIO
León	Babilonia
Oso	Medopersia
Leopardo	Grecia
Bestia terrible	Roma

Los numerosos paralelos entre estos capítulos revelan que abarcan el
mismo material desde dos puntos de vista.

COMPARACIÓN DE LOS CAPÍTULOS 2 Y 7 DE DANIEL

IMPERIO MUNDIAL	CAPÍTULO 2	CAPÍTULO 7
Babilonia	Cabeza de oro	León
Medopersia	Pecho y brazos de plata	Oso
Grecia	Vientre y muslo de bronce	Leopardo
Roma I	Piernas de hierro	Bestia terrible
Roma II (reorganizado)	Diez dedos	Diez cuernos
Anticristo		Cuerno pequeño
Reino de Dios	La piedra que destruye la estatua	El Hijo del Hombre, que recibe el reino

La tercera sección, Daniel 9:24-27, es una de las partes proféticas más
importantes de la Biblia. Constituye la clave indispensable de toda la profecía. A menudo se dice que es "la espina dorsal de la profecía bíblica" y "el
reloj que da la hora profética de Dios".

Daniel (9:1-23) confiesa su pecado y ora por la restauración del pueblo
de Israel de su cautiverio en Babilonia. Sabe que se acaban los setenta años
de cautiverio (9:1-2), así que intercede por su pueblo. Mientras Daniel ora,
Dios le manda una respuesta inmediata por medio de Gabriel, su ángel
mensajero (9:21). Daniel 9:24-27 es la respuesta de Dios a la oración de Daniel, pero en esta respuesta Dios sobrepasa mucho la restauración de Israel
del poder de Babilonia para tratar la restauración definitiva de Israel sometido al Mesías:

Setenta semanas han sido decretadas sobre tu pueblo y sobre tu santa ciudad, para poner fin a la transgresión, para terminar con el pecado, para expiar la iniquidad, para traer justicia eterna, para sellar la visión y la profecía, y para ungir el lugar santísimo. Has de saber y entender que desde la salida de la orden para restaurar y reconstruir a Jerusalén hasta el Mesías Príncipe, habrá siete semanas y sesenta y dos semanas; volverá a ser edificada, con plaza y foso, pero en tiempos de angustia. Después de las sesenta y dos semanas el Mesías será muerto mas no por sí, y el pueblo del príncipe que ha de venir destruirá la ciudad y el santuario. Su fin vendrá con inundación; aun hasta el fin habrá guerra; las desolaciones están determinadas. Y él hará un pacto firme con muchos por una semana, pero a la mitad de la semana pondrá fin al sacrificio y a la ofrenda. Sobre el ala de abominaciones vendrá el desolador, hasta que una destrucción completa, la que está decretada, sea derramada sobre el desolador.

DIEZ CLAVES PARA ENTENDER LAS SETENTA SEMANAS

1. La expresión *grupos de siete* o *semana* se refiere a períodos o series de siete años. Daniel ya pensaba en términos de años en 9:1-2.
2. Todo el período abarcado es, por tanto, un lapso de 490 años (setenta grupos de períodos de siete años, que usan un año profético de 360 días).
3. Los 490 años corresponden al pueblo judío y a la ciudad de Jerusalén, no a la iglesia - "sobre tu pueblo y sobre tu santa ciudad" (9:24). El propósito de estos 490 años es cumplir estos seis objetivos divinos:

- Poner fin a la transgresión
- Terminar con el pecado
- Expiar la iniquidad
- Traer justicia eterna
- Sellar la visión y la profecía
- Ungir el lugar santísimo

Como estos objetivos miran a la época del reino venidero, entonces los 490 años deben llevarnos hasta el milenio.

4. El reloj profético divino se echó a andar el 5 de marzo del año 444 a.C., cuando Artajerjes, el rey persa, emitió un decreto que

permitió el retorno de los judíos dirigidos por Nehemías para reconstruir la ciudad de Jerusalén.

5. Desde la época en que empezó la cuenta hasta la venida del Mesías (el ungido) habrá sesenta y nueve grupos de siete (siete más sesenta y dos) o 483 años. Este período exacto, que son 173,880 días, es la cantidad exacta de días que pasaron desde el 5 de marzo del 444 a.C. hasta el 30 de marzo del 33 d.C., día de la entrada triunfal de Jesús en Jerusalén.[2]

6. Cuando Israel rechazó a Jesucristo como su Mesías, Dios suspendió transitoriamente su plan para Israel. Por lo tanto, hay un lapso de duración no especificada entre la semana sesenta y nueve y la setenta. Se profetizan dos acontecimientos específicos que ocurren en ese período: (1) el Mesías será muerto (esto se cumplió en el 33 d.C.) y (2) Jerusalén y el templo serán destruidos (esto se cumplió el 70 d.C.).

7. El reloj profético de Dios para Israel se paró al final del grupo de siete número sesenta y nueve. Estamos viviendo actualmente en este período de duración no especificada que hay entre la semana sesenta y nueve y la setenta, período que se denomina la era de la iglesia. Esta era terminará cuando Cristo venga para llevar su esposa al cielo.

8. El reloj profético de Dios para Israel empezará a andar de nuevo —después que la iglesia sea arrebatada al cielo— cuando el Anticristo entre en la escena y establezca el pacto de siete años con Israel (9:27). Este es final o el grupo setenta de siete que aún tiene que cumplirse.

9. El Anticristo terminará este pacto a los tres años y medio instalando su propia y abominable imagen sacrílega en el templo de Dios en Jerusalén (ver también Mateo 24:15; Apocalipsis 13:14-15).

10. Al final de los siete años Dios eliminará al Anticristo ("el desolador"–9:27; Véase además, 2 Tesalonicenses 2:8; Apocalipsis 19:20). Esto marcará el final de los setenta grupos de siete y el comienzo del milenio cuando se cumplirán las seis características bosquejadas en 9:24.

REPASO DE LAS SETENTA SEMANAS (Daniel 9:24-27)

REFERENCIA	PERÍODO
Daniel 9:24	Todas las setenta semanas (490 años)
Daniel 9:25	Las primeras sesenta y nueve semanas-siete semanas más sesenta y dos semanas (483 años)
Daniel 9:26	El tiempo pasado entre la semana sesenta y nueve y la setenta (? años)
Daniel 9:27	La semana setenta (siete años).

CRONOLOGÍA PROFÉTICA DE LAS SETENTA SEMANAS

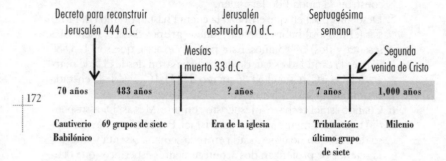

Decreto para reconstruir Jerusalén 444 a.C.		Jerusalén destruida 70 d.C.	Septuagésima semana	
		Mesías muerto 33 d.C.		Segunda venida de Cristo
70 años	483 años	? años	7 años	1,000 años
Cautiverio Babilónico	69 grupos de siete	Era de la iglesia	Tribulación: último grupo de siete	Milenio

El Anticristo en el libro de Daniel   Uno de los temas clave de los capítulos 7 al 12 del libro de Daniel es la persona y la obra del futuro gobernante del mundo: el Anticristo. Él es el ser humano dominante de estos capítulos. Tiene un lugar importante en cada una de las cuatro grandes secciones proféticas finales del libro de Daniel, como se indica en la tabla que sigue.

EL ANTICRISTO EN LOS CAPÍTULOS 7 AL 12 DEL LIBRO DE DANIEL

CAPÍTULO	TÍTULO EL ANTICRISTO
Daniel 7	El cuerno pequeño (7:8, 11)
Daniel 8	Un rey insolente, y entendido en enigmas (8:23)
Daniel 9	El príncipe (9:26); el desolador (9:27)
Daniel 11	El rey (11:36)

Profecías predictivas clave del libro de Daniel   Este libro tiene veinte profecías predictivas clave:

1. El reinado sucesivo de cuatro grandes imperios mundiales: Babilonia, Medo Persia, Grecia y Roma (capítulos 2 y 7)
2. La reorganización del Imperio Romano en los tiempos postreros bajo la forma de diez reinos (2:41-43; 7:24)
3. La aparición del Mesías para reinar a los 483 años del decreto de reconstrucción de Jerusalén (9:25). Esta profecía se cumplió el día en que Cristo hizo su entrada triunfal en Jerusalén.
4. La muerte violenta del Mesías (9:26)
5. La destrucción de Jerusalén en el 70 d.C. (9:26)
6. El ascenso del Anticristo al poder (7:8, 20; 8:23)
7. El comienzo de la semana setenta: el pacto del Anticristo con Israel por siete años (9:27)
8. El Anticristo rompe el pacto a la mitad de su vigencia (9:27)
9. El Anticristo se proclama dios (11:36)

10. El Anticristo persigue al pueblo de Dios (7:21)
11. El Anticristo instala la abominación desoladora en el templo de los últimos tiempos (9:27; 12:11)
12. La invasión ruso-islámica de Israel y el Anticristo (11:40-45; también Ezequiel 38-39)
13. La conquista militar y consolidación del imperio del Anticristo (11:38-44)
14. El destino final del Anticristo 7:11, 26; 9:27)
15. La segunda venida de Cristo (2:44-45; 7:13)
16. La resurrección de los muertos (12:2)
17. La recompensa de los justos (12:3, 13)
18. El juicio de los impíos (7:9; 12:2)
19. El establecimiento del reino de Cristo (2:44-45; 7:14, 22, 27)
20. Gran aumento del conocimiento de la profecía bíblica en los últimos días (12:4)

2. EL SERMÓN DEL MONTE DE LOS OLIVOS (bosquejo de los últimos tiempos)

Hay un refrán que dice "lee el diario si quieres saber que pasó ayer; mira las noticias vespertinas si quieres saber que pasó hoy; lee la Palabra de Dios si quieres saber qué pasará mañana". Este adagio es absolutamente cierto. No hay lugar en la Biblia que dé una visión más clara y concisa de lo que pasará mañana que el esquema básico de los últimos días que Jesús dio en su Sermón del Monte de los Olivos.

Autor El sermón del Monte de los Olivos es un registro escrito de un sermón o discurso que Jesús predicó tres días antes de morir en la cruz. El autor de esta doctrina fue, en consecuencia, el mismo Jesús. El sermón profético se encuentra en tres evangelios: (1) capítulos 24 y 25 de Mateo; (2) capítulo 13 de Marcos, y (3) capítulo 21 de Lucas.

Trasfondo
EL LUGAR El sermón del Monte de los Olivos se llama así, porque Jesús lo predicó desde el monte de los Olivos, en las afueras de Jerusalén. Este monte está directamente al este de la ciudad de Jerusalén y mira a la zona del templo. Jesús dio este mensaje luego de pasar el día en el templo, y denunciar a los dirigentes religiosos de Israel pronunciando juicios para esa generación (Mateo 21:23-23:36). Resulta interesante que Cristo predicara este sermón acerca de los últimos tiempos y de su segunda venida desde el mismo lugar al cual regresará un día (Zacarías 14:1-4; Hechos 1:10-11).

PÚBLICO   Jesús predicó este sermón a un grupo selecto de discípulos. Marcos 13:3 dice que la audiencia de Jesús estaba formada solo por cuatro hombres: Pedro, Santiago, Juan y Andrés. ¡Imagínese cómo habrá sido escuchar al Salvador que bosqueja el plan de los tiempos finales de una manera tan íntima!

174   EL PROBLEMA   Jesús predicó este sermón respondiendo a la pregunta de sus discípulos acerca de la destrucción del templo y del final de los tiempos. Mateo nos dice que Jesús y sus discípulos habían estado en la zona del templo de Jerusalén antes de llegar al monte de los Olivos. Jesús efectuó una declaración monumental cuando se iban del lugar: "Cuando salió Jesús del templo, y se iba, se le acercaron sus discípulos para mostrarle los edificios del templo. Mas respondiendo Él, les dijo: ¿Veis todo esto? En verdad os digo: no quedará aquí piedra sobre piedra que no sea derribada" (Mateo 24:1-2). Estas palabras deben de haberse grabado a fuego en la mente de los discípulos mientras iban cruzando el valle del Cedrón camino del Monte de los Olivos. Tienen que haberse preguntado: ¿Cómo podría ser esto? ¿Cuándo iba a pasar? ¿Cuándo vendría el fin?

Cuando Jesús y los discípulos llegaron finalmente al monte de los Olivos, cuatro varones se acercaron a Jesús solicitando aclaración: "Y estando él sentado en el monte de los Olivos, se le acercaron los discípulos en privado, diciendo: Dinos, ¿cuándo sucederá esto, y cuál será la señal de tu venida y de la consumación de este siglo?" (Mateo 24:3)

EL PERÍODO   Una de las preguntas más importantes sobre este sermón es ¿cuál es el tiempo que cubre? Hay varias respuestas posibles para esta pregunta, pero la mejor es la que trata la segunda venida de Cristo y el tiempo que la precede inmediatamente. Jesús establece el marco temporal de este sermón cuando dice: "desde ahora en adelante no me veréis más hasta que digáis:"Bendito el que viene en nombre del Señor" (Mateo 23:39). Jesús dice a sus discípulos que se irá de este mundo y volverá solamente cuando el pueblo judío se arrepienta y lo acepte como su Mesías. Esta declaración es muy significativa porque forma el apoyo de lo que dice Jesús en el capítulo 24 de Mateo. Evidentemente este suceso profetizado por Jesús no se ha producido, así que aún debe cumplirse en el futuro o aun en nuestra época.

Otra pregunta relacionada que se suele formular acerca de este pasaje es, ¿cuántas preguntas le hicieron los discípulos a Jesús? La respuesta más corriente es dos o quizá tres: (1) ¿cuándo sucederá todo esto, (cuándo será destruido el templo, como lo declaró Jesús en Mateo 24:2)? (2)¿cuál será la señal de tu venida? y (3) ¿habrá alguna señal del fin del mundo?

Aunque es posible que los discípulos hayan pensado dos o tres preguntas, es mejor enfocar estas preguntas como una sola grande con tres partes. Está claro que la pregunta de los discípulos se relaciona con la venida de Cristo y el fin del mundo. La destrucción del templo, la venida del Mesías y el fin del mundo comprendían para los discípulos un solo conjunto grande de acontecimientos (ver Zacarías 14:1-11).

Por lo tanto, el período tratado en este sermón es el de los siete años de la Tribulación que ocurrirá antes de la venida de Cristo.

EL PERÍODO DEL SERMÓN DEL MONTE DE LOS OLIVOS

El período de la tribulación (24:4-28)	La segunda venida (24:29-31)

Contenido

TEMA   El sermón del Monte de los Olivos suele llamarse "el mini Apocalipsis", porque da un vistazo conciso, aunque integral de los tiempos postreros. También se le llama "el sermón escatológico", porque prevé el fin del mundo o "el sermón profético", porque profetiza el futuro. El sermón de Cristo nos da el plan o bosquejo básico del fin: una lista para verificar las señales de los tiempos.

Hay cuatro claves para interpretar apropiadamente el sermón del Monte:

1. Estudiarlo en conjunto con los otros libros proféticos.
2. Fijarse en la atmósfera judía ("templo", "Judea", "día de reposo").
3. Recordar que el tema principal es la segunda venida de Cristo al final del tiempo y las señales que marcan este acontecimiento. El sermón del Monte de los Olivos contiene una "lista" específica de señales que indican la venida de Cristo.
4. Fijarse en la importancia que tiene la aplicación práctica de Mateo 24:32-25:30. Estas palabras piden a sus lectores que estén alertas y preparados para la venida de Cristo.

PROPÓSITO   El propósito de este sermón fue el de esbozar para Israel los acontecimientos que conducirán al regreso de su Mesías para establecer su reino en la tierra y exhortar a Israel a la fidelidad en vista de esa venida.

BOSQUEJO   El sermón del Monte de los Olivos puede dividirse en tres secciones principales:

I. LA TRIBULACIÓN (24:4-28): RETRIBUCIÓN

A. Los acontecimientos de la primera mitad de la Tribulación (24:4-8): Principio de dolores"
   1. Cristos falsos (24:4-5)
   2. Guerras (24:6-7)
   3. Hambre (24:7)
   4. Terremotos (24:7)[3]

B. Los acontecimientos de la segunda mitad de la Tribulación (24:9-28)
   1. Descripción general (24:9-14): Jesús da en estos versículos un panorama general de la última mitad del período de la tribulación. Fíjese que el versículo 14 nos lleva al final de la tribulación, "y entonces vendrá el fin".
      a. Persecución
      b. Odio
      c. Falsos profetas
      d. Pecado y falta de amor
      e. Predicación del evangelio en todo el mundo
   2. Descripción específica (24:15-28): Jesús retrocede un poco para narrar algunos de los acontecimientos específicos de la última mitad de la tribulación empezando por "la abominación de la desolación" lo cual sucederá a mediados de la tribulación desatando la gran tribulación o el segundo período de tres años y medio de la tribulación.
      a. La abominación de la desolación: esto se refiere al libro de Daniel en el Antiguo Testamento, cuando Antíoco Epífanes contaminó el templo de Jerusalén instalando una estatua de Zeus o Júpiter en el Lugar Santísimo, y ofreció un cerdo en el altar. El Anticristo se instalará en el templo reconstruido de los últimos días, declarándose dios en un acto blasfemo aún mayor (2 Tesalonicenses 2:4). Este acto perverso, que ocurrirá a mediados de la tribulación, es la principal señal específica de la venida de Cristo y es el acto que zambulle al mundo en la gran tribulación.
      b. Gran tribulación (versículo 21 - período de gran terror): son los últimos tres años y medio de los siete años de la tribulación.
      c. Profetas y cristos falsos

d. Segunda venida

e. Juicio (cadáveres y aves de rapiña): Cuando vuelva Cristo las aves se juntarán para alimentarse de la carroña putrefacta (Apocalipsis 19:17-18).

II. EL TRIUNFO (24:29-35): EL REGRESO

A. Las señales (24:29-30)

1. Oscurecimiento del sol y la luna

2. Estrellas que caen del cielo

3. Conmoción de las potencias del cielo

B. El Hijo (24:30)

C. La Salvación (24:31): Reunión de los elegidos de Israel en la segunda venida

III. LA DOCTRINA (24:32-25:46): RESPONSABILIDAD

A. Tres parábolas sobre los preparativos (24:32-51)

1. Parábola de la higuera (24:32-35): hay dos asuntos importantes en esta parábola.

a. El primero se refiere a lo que representa la imagen de la higuera:

> Y de la higuera aprended la parábola: cuando su rama ya se pone tierna y echa las hojas, sabéis que el verano está cerca. Así también vosotros, cuando veáis todas estas cosas, sabed que Él está cerca, a las puertas.

Muchos creen que el cuadro de la higuera se refiere a la nación de Israel, porque en el Antiguo Testamento se usaba para representar a Israel. Sin embargo, es probable que Jesús haya usado una ilustración natural que todos pudieran entender. Sencillamente dice que así como se puede saber que se acerca el verano por los brotes de la higuera, así los que vivan la tribulación podrán ver que cuando empiecen a ocurrir las señales predichas en Mateo 24:4-31 su venida se acerca.

b. Lo segundo se refiere al significado de las palabras *esta generación* en 24:34: "En verdad os digo que no pasará esta generación hasta que todo esto suceda". Probablemente "esta generación" en su contexto se refiera a los que vivan durante la tribulación y presenciarán los acontecimientos descritos en Mateo 24:4-31. Jesús destacó que la misma generación que viva la tribulación presenciará también la segunda venida.

2. Comparación con Noé (24:36-41) A menudo se interpretan mal los versículos 39 al 41 como referencia al arrebatamiento.

> *Pues así como en aquellos días antes del diluvio estaban comiendo y bebiendo, casándose y dándose en matrimonio, hasta el día en que entró Noé en el arca, y no comprendieron hasta que vino el diluvio y se los llevó a todos; así será la venida del Hijo del Hombre.*
>
> *Entonces estarán dos en el campo; uno será llevado y el otro será dejado. Dos mujeres estarán moliendo en el molino; una será llevada y la otra será dejada.*

John Walvoord explica claramente el significado de este pasaje:

> *Como en el arrebatamiento se llevan de este mundo a los creyentes, algunos confunden esto con el arrebatamiento de la iglesia. Sin embargo, aquí la situación es al revés. El que sea dejado, queda para entrar al reino; el que es llevado, es llevado a juicio. Esto corresponde a la ilustración de la época de Noé cuando los incrédulos son sacados. La palabra traducida "será llevado" en los versículos 40-41 es la misma palabra que se encuentra en Juan 19:16, donde Jesús es llevado al juicio de la cruz."* [4]

3. Principios del alerta (24:42-51)

B. Tres parábolas de advertencia (25:1-46)

   1. Parábola de las diez vírgenes (25:1-13)

   2. Parábola del amo y sus siervos (25:14-30)

   3. Parábola de las ovejas y las cabras (25:31-46). Todos los gentiles que sobrevivan a la tribulación serán reunidos delante el Rey en su trono. El justo entrará al reino milenial. El impío será arrojado al infierno.

EL SERMÓN DEL MONTE DE LOS OLIVOS (el plan de los últimos tiempos)

PERÍODO DE LA TRIBULACIÓN (24:4-28)		LA SEGUNDA VENIDA CRISTO (24:29-31) ↓
7 AÑOS		
Mateo 24:4-8 "principio de dolores"	**Abominación de la desolación**	Mateo 24:9-28 "gran tribulación"
Primera mitad de la tribulación 3 1/2 años		Segunda mitad de la tribulación 3 1/2 años
		9-14 Señales generales
Señales iniciales		15-28 Señales específicas

3. EL LIBRO DEL APOCALIPSIS (¡Apocalipsis!)

El Apocalipsis tiene un lugar especial en el corazón del pueblo de Dios, por su calidad de último libro de la Biblia. Es el último mensaje inspirado por Dios para la iglesia.

Apocalipsis reviste importancia particular por dos razones clave. Primera, mira hacia adelante siendo perfectamente adecuado y necesario que el último libro de la Biblia revele el programa profético de Dios para el futuro y nos diga cómo va a resultar todo al final. Eso es exactamente lo que hace el Apocalipsis. La palabra *Apocalipsis* es una traducción del griego *apocalypsis* que significa revelar, sacar el velo, destapar o abrir algo que estaba oculto o cerrado. El propósito de este libro es revelar, correr el velo o destapar el futuro. Apocalipsis es un relato del futuro de este mundo que entusiasma, impresiona y fascina.

Segundo, Apocalipsis mira hacia atrás. No solo mira al futuro hacia la consumación de todas las cosas sometidas a Cristo, sino que, también, mira hacia atrás reuniendo todos los hilos de los primeros sesenta y cinco libros de la Biblia. Se ha dicho que el Apocalipsis es "la Gran Estación Central de la Biblia" (NT: alusión a la *Grand Central Station* de Nueva York hacia donde confluyen muchas líneas de trenes) por ser el lugar donde se reúnen todas las líneas del pensamiento de toda la Biblia.

Apocalipsis Tiene 404 versículos de los cuales 278 aluden al Antiguo Testamento; además, pudiera tener un total de 550 referencias al Antiguo Testamento. En proporción alude con mayor frecuencia a Daniel seguido por Isaías, Ezequiel y Salmos.

Autor   El apóstol Juan es el autor humano del Apocalipsis. El escritor se identifica cuatro veces como Juan (1:1, 4, 9; 22:8). Evidentemente es el líder de las iglesias de Asia Menor (capítulos 2 y 3) y se dice profeta (22:9). Además, Justino Mártir, Ireneo, Clemente de Alejandría y Tertuliano afirman que Juan es el autor del Apocalipsis.

Trasfondo   Juan escribió el Apocalipsis alrededor del año 95 d.C. cerca del final del reinado de Domiciano (81-96 d.C.), emperador romano. En este período las iglesias del Asia Menor tenían problemas externos e internos. Externamente, Domiciano se proclamó dios y en su honor se hizo edificar un magnífico templo en Éfeso. El culto al emperador fue fomentado durante el mandato de Domiciano más que en el de cualquier otro gobernante. Por tanto, no hace falta decir, Domiciano fue un enconado opositor del cristianismo.

Domiciano deportó a Juan, el último apóstol vivo, a la islita de Patmos debido a la influencia que este tenía en la comunidad cristiana de Éfeso y sus alrededores (Asia Menor). En la época de su exilio es probable que Juan tuviera unos noventa años de edad.

Internamente, las iglesias se enfrentaban al ataque doble de la apatía espiritual y los maestros falsos que fomentaban las doctrinas herejes y la vida inmoral.

Una mañana de domingo (el Día del Señor), probablemente, mientras Juan pensaba y oraba por las iglesias de Asia Menor que se reunían para adorar (Apocalipsis 1:9-20) se apareció el Cristo glorificado con un mensaje para aquellas siete iglesias. Las siete iglesias que Cristo distinguió son Éfeso, Esmirna, Pérgamo, Tiatira, Sardis, Filadelfia y Laodicea. Apocalipsis fue escrito, con el tenebroso trasfondo de presiones externa e internas contra la iglesia, para revelar el resultado final de la historia humana al pueblo de Dios, a fin de animarlo y exhortarlo a la fidelidad. Aunque parezca que el mal prevalece, Dios controla todos los acontecimientos de la historia humana, y un día Cristo regresará con poder y gran gloria para castigar al impío y establecer su reino.

Luego de escribir los mensajes y visiones que Cristo le reveló, Juan despachó el mensaje a cada una de las siete iglesias mediante un ángel. La palabra *ángel* significa sencillamente mensajero y, en el contexto de los capítulos 2 y 3 del Apocalipsis, resulta mejor entender a estos "ángeles" como mensajeros humanos (probablemente dirigentes) de cada una de las siete iglesias que habían ido a Patmos a visitar a Juan.

Contenido

TÍTULO   Aunque el Apocalipsis tiene su propio título en el primer versículo, el título de este libro suele ser mal expresado en dos formas diferentes. Primero, suele ser dicho en plural "los Apocalipsis", pero en 1:1 es "Apocalipsis" en singular: es una sola revelación.

Segundo, a menudo se le dice "el Apocalipsis de San Juan", que tampoco es el título del libro que específicamente se llama "Apocalipsis o Revelación de Jesucristo", porque este libro tiene una revelación de Jesucristo.

Hay dos maneras de entender el título "La revelación de Jesucristo" que puede significar "revelación acerca de Jesucristo" (el revelado) o "una revelación dada por Cristo" (el revelador). Aunque es verdad que este libro revela poderosamente a Cristo, mejor es entender la expresión "de Cristo", como revelación que Cristo da o hace.

Este es el mejor enfoque por dos razones. Primera, Apocalipsis retrata a Cristo como el revelador a través de todo el libro. Cristo habla a las siete iglesias y abre el rollo descorriendo el velo de su contenido. Segundo, Apocalipsis 1:1 dice específicamente que Jesús dio el mensaje a los ángeles y a Juan así como el Padre se lo reveló a él.[5] Se describe a Cristo como el revelador desde el comienzo.

CRISTO EN APOCALIPSIS[6]

EL PAPEL DE CRISTO	CAPÍTULO
Cristo en la iglesia	1-3
Cristo en el cosmos	4-18
Cristo en la victoria	19-20
Cristo en la consumación	21-22

TRANSMISIÓN   Apocalipsis 1:1, expresa específicamente la transmisión o cadena de comunicación de este libro: "La revelación de Jesucristo, que Dios le dio, para mostrar a sus siervos las cosas que deben suceder pronto; y la dio a conocer, enviándola por medio de su ángel a su siervo Juan, el cual dio testimonio de la palabra de Dios, y del testimonio de Jesucristo, y de todo lo que vio".

El Padre dio la revelación al Hijo, y el Hijo la compartió con Juan a veces directamente él mismo y, otras veces usando un ángel como intermediario. El punto principal es que el contenido de este libro, vino de Dios. Como los primeros sesenta y cinco libros de la Biblia, el Apocalipsis es la Palabra inspirada de Dios.

Dios Padre → Jesús → Ángeles → Juan → Otros siervos de Dios →

ENFOQUES   Las vívidas imágenes y el simbolismo impresionante del Apocalipsis han conducido a puntos de vista muy diferentes sobre el modo de interpretarlo y del tiempo que describe. Hablando ampliamente, hay cuatro enfoques principales del libro de Apocalipsis:

1. Punto de vista preterista – considera que el libro se cumplió en gran parte, si es que no totalmente, en el siglo primero con la caída de Jerusalén el 70 d.C.
2. Punto de vista histórico – entiende al Apocalipsis como un panorama de la historia de la iglesia desde el tiempo de los apóstoles hasta la segunda venida.
3. Punto de vista idealista – enfoca al Apocalipsis como un cuadro de la lucha atemporal entre el bien y el mal que enseña principios ideales.
4. Punto de vista futurista – interpreta los capítulos 4 al 22 del Apocalipsis como descriptores de personas y acontecimientos reales que aún tienen que aparecer en el escenario mundial.

Yo creo que el punto de vista futurista es muy superior a los demás. Es el único que sigue los principios de la interpretación literal. Además, tiene sentido que el último libro de la Palabra de Dios enfoque el futuro y nos diga como resulta todo al final. Ed Hindson resume el enfoque futurista:

> *El Apocalipsis revela el futuro. Es el mapa caminero de Dios que nos sirve para entender hacia dónde va la historia humana. El hecho que apunte al tiempo del fin está muy claro en todo el libro. Sirve como la consumación final de la revelación bíblica. Nos lleva del primer siglo al último. De la persecución al triunfo. De la iglesia que lucha a la esposa de Cristo. De Patmos al paraíso.*[7]

PALABRAS CLAVE   Cada libro de la Biblia contiene ciertas palabras clave que se emplean con frecuencia revelando el énfasis del libro. Apocalipsis tiene diez palabras clave que definen su enfoque:

1. Y [*kai*, en griego] se encuentra más de 1200 veces en el Apocalipsis. Dos de cada tres versículos del libro (271 de 404) empiezan con la palabra *kai* en el griego. También se traduce "pero", "sino", "hasta", "aun", "ambos", "también", "además", "entonces", "no obstante", "sin embargo", "indudablemente" o "sin duda". La repetición constante de esta palabra lleva el libro a un ritmo impresionante. Como lo comenta Ed Hinson:

> *No se puede leer el libro quedándose mentalmente quieto. El lector sentirá, consciente o no, que va pasando por una serie de acontecimientos que surgen como destellos instantáneos en una pantalla de vídeo. Estos vistazos del futuro están concebidos para*

avanzar hacia la consumación final de la historia humana. ¡Los capítulos finales nos precipitan a la eternidad misma!*

2. Grande [megas en griego - 82 veces]: ¡el Apocalipsis es un libro "grande"!
3. Siete (54 veces)
4. Trono (46 veces)
5. Poder/autoridad (40 veces)
6. Rey (37 veces)
7. Cordero (29 veces)
8. Doce (22 veces)
9. Gloria/glorificar (19 veces)
10. Vencer, victorioso, conquistar (*nikao* en griego - la compañía de artículos deportivos Nike tomó esta palabra del griego; 17 veces)

TEMA   Apocalipsis tiene tres temas principales que se destacan en las tres secciones principales del libro: (1) El Cristo (Apocalipsis 1); (2) la iglesia (capítulos 2 y 3); y (3) la consumación (capítulos 4 al 22).

Aunque estos tres temas resumen el mensaje del Apocalipsis, el central, que penetra todo el libro se expresa en 1:7: "¡He aquí, viene con las nubes y todo ojo le verá, aun los que le traspasaron; y todas las tribus de la tierra harán lamentación por Él; sí! ¡Amén!"

El tema central que unifica al libro es la segunda venida de Cristo. Hasta en los capítulos 2 y 3 se menciona repetidamente la venida de Cristo.

BOSQUEJO   Se ha propuesto muchos esbozos o bosquejos diferentes para Apocalipsis, pero el mejor es el triple que se halla en Apocalipsis 1:19: "Escribe, pues, las cosas que has visto, y las que son, y las que han de suceder después de estas".

I. "LAS COSAS QUE HAS VISTO" (capítulo 1);
   EL CRISTO GLORIFICADO

II. "LAS QUE SON" (capítulos 2 y 3):
    LAS CARTAS A LAS SIETE IGLESIAS
    A. Éfeso (2:1-7)
    B. Esmirna (2:8-11)
    C. Pérgamo (2:12-17)
    D. Tiatira (2:18-29)
    E. Sardis (3:1-6)
    F. Filadelfia (3:7-13)

G. Laodicea (3:14-22)

III. "Y LAS QUE HAN DE SUCEDER DESPUÉS DE ESTAS" (capítulos 4 al 22)

   A. La tribulación (capítulos 4 al 19)
      1. Adoración en el cielo (capítulos 4 y 5)
      2. El sello (capítulo 6)
      3. Los 144,000 testigos y los redimidos (capítulo 7)
      4. Las trompetas (capítulos 8-9)
      5. El librito abierto (capítulo 10)
      6. Los dos testigos (capítulo 11)
      7. La mujer (Israel) y el dragón (Satanás) (capítulo 12)
      8. El Anticristo y el falso profeta (capítulo 13)
      9. Anuncios (capítulo 14)
      10. Preludio de las copas (capítulo 15)
      11. Las copas (capítulo 16)
      12. La caída de Babilonia (capítulos 17 y 18)
      13. La segunda venida de Cristo (capítulo 19)
   B. El milenio (capítulo 20)
   C. El estado eterno (capítulos 21 y 22)

MARCO DE REFERENCIAS Y REPASO GENERAL   La manera más sencilla para repasar el Apocalipsis es usar el marco de referencias que sigue, el cual divide al Apocalipsis en las cuatro edades o eras diferentes que se hallan en este libro:

LAS CUATRO ERAS DEL APOCALIPSIS

CAPÍTULOS	ERA	AÑOS
Capítulos 1 al 3	Era de la iglesia	? Años
Capítulos 4 al 19	Tribulación	Siete años
Capítulo 20	Era del reino	Mil años
Capítulos 21 y 22	Era eterna	Años sin fin

Apocalipsis empieza con tres capítulos que tratan la era actual de la iglesia. El enfoque de estos capítulos es el señorío de Cristo (capítulo 1) y las cartas de Cristo (capítulos 2 y 3). Se representa a las iglesias como candeleros dispuestos en círculos que tienen que alumbrar en medio de un mundo de tinieblas. Se ve a Cristo de pie en el medio de los candeleros como el Señor de la iglesia, y caminando entre los candeleros como el Señor omnisciente que inspecciona y evalúa su iglesia (1:12-13; 2:1).

Cristo escribe siete cartas, una a cada una de las siete iglesias de Asia Menor. Estas siete iglesias estaban ubicadas en un camino circular que las enlazaba. Los carteros de la época viajaban por esta ruta. Las cartas siguen esta pauta básica, salvo algunas excepciones:

- Encargo
- Carácter
- Elogio (las cartas a Sardis y Laodicea no lo tienen)
- Reprensión (las cartas a Esmirna y Filadelfia no la tienen)
- Corrección
- Exhortación
- Desafío

Las siete iglesias son importantes por dos razones principales. Primero, tienen una importancia práctica: son siete iglesias históricas, literalmente hablando, que existieron a finales del primer siglo de esta era en las ciudades mencionadas. Segundo, tienen un significado perenne, porque representan todas las clases de iglesias que existirían simultáneamente en el curso de la historia. Se mencionan siete iglesias porque siete es el número de la totalidad, de lo completo.

Estas siete iglesias no se eligieron porque fueran las más destacadas de la zona; solamente dos, Éfeso y Laodicea son nombradas en otras secciones del Nuevo Testamento. Estas siete iglesias fueron elegidas, más bien, por sus condiciones espirituales que representan a las iglesias de todo el mundo.

He aquí un repaso sencillo de las clases diferentes de iglesias que existirán siempre. Al leer esta lista, pregúntese cuál es su iglesia. ¿Cuál sería el mensaje de Cristo para su iglesia?

- Éfeso - la iglesia que perdió el amor
- Esmirna - la iglesia sufriente
- Pérgamo - la iglesia acomodaticia
- Tiatira - la iglesia indulgente
- Sardis - la iglesia muerta
- Filadelfia - la iglesia fiel
- Laodicea - la iglesia inútil

Muchos estudiosos de la profecía bíblica creen que estas siete iglesias tienen significado profético. Según ellos estas iglesias representan siete períodos sucesivos de la historia de la iglesia y abarcan toda la era de la iglesia,

desde la época de los apóstoles a la iglesia de los tiempos postreros. Rechazo este criterio por tres razones, aunque reconozco su posibilidad: Primero,
en el texto bíblico no hay nada que indique que las siete iglesias representan siete etapas de la historia de la iglesia. Segundo, no hay una manera claramente establecida para dividir la historia de la iglesia en siete etapas distintas. Tercero, este criterio no encaja con los hechos de la historia de la
186 iglesia. Por ejemplo, aunque algunos pudieran considerar que la actual
iglesia de los Estados Unidos es del estilo de Laodicea (tibia, inútil), ciertamente esto no describe a las iglesias pobres y perseguidas de otras partes
del mundo.⁹

La segunda era es el período de la tribulación(capítulos 4 al 19). El enfoque de estos capítulos está puesto en las tres series de siete juicios que el
Señor derrama sobre la tierra. Hay siete juicios de los sellos (capítulo 6), siete de las trompetas (capítulos 8 y 9) y siete de las copas (capítulo 16). Esta serie de juicios será derramada sucesivamente durante la tribulación.

Siete Sellos ⟶ Siete Trompetas ⟶ Siete Copas

Los siete sellos serán abiertos durante la primera mitad de la Tribulación. Las siete trompetas se harán sonar durante la segunda mitad de la
Tribulación. Las siete copas serán derramadas en un tiempo muy corto cerca del final de la Tribulación, justo antes de la venida de Cristo.

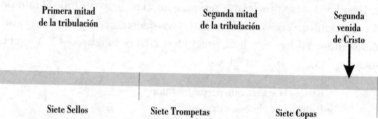

La tercera era es la del reino (Capítulo 20). Un ángel atará a Satanás
durante este tiempo encarcelándolo en el abismo sin fondo por mil años.
Además, los santos regresan a la tierra con Cristo para reinar con él en su
reino milenial.

La cuarta y última era es la eterna (capítulos 21-22). Dios juzgará en
esta época a las personas cuyos nombres no están en el Libro de la Vida.
También él destruirá el cielo y la tierra, y creará un cielo nuevo y una tierra
nueva para que tomen el lugar de los antiguos. Finalmente, la Nueva

Jerusalén bajará del cielo para asentarse en la tierra. Aquí el pueblo de Dios gozará para siempre la vida eterna en la presencia de su Salvador.

Apocalipsis 22:20 tiene las últimas palabras de Jesucristo para su iglesia: "Sí, vengo pronto". La única respuesta apropiada a estas palabras es "¡Amén! Ven, Señor Jesús".

[1]H. A. Ironside, H.A. *Ironside Lectures on Daniel* the Prophet (Neptune, N.J.: Loizeaux Brothers, 1911) 117-118.

[2]Harold W. Hoehner brinda un examen excelente de las setenta semanas de Daniel en *Chronological Aspects of the Life of Christ* (Grand Rapids: Zondervan Pub. House, 1977), 115-139.

[3]Fíjese en la semejanza que estos sucesos y su orden cronológico tienen con los juicios de los sellos registrados en Apocalipsis 6:1-7.

[4]John F. Walvoord, Matthew: *Thy Kingdom Come* (Chiacgo: Moody Press, 1974), 193-194

[5]Robert L. Thomas, *Revelation 1-7: An Exegetical Commentary* (Chicago: Moody Press, 1992), 52.

[6]Merrill C. Tenney, *Interpreting Revelation* (Grand Rapids: Eerdmans Pub. Co. 1957), 40.

[7]Ed Hindson, *Approaching Armageddon* (Eugene, OR: Harvest House, 1997), 28.

[8]Ibid., 22-23

[9]Ver Robert L. Thomas, *Revelation*, 1505-1515, para un análisis excelente y completo del tema.

CINCUENTA PREGUNTAS CLAVE 9
ACERCA DE LA PROFECÍA BÍBLICA

LAS DIEZ PRINCIPALES PREGUNTAS GENERALES ACERCA DEL ANTICRISTO 215

LAS DIEZ PRINCIPALES PREGUNTAS GENERALES ACERCA DE LA TRIBULACIÓN, LA SEGUNDA VENIDA Y EL MILENIO 227

Pregunta 7: ¿Durante la campaña del Armagedón, correrá sangre en el territorio de Israel llegando, literalmente, a la altura de los ijares de los caballos por una extensión de casi 290 kilómetros?

Pregunta 8: ¿Qué harán en el reino milenial los creyentes que regresen a la tierra con Cristo?

Pregunta 9: La batalla de Gog y Magog, que menciona Apocalipsis 20:7-10, ¿es la misma que figura en los capítulos 38 y 39 de Ezequiel?

Pregunta 10: ¿Cómo puede el milenio ser mil años literales cuando el reino de Dios es eterno?

LAS DIEZ PRINCIPALES PREGUNTAS GENERALES ACERCA DE LA VIDA DESPUÉS DE LA MUERTE 236

Pregunta 1: ¿Qué le pasa a la gente cuando muere?

Pregunta 2: ¿Qué hay de las experiencias de casi-muerte?

Pregunta 3: ¿Cómo es el infierno?

Hecho 1: El infierno es un lugar literal
Hecho 2: El infierno es un lugar dividido en cuatro partes por lo menos
Hecho 3: El infierno es un lugar donde hay memoria
Hecho 4: El infierno es un lugar de tormento consciente
Hecho 5: El infierno es un lugar de fuego inextinguible
Hecho 6: El infierno es un lugar de separación de Dios
Hecho 7: El infierno es un lugar de miseria, tristeza, ira y frustración indescriptibles.
Hecho 8: El infierno es un lugar de sed ardiente, insatisfecha
Hecho 9: El infierno es el único lugar, aparte del cielo donde se puede pasar la eternidad
Hecho 10: El infierno es un lugar del cual no hay salida

Pregunta 4: ¿Es eterno el castigo en el infierno?

Pregunta 5: ¿Habrá grados de castigo en el infierno?

Pregunta 6: ¿Es el cielo un lugar real?

Pregunta 7: ¿Nos reconoceremos unos a otros en el cielo?

Pregunta 8: ¿Qué haremos en el cielo?

Pregunta 9: ¿Qué clase de cuerpo tendremos en el cielo?

Pregunta 10: ¿Cómo puedo estar seguro que iré al cielo?

Por naturaleza, la gente es preguntona. Esto vale en cuanto a los últimos tiempos del planeta tierra. Las mentes inquisitivas quieren saber que nos depara el futuro. ¿Cuáles son las señales de que se acerca el final? ¿Quién es el Anticristo? ¿Qué sabemos de la vida después de la muerte?

Sea que converse con asistentes a las conferencias sobre profecía bíblica o con miembros de mi iglesia, he hallado que la gente se hace casi las mismas preguntas básicas acerca de la profecía bíblica y los últimos tiempos. En los últimos años he reunido y compilado las preguntas que se formulan con la mayor frecuencia. Opté por incluir en este capítulo solamente las diez preguntas principales acerca de cinco aspectos básicos de la profecía bíblica, aunque debe de haber miles de preguntas que se pudiera hacer. Estas cinco categorías amplias son: (1) preguntas general sobre los últimos días; (2) preguntas sobre el arrebatamiento; (3) preguntas sobre el Anticristo; (4) preguntas sobre la tribulación, la segunda venida y el milenio, y (5) preguntas sobre la vida después de la muerte.

Muchas de las preguntas de esas categorías, y otras más, ya se contestaron, directa o indirectamente, en los primeros ocho capítulos de este libro. El presente capítulo se centra en las preguntas específicas acerca de los últimos tiempos que nos hacemos personas como usted y yo.

LAS DIEZ PRINCIPALES PREGUNTAS GENERALES ACERCA DE LOS ÚLTIMOS TIEMPOS

Pregunta 1: El estudio de la profecía bíblica   ¿No es pura especulación? La profecía bíblica suele sufrir en las manos de sus amigos tanto como en las de sus enemigos. Las fechas fijadas, la exégesis de periódicos, la identificación del Anticristo y la especulación incansable, han hecho que mucha gente dé las espaldas a la profecía bíblica. Súmese a eso la frustración de muchas personas que deben vadear los diversos criterios sobre los últimos días. Por lo tanto, muchos hijos de Dios desechan sencillamente el estudio de la profecía bíblica como un ejercicio absolutamente fútil. Personalmente he oído que mucha gente dice que, en realidad, nadie tiene idea de lo que ocurrirá en torno a los últimos tiempos.

Aunque es verdad que un grupito de especuladores sumamente celosos ha manchado el estudio legítimo de la profecía bíblica y que hay varios criterios acerca de los últimos tiempos, nuestro fervor para estudiar los tiempos postreros no debiera verse apagado. Hay fanáticos en casi todos los aspectos del estudio de la Biblia o de la teología, pero no debemos permitir que eso nos disuada de descubrir la verdad de Dios sobre algún tema que él haya revelado. Debemos aplicar los mismos principios de sana interpretación que usamos en otros aspectos de la teología y del estudio bíblico. Cuando lo hagamos, empezaremos a ver y a entender los beneficios verdaderos de estudiar la profecía, que no solo nos informa sobre hechos futuros, sino que nos llama a estar preparados para la venida de Cristo. El manejo inapropiado de la profecía bíblica nos impide descubrir esos beneficios. Por eso tenemos que enfocar el estudio de la profecía bíblica con una actitud humilde, pero al mismo tiempo entusiasta y expectante.

Pregunta 2: La profecía bíblica ¿menciona a los Estados Unidos de Norteamérica? Esta quizás sea la pregunta sobre la profecía bíblica que me hacen más a menudo. Los norteamericanos quieren saber si la Biblia dice algo del futuro de la nación.

Todo el que haya leído la Biblia estará de acuerdo en que la Biblia no menciona específicamente a los Estados Unidos, pero esto mismo rige para la gran mayoría de las naciones modernas. Muchos estudiosos de la profecía bíblica creen que en las páginas de la Escritura hay alusiones a los Estados Unidos, aunque no se nombra específicamente. Hay tres pasajes principales que se citan para respaldar la noción de que se menciona a los Estados Unidos en la profecía bíblica.

El primero es Isaías 18:1–7. Se refiere dos veces a una tierra "más allá de los ríos". Muchos suelen interpretar esto como referencia a los Estados Unidos, dividido por el río Mississippi. El pasaje citado también dice que esa nación es "un pueblo temido por todas partes, una nación poderosa y opresora" lo cual también se entiende como referencia a la poderosa máquina militar de las fuerzas armadas norteamericanas. El problema de este enfoque radica en que Isaías 18:1-2 identifica a la nación descrita en el resto del texto al decir que es segura la destrucción de la tierra de Etiopía que yace en las fuentes del Nilo. Sus veleros alados se deslizan por el río, y envía embajadores en naves veloces río abajo por el Nilo". La nación aludida en este pasaje es el antiguo reino de Cus (el Sudán moderno), no los Estados Unidos.

El segundo pasaje es Ezequiel 38:13: "Sabá y Dedán, y los mercaderes de Tarsis con todos sus pueblos te dirán: ¿Has venido para tomar botín? ¿Has reunido tu compañía para saquear, para llevar plata y oro, para llevar ganado y posesiones, para tomar gran botín?" Tarsis era la región más occidental del mundo conocido en la antigüedad; es la España moderna. En este contexto pudiera usarse Tarsis como representante de todas las naciones occidentales de los últimos días. Otras traducciones del texto citado se refieren a los "leoncillos de Tarsis". La Escritura suele emplear la imagen de los leoncillos para referirse a gobernantes fuertes. Por lo tanto, algunos entienden que estos leoncillos de Tarsis (las potencias occidentales) se refieren veladamente a los Estados Unidos. Aunque este enfoque sea posible, la prueba es demasiado débil para declarar con certeza que se refiere a los Estados Unidos.

Los capítulos 17 y 18 del Apocalipsis forman el tercer pasaje que suele citarse como referencia a los Estados Unidos; en esos capítulos se dice que Babilonia es "la gran ciudad" (17:18), con la cual se identifica a la ciudad de Nueva York. Repito, aunque cierta parte de la descripción de los capítulos 17 y 18 del Apocalipsis pudiera ser forzada para que Nueva York equivalga a la Babilonia de los últimos días, mucho mejor es interpretar Babilonia como la Babilonia literal a orillas del Éufrates o como la ciudad de Roma.

Habiendo examinado con todo cuidado esos pasajes, he llegado a la conclusión de que los Estados Unidos no se nombran en la profecía bíblica. Sin embargo, esto suscita otra pregunta interesante: ¿por qué la profecía bíblica no menciona a los Estados Unidos? ¿Qué significa el silencio profético acerca de los Estados Unidos?

Primero, creo que importa aceptar que la Biblia no menciona a la mayoría de las naciones más modernas. Escocia, la India, el Japón no se mencionan. No debiera sorprendernos que tampoco se mencione a los Estados Unidos.

Segundo, algunas personas suponen que como no se nombran, los Estados Unidos tienen que declinar espectacularmente hasta desaparecer. Este el enfoque más popular del futuro de los Estados Unidos. Creo que es muy posible que sea verdad. Considere este hecho: si hoy ocurriera el arrebatamiento probablemente los Estados Unidos fuera el que perdiera gente per capita más que cualquier otra nación del mundo. Por ejemplo, las naciones islámicas del Medio Oriente casi no se verían afectadas, pero los Estados Unidos se convertiría en una nación del tercer mundo en un abrir y cerrar de ojos. Millones de hipotecas de bienes raíces quedarían impagas, el mercado accionario se derrumbaría, millones de trabajadores productivos serían súbitamente sacados de la fuerza de trabajo. Puede que los Estados Unidos no estén nombrados porque serán solamente parte de la confederación occidental de naciones que arme el Anticristo, no un protagonista por derecho propio.

Pregunta 3: ¿Cuál es la señal principal de que estos son los últimos días?

Hay muchas señales de los últimos tiempos en la Biblia, pero la señal número uno o la "superseñal" es la reorganización moderna de la nación de Israel que empezó en 1948. Esta reorganización de Israel de los últimos tiempos fue profetizada en muchos textos de la Escritura (Isaías 43:5-6; Ezequiel 34:11-13; 36:34; 37:1-14). Los estudiosos de la profecía bíblica ya no tienen que decir que esto sucederá algún día. Empezó en 1948 y continúa cumpliéndose hoy.

Israel es la señal número uno de los tiempos postreros porque Israel debe existir como nación soberana para que se cumplan muchas profecías de la Biblia. He aquí solo cinco ejemplos:

1. El Anticristo hará un pacto de siete años con Israel (Daniel 9:27)

2. El Anticristo invadirá Israel y profanará el templo (Daniel 11:40-41; Mateo 24:15-20)

3. Gog y sus aliados invadirán la nación de Israel cuando esté en paz (Ezequiel 38-39)

4. Todas las naciones de la tierra invadirán Jerusalén (Zacarías 12:1-9; 14:1-2).

5. El pueblo de Israel huirá al desierto para escapar de la ira de Satanás (Apocalipsis 12:13-17).

Puesto que tantas profecía importantes exigen la existencia de Israel como nación, ésta es la señal número uno de los últimos tiempos. Si quiere saber dónde estamos en el reloj profético de Dios, el mejor lugar para mirar es la diminuta nación de Israel.

John Walvoord destaca el significado de Israel como señal de los últimos tiempos:

> *Entre las abundantes peculiaridades que caracterizan a la generación actual, pocos acontecimientos pueden reclamar una importancia igual al retorno de Israel a su territorio, en lo que concierne a la profecía bíblica. Esto constituye un preparativo del fin del siglo, el escenario para la venida del Señor a buscar a su iglesia, y el cumplimiento del destino profético de Israel.*[1]

Pregunta 4: ¿Será destruida la tierra en un holocausto nuclear? Según la encuesta hecha por la revista *TIME* (26 de octubre de 1998) el 51% de los norteamericanos cree que el ser humano provocará un desastre que barrerá la civilización durante el próximo siglo. Probablemente la amenaza principal de esa lista sea la de las armas nucleares.

Desde que alboreó la era nuclear en la década del 40 junto con la capacidad humana para hacer volar el planeta, la gente se pregunta si el mundo terminará en una pesadilla nuclear. La reciente proliferación de armas nucleares ha aumentado este temor. Ahora hay naciones como Paquistán, Corea del Norte, India y China que tienen armamento nuclear, y solo es cuestión de tiempo para que estados como Irán e Irak, además de las organizaciones terroristas, tengan acceso a "la bomba".

Hay varios pasajes bíblicos que se citan para apoyar la idea que el mundo será destruido por armas nucleares: Isaías 24:18-20; Zacarías 14:12 y 2 Pedro 3:7, 10-14.

Yo no creo que la Biblia nos diga específicamente si en el futuro se usarán armas nucleares en esta tierra. Muchos de los pasajes citados como referencias a una detonación nuclear parecen referirse al juicio divino que proviene directamente de la mano de Dios más que de la mano del hombre (ver Apocalipsis 8:6-12). Sin embargo, la Biblia expresa claramente que este mundo no será destruido por el ser humano ni por un desastre de humana hechura, como quiera que se interpreten esos pasajes. La Biblia establece en Génesis 1:1 que Dios creó los cielos y la tierra declarando (2 Pedro 3:5-7) que un día Dios destruirá con fuego el cielo y la tierra actual.

> *Pues cuando dicen esto, no se dan cuenta que los cielos existían desde hace mucho tiempo, y también la tierra, surgida del agua y establecida entre las aguas por la palabra de Dios, por lo cual el mundo de entonces fue destruido, siendo inundado con agua; pero los cielos y la tierra actual están reservados por su palabra para el fuego, guardados para el día del juicio y de la destrucción de los impíos.*

Este pasaje indica muy claramente que Dios mismo es "quien apretará el botón" para destruir este mundo, no un loco del Medio Oriente. El Dios que creó este mundo tiene el control total de su creación. No hay una sola molécula mágica en este vasto universo. Ningún hombre destruirá esta tierra. Dios reserva para sí ese derecho.

Pregunta 5: La reciente explosión del conocimiento ¿es una señal de los últimos tiempos?   Daniel 12:4 dice: "Pero tú, Daniel, guarda en secreto estas palabras y sella el libro hasta el tiempo del fin. Muchos correrán de aquí para allá, y el conocimiento aumentará". Se suele citar este texto para demostrar que la gente viajará a altas velocidades y que habrá un aumento grande del conocimiento en los últimos días. Isaac Newton predijo, basado en este versículo, que llegaría el día en que el volumen del conocimiento aumentaría tanto que el hombre sería capaz de viajar hasta a 80 kilómetros por hora. Voltaire, el ateo filósofo francés, reaccionó a esa sugerencia, ridiculizando enormemente a Newton y la Biblia.

No se puede negar que el conocimiento ha aumentado mucho en los últimos cuarenta años y que sigue expandiéndose a una rapidez que marea. Parece increíble la sola tecnología nueva relacionada con la industria de la computación. Fíjese en estas cifras del crecimiento del conocimiento general en nuestro mundo:[2]

- de 1500 a 1830 (330 años), el conocimiento se duplicó
- de 1830 a 1930 (100 años), el conocimiento se duplicó
- de 1930 a 1960 (30 años), el conocimiento se duplicó
- de 1960 a 1975 (15 años), el conocimiento se duplicó
- de 1975 a 1985 (10 años), el conocimiento se duplicó
- de 1985 a 1990 (5 años), el conocimiento se duplicó
- Desde 1990 el conocimiento se duplica cada diecisiete meses.

Aunque estas cifras son asombrosas, el pasaje de Daniel 12:4 no describe la explosión general del conocimiento en los últimos días, sino una clase particular del conocimiento que aumentará en ese tiempo.

La Biblia usa la frase "muchos correrán de aquí para allá" para expresar el movimiento en pos de algo, a menudo información (ver Amós 8:12; Zacarías 4:10). Daniel 12:4 habla de hombres que corren de aquí para allá en los últimos días estudiando el libro de Daniel para encontrar respuesta a lo que esté pasando en el mundo. Este pasaje prosigue diciendo que el conocimiento (literalmente "*el* conocimiento") aumentará; el contexto del pasaje indica que el conocimiento que aumentará es el conocimiento del programa profético de Dios para el mundo. El pasaje no habla del conocimiento en general sino del conocimiento de la profecía bíblica. Nosotros vemos que esto se cumple hoy, ¿verdad? Hoy entendemos el libro de Daniel mejor que en épocas pasadas. Tenemos el sermón de Jesús en el Monte de los Olivos en los capítulos 24 y 25 de Mateo, el libro del Apocalipsis y 2500 años de historia que nos ayudan a entender mejor las profecía de Daniel. El conocimiento de los tiempos postreros seguirá aumentando a medida que nos acerquemos al fin. Para la última generación, la que viva en el período de la tribulación, las profecía bíblicas de los últimos días serán como leer el periódico del día

Al acercarnos al fin de todas las cosas se nos abre el libro de Daniel y nosotros "corremos de aquí para allá" escudriñando con diligencia sus páginas para aumentar el conocimiento del programa profético de Dios.

Pregunta 6: ¿Se reconstruirá el templo de Jerusalén en los últimos días?
La Palabra de Dios menciona cuatro templos judíos en la ciudad de Jerusalén: (1) el templo de Salomón; (2) el templo de Zorobabel y Herodes; (3) el templo de la tribulación, y (4) el templo del milenio.

Hay cinco pasajes de la Biblia que indican claramente que habrá un templo en Jerusalén durante el período de la tribulación.

DANIEL 9:27 "Y él hará un pacto firme con muchos por una semana, pero a la mitad de la semana pondrá fin al sacrificio y a la ofrenda de cereal. Sobre el ala de abominaciones vendrá el desolador, hasta que una destrucción completa, la que está decretada, sea derramada sobre el desolador". El templo debe reconstruirse en Jerusalén para que el pueblo judío ofrezca sacrificios y ofrendas.

DANIEL 12:11 "Y desde el tiempo en que el sacrificio perpetuo sea abolido y puesta la abominación de la desolación, habrá mil doscientos noventa días". Nuevamente, si tiene que haber sacrificios diarios en Israel, tienen que hacerse en un templo reconstruido.

MATEO 24:15 "Por tanto, cuando veáis la abominación de la desolación, de que se habló por medio del profeta Daniel, colocada en el lugar santo (el que lea, entienda)". Solo puede instalarse la abominación desoladora o ídolo sacrílego del Anticristo en el Lugar Santísimo del templo si existe un templo.

2 TESALONICENSES 2:4 "El cual se opone y se exalta sobre todo lo que se llama dios o es objeto de culto, de manera que se sienta en el templo de Dios, presentándose como si fuera Dios". El Anticristo se instalará en el templo reconstruido de Jerusalén durante la tribulación, proclamándose Dios.

APOCALIPSIS 11:1-2 Me fue dada una caña de medir semejante a una vara, y alguien dijo: Levántate y mide el templo de Dios y el altar, y a los que en él adoran. Pero excluye el patio que está fuera del templo, no lo midas, porque ha sido entregado a las naciones, y éstas hollarán la ciudad santa por cuarenta y dos meses". Habrá un templo futuro que será hollado por el Anticristo en los últimos cuarenta y dos meses o tres años y medio de la tribulación.

Estos pasajes aclaran muy bien que el pueblo judío reconstruirá el templo de Jerusalén antes del venidero período de la tribulación. En la actualidad se realizan muchos preparativos en Israel para que esto se cumpla. Thomas Ice y Randall Price son expertos en la ciudad de Jerusalén y los esfuerzos para reconstruir el templo que se hacen actualmente en Israel. Ellos destacan tres preparativos actuales: primero, en Israel hay grupos que se dedican a instruir a la gente acerca de la necesidad de reconstruir el templo. La "Sociedad pro preparativos para el Templo" publica una revista bimensual llamada *Let the Temple Be Built*. Segundo, se han fabricado o están en proceso de fabricación 53 de los 103 utensilios que la Biblia dice que se usaron en el templo. Tercero, hay varios grupos en Israel que se dedican actualmente a preparar hombres para el servicio sacerdotal en el templo de Jerusalén restaurado.

Pregunta 7: Los códigos bíblicos ocultos ¿nos dicen algo sobre los tiempos postreros? A comienzos de la década del 90 un judío, de Hollywood, California, me llamó para preguntarme si yo sabía algo sobre los códigos ocultos del Antiguo Testamento. Cuando confesé mi ignorancia sobre el tema, me dijo que podía enviarme el vídeo de una clase realizada por un rabino judío sobre los diferentes códigos que decía estaban ocultos en el texto del Antiguo Testamento. La presentación del rabino era larga, enredada y aburrida. Así que tiré el vídeo y me olvidé de los códigos de la Biblia. Yo no tenía idea en aquel entonces que, a los pocos años, el tema de los códigos de la Biblia cobraría tanta importancia.

En los últimos años ha habido una explosión de libros populares que tratan el tema de los códigos ocultos de la Biblia. Los autores de estos libros son rabinos judíos, judíos mesiánicos y profesores de profecía bíblica. El supuesto básico de estos libros dice que hay códigos ocultos en el texto hebreo del Antiguo Testamento que se pueden descubrir usando computadora para buscar las letras de palabras específicas que se presentan a intervalos o espacios específicos. El proceso se denomina ELS (sigla en inglés por Equidistant Letter Sequencing) o secuencia de letras equidistantes o "proceso a saltos". El secuenciador encuentra una letra hebrea, se salta diez, encuentra otra letra, luego se salta diez más, etcétera, y la palabra oculta queda al descubierto. El salto puede ser de cualquier tamaño siempre y cuando los saltos sean iguales.

Los entusiastas de los códigos de la Biblia dicen haber hallado referencias a Hitler, John Fitzgerald Kennedy y muchas referencias a *Yeshua* (Jesús) en los pasajes mesiánicos.

Aunque esta idea parezca ingeniosa se debe enfocar la noción de los códigos bíblicos con extrema cautela por cuatro razones principales: Primero, algunas de las distancias de los saltos pueden ser hasta de mil letras. Esta distancia increíble entre las letras vuelve sospechoso el proceso. Segundo, los académicos usando el proceso ELS han hallado 2328 referencias a Mahoma, 104 a Krishna y 2729 a Koresh (como David Koresh) en la sola Torá (los primeros cinco libros del Antiguo Testamento.[4]

Tercero, la característica única de estos códigos de la Biblia aún tiene que demostrarse. Muchos académicos destacados de la Biblia refutan con fuerza que estos códigos son solamente mucho ruido y pocas nueces. Los mismos principios usados para encontrar los códigos de la Biblia se han empleado con otros libros y referencias seculares, hallándose en ellos a personalidades y acontecimientos mundiales. Michael Drosnin, el autor de *El Código de la Biblia* formuló este reto: Creeré a mis críticos cuando encuentren un mensaje cifrado en el libro *Moby Dick*.[5] El profesor de matemáticas de la Universidad Nacional de Australia, Brendan McKay, aceptó el reto de buscar mensajes cifrados en el libro *Moby Dick*, escrito por Melville, investigándolo con la misma técnica ELS de Drosnin. Descubrió trece predicciones de asesinatos de figuras públicas como Indira Gandhi, Martin Luther King, Sirhan Sirhan, John Fitzgerald Kennedy Abraham Lincoln e Yitzhak Rabin.

Cuarto, aunque se pudiera demostrar estos códigos, no informan acerca de los últimos días. La explosión de códigos de la Biblia es un caso como los "deportistas" de oficina que comentan las jugadas el lunes por la mañana. Ya conocemos toda la información que fue revelada en estos códigos. Sabemos todo tocante a Hitler y John F. Kennedy y, si la persona es creyente, ya sabe que Jesús es el Mesías.

La única manera en que se pudiera convalidar estos códigos es después que ocurren los hechos y, si algo se demuestra después que ha sucedido, entonces ya no es un acontecimiento futuro.

Pregunta 8: La decadencia moral y la iniquidad de la sociedad actual, ¿es una señal de los últimos tiempos?   La mayoría de la gente casi no duda que nuestra sociedad se deteriora moralmente y que la rodada cuesta abajo cobra velocidad. La magnitud y ferocidad de los delitos, la adicción a las drogas, la cantidad de madres solteras (muchas que aún son niñas), la tasa de divorcios, la proliferación de la pornografía y la abierta acogida de la homosexualidad como estilo de vida aceptable, son señales de la enorme decadencia moral de nuestra sociedad.

La mayoría de los pasajes del Nuevo Testamento que tratan las tendencias morales y espirituales de los últimos días, se centran en la apostasía espiritual que ocurrirá en la iglesia, no en la sociedad general. El conocido pasaje de 2 Timoteo 3:1-9 que da una lista de conductas características de "los últimos días" describe primordialmente la apostasía o el alejamiento que ocurrirá en la iglesia (fíjese en el contexto de los versículos 5 y 8). La apostasía de la iglesia o alejamiento de la fe dentro de esta, es una señal clara de los últimos tiempos (1 Timoteo 4:1-4; 2 Pedro 3:3-4; Judas 1:18-19). Naturalmente, podemos suponer con seguridad que la apostasía espiritual de la iglesia se traducirá en el total deterioro moral de la sociedad.

El único pasaje que menciona específicamente el aumento de la iniquidad en la sociedad total como señal específica de los últimos días es Mateo 24:12: "Y debido al aumento de la iniquidad, el amor de muchos se enfriará". La Palabra de Dios dice claramente que la pecaminosidad de la humanidad llegará a un ritmo febril a medida que se acerca el fin, y el amor por el prójimo se enfriará.

Sin embargo, debemos tener cuidado al aplicar esta señal de la venida de Cristo. Cuesta cuantificar la pecaminosidad del hombre. El pecado siempre ha sido flagrante en nuestro mundo. La gente cree que el instante histórico específico es peor que antes, no importa cuán malas se pongan las cosas porque siempre pueden empeorar más. Por lo tanto, debemos tener cuidado de no decir que cada hecho de la decadencia moral de nuestra sociedad sea una señal clara de los últimos días. No obstante, debemos reconocer que la Biblia dice que, a medida que se vaya aproximando el fin, el pecado total será evidente en la sociedad y que se enfriará el amor que la gente siente por otros.

Pregunta 9: ¿Qué debemos hacer si creemos que Jesús llega pronto?
Se decía constantemente a los creyentes de la iglesia de los primeros tiempos que se mantuvieran a la espera del regreso de Cristo. También les daban instrucciones prácticas y claras tocante a los que debían hacer a la luz de este hecho. El pasaje más directo del Nuevo Testamento acerca de lo que debiéramos hacer si creemos que Jesús llega pronto es el de 1 Pedro 4:7-10:

> *Mas el fin de todas las cosas se acerca; sed pues prudentes y de espíritu sobrio para la oración. Sobre todo, sed fervientes en vuestro amor los unos por los otros, pues el amor cubre multitud de pecados. Sed hospitalarios los unos para con los otros, sin murmuraciones.*
> *Según cada uno ha recibido un don especial, úselo sirviéndoos los unos a los otros como buenos administradores de la multiforme gracia de Dios.*

MANTENGA CLARA LA CABEZA (siga orando por el prójimo)
Al ir acercándonos al venidero Apocalipsis habrá cada vez más gente atrapada en el frenesí profético. La gente se sentirá tentada a dejar de trabajar, a vender todas sus pertenencias para irse, con sus pijamas puestos, a la punta de un monte a esperar que llegue Jesús. Pero la Palabra de Dios nos dice que tenemos que estar "sobrios" dado que el fin de todas las cosas se acerca. Esta expresión significa literalmente, "no estar borracho". En otras palabras, tenemos que ser sobrios para pensar, tener las ideas claras, estar mentalmente alertas y disciplinados para el propósito de la oración. Creer que Cristo pudiera regresar hoy es algo que nos tiene que estimular para llevar una vida de oración sobria y disciplinada.

MANTENGA CÁLIDO EL CORAZÓN (demuestre amor al prójimo)
La credencial de la cristiandad es el amor (Juan 13:34-35). Tenemos que amarnos unos a otros con "amor ferviente" a medida que vemos que el fin se aproxima. La palabra que se traduce "ferviente" se usaba en la antigüedad como descripción de un caballo a todo galope, cuando sus músculos eran exigidos al máximo. Pedro nos dice que nuestro mutuo amor se debe exigir al máximo, pero sin llegar nunca al punto de ruptura.

MANTENGA ABIERTA SU CASA (dé hospitalidad a los extranjeros)
Una de las señales de la segunda venida de Cristo, según Jesús, es que "el
amor de muchos se enfriará" (Mateo 24:12). A la luz de esto se pide a los creyentes que demuestren su amor en forma concreta extendiendo su amor
cristiano al extraño. El Nuevo Testamento menciona seis veces específicamente la hermosa virtud cristiana de la hospitalidad: Romanos 12:13; 1 Timoteo 3:2; 5:9-10; Tito 1:8; Hebreos 13:1-3; 1 Pedro 4:9). A medida que este
mundo se enfría y se aísla, nosotros tenemos que mantener abierta nuestra
casa y demostrar el calor de Cristo a los extraños.

MANTENGA OCUPADAS SUS MANOS (use sus dones espirituales al
servicio del Señor)   Todo creyente en Jesucristo tiene por lo menos un don
espiritual, esto es, ha sido facultado divina y sobrenaturalmente por Dios
para servir al cuerpo de Cristo. Al ver que está por levantarse el telón del
acto final de la historia, el Señor nos pide que mantengamos ocupadas las
manos, trabajando a su servicio, usando los dones que él nos ha otorgado
de pura gracia.

Pregunta 10: ¿Cuán cerca estamos del fin?   En toda conferencia de profecía a que yo he asistido siempre hay alguien que hace esta pregunta. Después de todo, es la pregunta del millón, ¿cuán cerca estamos del fin? ¿Cuánto
falta para que Jesús regrese?

Esta pregunta me recuerda al hombre que estaba sentado en la planta
baja de la casa, avanzada la noche, cuando su esposa ya se había ido a acos-
tar. Escuchó que el reloj del abuelo empezaba a dar campanadas en el pasi-
llo y las contó para saber qué hora era. El reloj dio las nueve, las diez, once,
doce y, enseguida, ¡trece!. Al oír la decimotercera campanada, se paró, subió
corriendo la escalera, entró como rayo en el dormitorio a despertar a su esposa diciendo, "querida, despierta es más tarde que nunca antes".

Esa es la única respuesta segura a esta pregunta que yo puedo dar.
Estamos más cerca del fin que nunca antes. Sin embargo, la respuesta definitiva de esta pregunta es que nadie sabe con seguridad cuán cerca estamos
del fin, salvo el Señor. Podemos indicar varias señales que el Señor nos dio
como la reorganización de Israel en su tierra, la Comunidad Europea como
la posible reorganización del Imperio Romano, el continuado incremento
de la tensión en el Oriente Medio, las condiciones inestables de Rusia y el
desarrollo de la economía mundial única que el Anticristo puede controlar

fácilmente. Y realmente parece que estas señales apuntan al retorno inminente de Cristo. Así que el arrebatamiento debe estar aún más cerca, pero ¿cuánto más cerca? Realmente no sabemos. Estas señales indican que, en general, se acerca el momento de la segunda venida pero aún así debemos confesar que no sabemos específicamente el día ni la hora de su venida a buscar a su iglesia. Podemos decir con confianza que "Jesús puede llegar hoy", pero también debemos admitir que pudiera no llegar en los próximos diez años. Puede ser que no venga durante el tiempo de nuestra vida.

Un pasaje a menudo empleado para fijar el tiempo de la venida de Cristo es Mateo 24:34: "En verdad os digo que no pasará esta generación hasta que todo esto suceda". Algunos usan este versículo para probar que en cuanto comiencen las señales de los últimos días, Cristo retornará dentro de una generación, la que habitualmente se calcula en unos cuarenta años. Sin embargo, probablemente este versículo significa que la generación que presencie personalmente las señales de Mateo 24:4-30, esto es, el período de la tribulación, no pasará antes que vuelva Cristo. Así pues, Cristo podría aparecer dentro de sesenta, setenta, ochenta o más años después que hayan comenzado estas señales. Por lo tanto, este versículo no debiera emplearse para fijar fechas de la llegada de Cristo.

Para los que hoy vemos juntarse en el horizonte a las nubes tormentosas de algunas de estas señales, todo lo que podemos decir es que creemos que, en sentido general, estamos en los últimos días.

Mi abuelo era pastor que amaba las Escrituras proféticas. Cuando Israel se constituyó en nación en 1948, él reconoció el significado profético de este acontecimiento. Mi padre me ha dicho que mi abuelo comentó en muchas ocasiones que creía que Jesús vendría mientras él viviera. Se pasó la vida creyendo que el fin estaba cerca y esperando el arrebatamiento. Sin embargo, en 1963 el Señor se llevó a mi abuelo cuando tenía sesenta y tres años. ¿Estuvo equivocado mi abuelo? No, no se equivocó. No se perdió el arrebatamiento. Actualmente está con el Señor y, cuando acontezca el arrebatamiento, será resucitado para encontrarse con el Señor y sus santos en el aire. La esperanza preciosa del arrebatamiento agregó gozo inexpresable a su vida. La idea de la profecía bíblica es que tenemos que vivir como si Cristo pudiera llegar en cualquier momento. Eso es todo lo que podemos hacer. Debemos dejar que el Señor fije el momento de este acontecimiento.

Todo lo que puedo decir cuando la gente me pregunta cuán cerca estamos del fin, es que creo fervientemente que Jesús pudiera llegar hoy y que oro que así sea. ¡Eso es suficientemente cerca para mí!

LAS DIEZ PRINCIPALES PREGUNTAS GENERALES ACERCA DEL ARREBATAMIENTO

Pregunta 1: ¿Por qué se dice que el arrebatamiento es un 'misterio'?

El apóstol Pablo se refiere en 1 Corintios 15:51 al arrebatamiento como "misterio" o "secreto maravilloso". Cuando pensamos en un misterio, a menudo pensamos en una historia o acontecimiento que cuesta entender o resolver. Sin embargo, según el Nuevo Testamento el misterio es una verdad revelada por primera vez y eso es lo que hace Pablo en ese pasaje. Él revela el misterio del arrebatamiento: "He aquí, os digo un misterio: no todos dormiremos, pero todos seremos transformados". El misterio del arrebatamiento consiste en que algunos irán al cielo y recibirán nuevos cuerpos glorificados sin haber muerto. Ellos le marcarán un gol a la tumba.

Esta era una verdad completamente nueva que Dios nunca había revelado hasta 1 Corintios 15:51. Si usted se lee la Biblia desde el primer capítulo del Génesis al catorce de Primera de Corintios, concluirá correctamente que la única manera de ir al cielo en su cuerpo glorificado sería muriendo, pero todo eso cambia en 1 Corintios 15:51. El Señor le corre el velo a este misterio glorioso por intermedio de Pablo: toda una generación de creyentes será transformada sin tener que sufrir el aguijón de la muerte física. Millones de creyentes serán transformados en nuevos cuerpos glorificados en un momento, como el que se necesita para pestañear. Este es el misterio glorioso del arrebatamiento. ¡Ojalá seamos la generación que viva este acontecimiento impresionante!

Pregunta 2: ¿Por qué la palabra *arrebatamiento* no está en la Biblia?

Hace unos pocos años me hallaba almorzando con un señor que comenzaba a asistir a la iglesia. Me había preguntado cosas sobre los últimos tiempos y yo le estaba hablando del arrebatamiento. En medio de nuestra conversación un hombre que estaba en la mesa de al lado, y que evidentemente había estado escuchando lo que decíamos, me dijo con palabras seguras que el arrebatamiento es una doctrina nada bíblica porque la palabra *arrebatamiento* ni siquiera aparece en la Biblia. Aunque este varón estaba absolutamente equivocado al negar la doctrina del arrebatamiento, tenía toda la razón al decir que la palabra *arrebatamiento* no está en las traducciones de la Biblia al inglés.

Si usted se leyera las 727.747 palabras que tiene la versión King James de la Biblia, o cualquier otra traducción conocida, descubriría que la palabra *arrebatamiento* no figura. Tampoco encontraría las palabras *Trinidad, Biblia ni abuelo.* Pero sabemos que todas esas cosas son muy reales y verdaderas.

206

La traducción del griego *harpazo* de 1 Tesalonicenses 4:17 que se traduce "arrebatados" significa "asir, arrancar de, quitar de". En las versiones al latín de la Escritura esta palabra se traduce *rapturo*, que fue transcripta como *rapture* al inglés. Así pues, aunque es cierto que la palabra *rapture* (arrebatamiento) no se halla en la gran mayoría de las traducciones al inglés, el concepto o doctrina de "arrebatar" creyentes vivos para que se encuentren con el Señor está claramente expresado en 1 Corintios 15:51-55 y 1 Tesalonicenses 4:17. Esta doctrina podría denominarse "el arrebatamiento de la iglesia", " el traslado de la iglesia" o "el *harpazo* de la iglesia", pero como la expresión "el arrebatamiento de la iglesia" es una descripción excelente de este acontecimiento, y se ha vuelto una frase popular, no hay razones para cambiar la nomenclatura.

Pregunta 3: ¿Son acontecimientos idénticos el arrebatamiento y la segunda venida? Algunos estudiosos de la profecía bíblica objetan fuertemente la noción de que el arrebatamiento y la segunda venida de Cristo sean hechos distintos separados por siete años. Alegan que esto enseña dos venidas futuras de Cristo aunque la Biblia presenta solamente una segunda venida.

La única manera de resolver esto es comparar lo que dice la Biblia sobre estos dos hechos para ver si describe el mismo suceso. ¡Usted juzga!

Pregunta 4: ¿Qué grupo de personas participará en el arrebatamiento? La Biblia limita los participantes del arrebatamiento a los creyentes de la era de la iglesia. Por eso al arrebatamiento frecuentemente se le llama "el arrebatamiento de la iglesia" en forma más específica. Los creyentes que estén vivos en la tierra cuando suene la trompeta serán transformados inmediatamente y trasladados al cielo. Por supuesto que todos estos creyentes vivos serán de la era de la iglesia. A los resucitados en este período se les llama "los muertos en Cristo" o "cristianos que durmieron" (1 Tesalonicenses 4:16). También esto se refiere solamente a los creyentes difuntos de la era de la iglesia. Los creyentes del Antiguo Testamento no están "en Cristo" y no son "cristianos".

COMPARACIÓN DEL ARREBATAMIENTO Y LA SEGUNDA VENIDA

EL ARREBATAMIENTO	LA SEGUNDA VENIDA
Cristo viene en el aire (1 Tesalonicenses 4:16-17)	Cristo viene a la Tierra (Zacarías 14:4)
Cristo viene a buscar a sus santos (1 Tesalonicenses 4:16-17)	Cristo viene con sus santos (1 Tesalonicenses 3:13; Judas 1;14)
Cristo se lleva a su esposa	Cristo viene con su Esposa
No en el Antiguo Testamento	Anunciada con frecuencia en el Antiguo Testamento
No hay señales - es inminente (1 Corintios 15:52)	Acompañada de muchas señales (Mateo 24:4-29)
Época de bendición y consuelo (1 Tesalonicenses 4:18)	Época de destrucción y juicio (2 Tesalonicenses 2:8-12)
Involucra solo a los creyentes (Juan 14:1-3; 1 Corintios 15:51-55; 1 Tesalonicenses 4:13-18)	Abarca a Israel y las naciones gentiles (Mateo 24:1-25:46)
Ocurrirá en un momento - solo los suyos le verán (1 Corintios 15:51-52)	Será visible para todo el mundo (Mateo 24:27; Apocalipsis 1:7)
Empieza la tribulación	Comienza el milenio
Cristo viene como el lucero resplandeciente de la mañana (Apocalipsis 22:16)	Cristo viene como sol de justicia (Malaquías 4:2)

Puesto que esto es cierto, la gente suele preguntarse lo que sucederá con los creyentes del Antiguo Testamento. ¿Cuándo resucitarán y recibirán sus cuerpos glorificados? Dios tiene también un plan para sus santos del Antiguo Testamento. Hay dos pasajes del Antiguo Testamento que ubican la resurrección de los creyentes de esa época al final del período de la tribulación. Fíjese que en cada uno de esos pasajes la resurrección ocurre después de la tribulación.

- *Oh Señor, en la angustia te buscaron; apenas susurraban una oración, cuando tu castigo estaba sobre ellos. Como la mujer encinta, al acercarse el momento de dar a luz, se retuerce y grita en sus dolores de parto, así éramos nosotros delante de ti, oh Señor.*

- *Estábamos encinta, nos retorcíamos en los dolores, dimos a luz, al parecer, solo viento. No logramos liberación para la tierra, ni nacieron habitantes del mundo. Tus muertos vivirán, sus cadáveres se levantarán. ¡Moradores del polvo, despertad y dad gritos de júbilo!, Porque tu rocío es como el rocío del alba, y la tierra dará a luz a los espíritus (Isaías 26:16-19).*

- *En aquel tiempo se levantará Miguel, el gran príncipe que vela sobre los hijos de tu pueblo. Será un tiempo de angustia cual nunca hubo desde que existen las naciones hasta entonces; y en ese tiempo tu*

> *pueblo será librado, todos los que se encuentren inscritos en el libro. Y muchos de los que duermen en el polvo de la tierra despertarán, unos para la vida eterna, y otros para la ignominia, para el desprecio eterno (Daniel 12:1-2).*

Solo los creyentes de la era de la iglesia, esto es quienes vivieron entre el día de Pentecostés y el arrebatamiento, serán parte del arrebatamiento antes de la tribulación. Dios tiene un programa separado para los creyentes del Antiguo Testamento. Solo hará la resurrección de los creyentes del Antiguo Testamento después que hayan pasado las setenta semanas de Daniel 9:24-27.

Pregunta 5: ¿Qué pasará en el arrebatamiento con los bebés y los pequeños que no han creído? Como se puede imaginar, los padres de hijos pequeños suelen preguntar esto muy a menudo. Los padres creyentes quieren saber si serán dejados atrás en el arrebatamiento sus pequeñuelos, que aún no han confiado en Cristo. Importa desde el comienzo fijarse que no hay un pasaje bíblico específico que trate el tema. Sin embargo, hay tres enfoques principales del mismo:

OPINIÓN 1: NINGÚN NIÑO SERÁ ARREBATADO Los partidarios de este enfoque destacan que el arrebatamiento es solamente para los creyentes y si una persona no ha creído personalmente en Cristo, no es apta para el arrebatamiento. Señalan que los niños pequeños no fueron excluidos del juicio en el diluvio ni en la destrucción de los habitantes de Canaán.

OPINIÓN 2: TODOS LOS INFANTES Y LOS PEQUEÑUELOS SERÁN ARREBATADOS AL CIELO ANTES DE LA TRIBULACIÓN Los partidarios de este enfoque señalan rápidamente que la Escritura indica implícitamente con fuerza que cuando los pequeñuelos mueren, van al cielo. Varios pasajes de la Biblia parecieran apoyar esta postura: 2 Samuel 12:20-23; Mateo 19:13-15, y Marcos 10:13-16. Puesto que todos los infantes o pequeñuelos que nunca depositaron fe salvadora en Cristo, van al cielo cuando mueren, muchos proponen que también van al cielo en el arrebatamiento y que serán exceptuados de los horrores de la tribulación. Aunque yo estoy de acuerdo en que los infantes y los pequeñuelos que mueren van al cielo a estar con Cristo, yo no creo que esto signifique necesariamente que participarán en el arrebatamiento. Estos son dos asuntos diferentes.

OPINIÓN 3: LOS INFANTES Y LOS HIJOS PEQUEÑOS DE LOS CREYENTES SERÀN ARREBATADOS AL CIELO ANTES DE LA TRIBULACIÓN   Este enfoque es intermedio de los dos primeros.

Aunque se debe evitar el dogmatismo en este tema, yo creo que la tercera opinión es la mejor por dos razones. Primera, el pasaje de 1 Corintios 7:14 nos recuerda que los niños de una familia cristiana "... [los] hijos serían inmundos, mas ahora son santos". Me parece inconcebible que el Señor arrebate al cielo a los padres creyentes y deje a sus hijos indefensos solos en el mundo para el período de la tribulación.

Segundo, yo creo que hay un precedente bíblico de este enfoque. Cuando el Señor envió el diluvio a la tierra en la época de Noé, todo el mundo fue destruido, incluyendo hombres, mujeres y niños incrédulos, pero Dios libró a Noé, su esposa y sus tres hijos con sus respectivas esposas. Igualmente, cuando Dios destruyó Sodoma y Gomorra, destruyó a todos los habitantes de las ciudades, incluyendo a los hijos de los incrédulos. Lot y sus dos hijas fueron los únicos que escaparon. También en Egipto, en la primera pascua, la sangre del cordero untada en los dinteles de las puertas protegió del juicio de Dios a las casas de los creyentes con sus pequeñuelos. En cada uno de esos casos, los creyentes y sus hijos fueron librados del juicio mientras los incrédulos con sus hijos no lo fueron.

Aunque reconozco que los tres hijos de Noé y las dos hijas de Lot no eran infantes ni pequeñuelos, y pudieran haber sido creyentes, creo que estos hechos sientan el precedente bíblico de la idea de que cuando Dios manda juicios cataclísmicos, rescata a los creyentes y a los hijos de éstos, pero deja que los incrédulos y sus hijos enfrenten el juicio.

Yo creo que durante la tribulación los hijos pequeños de los incrédulos tendrán la oportunidad de creer en Cristo durante este período de juicio. Los que mueran durante la tribulación, antes de tener la edad suficiente para entender las proclamas del evangelio, serán llevados al cielo para que estén con Cristo.

Finalmente, en forma independiente del enfoque que se adopte, el único hecho en que todos podemos apoyarnos es que Dios es Dios de amor, compasión, misericordia y justicia. Lo que él haga cuando ocurra el arrebatamiento será sabio, justo y recto. Dios ama a nuestros hijos aún más que nosotros mismos. Sin duda que "son preciosos a sus ojos".

Pregunta 6 ¿Qué pasa si se fijan fechas para el arrebatamiento? La Biblia prohíbe estrictamente fijar fechas para la venida de Cristo.

- Mateo 24:42 Por tanto, velad, porque no sabéis en qué día vuestro Señor viene.
- Mateo 24:44 Por eso, también vosotros estad preparados, porque a la hora que no pensáis vendrá el Hijo del Hombre.
- Mateo 25:13 Velad, pues, porque no sabéis ni el día ni la hora.
- Hechos 1:7 No os corresponde a vosotros saber los tiempos ni las épocas que el Padre ha fijado con su propia autoridad.

210

A pesar de la clara enseñanza de la Escritura la gente sigue fijando fechas para la venida de Cristo. Jesús proclamó que durante su ministerio terrenal ni siquiera él sabía el día de su venida: "Pero de aquel día y hora nadie sabe, ni siquiera los ángeles del cielo, ni el Hijo, sino sólo el Padre" (Mateo 24:36).

Quien diga conocer la fecha específica de la venida Cristo dice que sabe algo que el Padre no le dijo ni siquiera a su Hijo mientras éste estuvo en la tierra. Este es el colmo de la arrogancia y la necedad.

Pregunta 7 ¿Qué es "lo que lo detiene" o "quién al presente lo detiene" 2 Tesalonicenses 2:6-7? El segundo capítulo de 2 Tesalonicenses bosqueja y describe en términos amplios tres eras importantes que nos llevan desde el presente a la eternidad.

1. La era presente de restricción (antes del arrebatamiento)
2. La era de la tribulación – la era de la rebelión (después del arrebatamiento)
3. La era mesiánica – la era de la manifestación (después de la segunda venida)

Asombra que la era en que vivimos sea calificada como la era o el tiempo de restricción. Hay algo o alguien que frena o detiene la completa manifestación del mal que viene cuando el Anticristo sea desatado. Piense en eso un momento. Si este mundo malo en que vivimos ahora está en su época de restricción, ¿cómo será cuando el freno sea quitado? ¿Cómo será este mundo cuando sea quitado todo lo que detiene al Anticristo y su maldad? Será como quitar la represa de un lago: el mal inundará al mundo demoliendo todo lo que haya en su camino.

La pregunta clave en este análisis es: ¿quién es esta persona o entidad que detiene o frena la aparición del Anticristo? En el transcurso de los siglos se ha sugerido muchos candidatos. A continuación, una lista de los más importantes:

- El Imperio Romano
- El estado judío
- El apóstol Pablo
- La predicación del evangelio
- El gobierno humano
- Satanás
- Elías
- Un ser celestial desconocido
- El arcángel Miguel
- El Espíritu Santo
- La iglesia.

San Agustín fue muy claro cuando dijo lo que sigue tocante al pasaje de Pablo sobre el que detiene o frena: "Francamente confieso que no sé lo que quiere decir". Yo simpatizo con Agustín, pero creo que hay cuatro hechos que nos sirven para identificar al que detiene o frena:

1. El griego *katecho* ("lo que lo detiene" o "quien al presente lo detiene" (2 Tesalonicenses 2:6-7) significa restringir, retener, frenar, detener.
2. El que lo detiene o frena es neutro o masculino; neutro como principio, "lo que lo detiene" y masculino (una persona), "quien al presente lo detiene".
3. Sea lo que fuere, debe ser eliminable.
4. Debe ser lo bastante poderosos para frenar el estallido del mal bajo el mando del Anticristo.

A la luz de esos cuatro hechos, solo la identidad de aquel que lo detiene satisface la pregunta. Hágase esta pregunta: ¿quién es capaz de frenar el mal y detener la aparición del Anticristo? Por supuesto que la respuesta es Dios. En este caso es Dios Espíritu Santo que está obrando durante esta era por medio del pueblo de Dios: la iglesia. Por tanto, creo que quien lo detiene del pasaje de 2 Tesalonicenses 2:6-7 no es solamente el Espíritu Santo y, precisamente, tampoco la iglesia. Más bien quien lo detiene es la influencia de Dios Espíritu Santo que actualmente restringe al mal por medio de la iglesia. Hay cuatro razones para identificar a aquel que lo detiene como el ministerio del Espíritu Santo por medio de la iglesia:

1. Este freno requiere poder omnipotente
2. Este es el único enfoque que explica adecuadamente el cambio de género del pasaje de 2 Tesalonicenses 2:6-7. El griego *pneuma* (Espíritu) es neutro pero la Escritura se refiere también al Espíritu Santo usando el pronombre masculino *él*, especialmente en Juan 14-16.
3. La Escritura habla del Espíritu Santo como freno del pecado y del mal en el mundo (Génesis 6:3) y en los corazones de los creyentes (Gálatas 5:16-17).
4. La iglesia y su misión de proclamar y difundir el evangelio es el instrumento primordial que emplea el Espíritu Santo en esta era para detener el mal. Somos sal de la tierra y luz del mundo (Mateo 5:13-16). Individual y colectivamente somos templo del Espíritu Santo.

Entonces, aquel que lo detiene es la influencia y el ministerio limitador del Espíritu Santo, que mora en su pueblo y obra por su intermedio en la era presente. Donald Grey Barnhouse resume muy bien este enfoque:

> *Bien, ¿qué detiene al Anticristo de hacer su aparición en la escena del mundo? ¡Usted! Usted y cada miembro del cuerpo de Cristo en la tierra. La presencia de la iglesia de Jesucristo es la fuerza limitadora que no permite la manifestación del hombre de pecado. La verdad es que, realmente el Espíritu Santo es aquel que lo detiene, pero como enseñan 1 Corintios 3:16 y 6:19, el Espíritu Santo habita en el creyente. El cuerpo de creyentes es el templo del Espíritu de Dios. Junte, entonces, a todos los creyentes, con el Espíritu Santo que mora en cada uno, y tiene ahí una fuerza limitadora formidable.*
>
> *Cuando la iglesia sea arrebatada, el Espíritu Santo se va con la iglesia en cuanto se refiere a su poder para detener. Terminará su obra en esta era de gracia. Por tanto, durante la gran tribulación, el Espíritu Santo seguirá estando en la tierra, por supuesto, porque ¿cómo se puede librar de Dios? Pero no morará en los creyentes como lo hace ahora. Más bien, volverá a su ministerio de la época del Antiguo Testamento que era "venir sobre gente especial."* [6]

Cuando ocurra el arrebatamiento, Dios quitará la iglesia habitada por el Espíritu y su influencia limitante; Satanás dará luz verde a su plan metiendo a su hombre en el centro del escenario para que asuma el mando del mundo.

Pregunta 8: ¿Hay más profecía por cumplirse antes que ocurra el arrebatamiento? Cuando alguien habla de profecía bíblica se suele oír que dice: "no hay más profecía que deban cumplirse para que ocurra el arrebatamiento". Aunque esto es verdad, también resulta equívoco porque implica que hubo o hay algunas señales que deben cumplirse antes de que el arrebatamiento pueda tener lugar. La Biblia enseña que no hay señales que deban manifestarse antes del arrebatamiento que es un acontecimiento sin señales, inminente, que ocurre en cualquier momento desde el punto de vista humano. Ninguno de los pasajes clave sobre el arrebatamiento que hay en el Nuevo Testamento menciona señales que deban ocurrir para que esto suceda. Todas las señales dadas en la Escritura –Daniel, Mateo 24-25 (el sermón del Monte), y el Apocalipsis– se relacionan con la segunda venida de Cristo a la tierra, no al arrebatamiento. Esta es una distinción muy importante que debemos entender.

Al ver que las señales de la Escritura ocurren en nuestro mundo debemos recordar que estas son las señales de la tribulación que se aproxima y de la segunda venida de Cristo a establecer su reino. Sin embargo, el hecho que ya veamos las señales de esos acontecimientos indica evidente y probablemente que el arrebatamiento no dista mucho.

Pregunta 9: Los creyentes arrebatados al cielo ¿podrán ver los acontecimientos de la tribulación en la tierra? Esta es una pregunta que todo creyente se ha formulado en una u otra ocasión. Tenemos curiosidad por lo que sabremos y podremos ver cuando lleguemos al cielo.

Hebreos 12:1 es el pasaje principal que se usa como apoyo para la idea de que los creyentes difuntos en el cielo miran lo que pasa en la tierra. Luego de la inspiradora lista de los fieles del pasado, como Enoc, Abraham y Moisés, el escritor de Hebreos concluye, "por lo tanto, ya que estamos rodeados por tan inmensa nube de testigos..." puede que usted haya oído que esta inmensa nube de testigos, descrita como público de un enorme estadio celestial, nos está observando a los que estamos en la tierra. Sin embargo, el pasaje citado destaca el hecho que nos motivamos no porque ellos nos miren sino porque nosotros los vemos a ellos. Cuando consideramos la fidelidad y la paciencia para soportar que hubo en su vida, nos dan un testimonio que nos motiva a emularlos.

Además, yo dudo que, cuando estemos en el cielo, nos interese tanto como ahora observar lo que pasa en la tierra. Los capítulos 4 y 5 de Apocalipsis representan la iglesia por los veinticuatro ancianos que adoran al Señor. Cuando estemos en el cielo nos consagraremos a la adoración del Cordero en el trono, no a mirar la tribulación en la tierra.

Pregunta 10 ¿Cómo se explicarán el arrebatamiento quienes sean dejados atrás? El arrebatamiento será un hecho asombroso cuando uno se pone a pensarlo. Millones de personas desaparecerán de esta tierra en una fracción de segundo, sin dejar huellas (salvo, quizá, un montón de ropa). Uno se tiene que preguntar, ¿cómo se explicarán este hecho sin precedentes los que sean dejados atrás? El mundo quedará sumido en el caos total pues los automóviles quedarán sin chofer, los aviones sin piloto, las salas de clase sin profesores y las fábricas sin obreros. Las denuncias sobre desaparición de personas se amontonarán en la policía. ¿Cómo se explicarán el arrebatamiento?

Indudablemente habrá dos explicaciones principales: natural y sobrenatural. La explicación natural será la más popular. Los expertos llenarán el aire con sus teorías. Los programas televisivos de conversación en vivo tendrán muchos invitados que debatirán sus teorías. Abundarán las teorías sobre conspiraciones. Los programas televisivos nocturnos de comentarios harán especiales de dos semanas para investigar las explicaciones posibles. Quién sabe qué clase de ideas absurdas brotarán: una abducción masiva hecha por los OVNIS, una distorsión del tiempo, un arma nueva de destrucción masiva creada por los rusos. La gente no logrará explicar el arrebatamiento, pero, tenga la completa seguridad, la humanidad no descansará tratando de entender todo eso.

La otra explicación del arrebatamiento será la sobrenatural. Muchos de los dejados atrás se acordarán súbitamente de lo que les dijo un creyente. Algunos miembros incrédulos de la iglesia se acordarán de un sermón sobre el tema. El arrebatamiento pudiera ser uno de los acontecimientos evangelizadores más grandes de todos los tiempos, porque millones de personas que habían sabido del suceso, pero sin recibir a Cristo, súbitamente se darán cuenta que fueron dejados atrás. Mientras los expertos del último minuto arman sus teorías, habrá miles de personas que se darán cuenta de lo que pasó y, humildemente, se arrodillarán ante Cristo. Estos "santos de la tribulación" serán perseguidos y hasta martirizados por su fe (Apocalipsis 6:9; 7:13-14; 20:4). Pero cuando dejen esta tierra, se juntarán con la poderosa hueste de los redimidos que rodean el trono para adorar al Cordero.

LAS DIEZ PRINCIPALES PREGUNTAS GENERALES ACERCA DEL ANTICRISTO

215

Pregunta 1 El Anticristo ¿es producto de un nacimiento sobrenatural?

La Escritura presenta al Anticristo como una imitación o completa falsificación del Cristo verdadero. Puesto que el Anticristo es una parodia tan completa de Cristo, ¿será posible que también sea producto de un falso "nacimiento virginal"? Algunos estudiosos de la profecía bíblica alegan que el Anticristo será el producto de una madre humana y Satanás, igual como Cristo fue el producto de una madre humana y el Espíritu Santo. Este fue el punto de vista de Jerónimo en el siglo cuarto d.C.

Como hijo falso tendrá origen sobrenatural, porque será, literalmente, el hijo de Satanás. La industria cinematográfica de Hollywood ha aprovechado la idea en películas como *The Omen* y *El Bebé de Rosemary*.

El apoyo de esta idea se halla primordialmente en Génesis 3:15 cuando el Señor maldice a la serpiente diciendo, "Y pondré enemistad entre ti y la mujer, y entre tu simiente y su simiente; él te herirá en la cabeza, y tú lo herirás en el calcañar". La simiente ("él") de la mujer, en este pasaje, se refiere claramente al Mesías o Libertador venidero que aplastará de una vez por todas la cabeza de la serpiente. Sin embargo, nótese que hay una referencia a "tu simiente" o simiente de Satanás que será el enemigo más enconado de la simiente de la mujer. Los que sostienen el origen sobrenatural del Anticristo consideran que Génesis 3:15 es la primera profecía del Mesías venidero y la primera profecía del Anticristo.

Parece mejor enfocar al Anticristo no literalmente como el hijo de Satanás sino como un hombre totalmente controlado por Satanás, aunque es posible el origen sobrenatural del Anticristo.

Leemos en 2 Tesalonicenses 2:9 sobre la persona y obra del Anticristo: "Cuya venida es conforme a la actividad de Satanás, con todo poder y señales y prodigios mentirosos". El Anticristo es "el inicuo" que recibe el poder de Satanás para hacer su obra mala.

Apocalipsis 13:4 dice que el dragón (Satanás) da su poder a la bestia (el Anticristo). Estos versículos enseñan que el Anticristo es capaz de hacer lo que puede hacer no porque sea simiente de Satanás, sino porque Satanás le da energía y poder por cuanto el Anticristo es el instrumento humano elegido para gobernar el mundo.

Un hombre llamado Adso allá por el año 950 d.C., escribió un libro que tituló *Carta sobre el origen y la vida del Anticristo* (*Letter on the Origin and Life of the Antichrist*) en el cual expone el criterio que muchos sostenían en la época acerca de un nacimiento virginal del Anticristo. Adso dice también que el Anticristo nacerá de la unión humana de padre y madre. Sin embargo, Adso sostiene que "él será totalmente concebido en pecado, generado en pecado, nacido en pecado. El diablo entrará al útero de su madre en el instante mismo de la concepción. Se desarrollará por el poder del diablo y será protegido en la matriz de su madre".

El criterio de Adso, que es el predominante en la historia de la iglesia, parece ser el más coherente con la manera en que la Biblia describe al Anticristo. Sea que se refute que Satanás entra en el Anticristo en el momento de la concepción, la idea principal persiste: el Anticristo será totalmente humano y totalmente poseído por Satanás.

Pregunta 2 ¿El Anticristo es judío o gentil? Indudablemente esta es una de las preguntas que más se hace y debate sobre el futuro Anticristo. Los sabios del segundo siglo d.C. ya escribían sobre el tema. Ireneo (120-202 d.C.) creía que el Anticristo sería un judío de la tribu de Dan. Ireneo concluyó eso basado en Jeremías 8:16 y en que Apocalipsis 7:4-8 omite a la tribu de Dan de la lista de las tribus de Israel. El enfoque coherente de la iglesia durante las décadas finales del siglo segundo fue que el Anticristo sería un falso mesías judío de la tribu de Dan. Más adelante, Jerónimo (331-420 d.C.) sostuvo el mismo criterio.

La Escritura que se cita más a menudo para respaldar el ancestro judío del Anticristo es la traducción de Daniel 11:37 que da Reina Valera (1960), la cual dice: "del Dios de sus padres no hará caso..." Todo el argumento descansa en la frase "del Dios de sus padres". Los que sostienen que el Anticristo es judío creen que su rechazo de "el Dios de sus padres", prueba su calidad de judío. Sin embargo, esto pudiera aplicarse por igual a un gentil cuyos padres eran seguidores del cristianismo. Además, en la mayoría de las traducciones más recientes (ASV, RSV, NASB y NIV, todas en inglés) la palabra *Dios* (*Elohim*) se traduce "dioses" en plural. La New Living Translation traduce correctamente ese versículo: "Él no tendrá consideración (respeto) por los dioses de sus antecesores" (traducción libre).

Por lo tanto, sea que usted adhiera a la traducción de Reina Valera o a una de las más nuevas, está claro que el versículo clave citado por los que creen que el Anticristo es judío, dista mucho de ser concluyente. Por el contrario, la Biblia enseña claramente que el venidero Anticristo será un gentil. Su origen gentil puede deducirse de tres puntos principales.[7]

Primero, Antíoco Epífanes, que fue un monarca sirio del segundo siglo a.C., es el único personaje histórico identificado específicamente como "tipo" o representación previa de la persona y obra del Anticristo. Si el tipo del Anticristo es un gentil se deduce, entonces, que el Anticristo también será un gentil.

Segundo, Apocalipsis 13:1 describe simbólicamente el origen de la bestia o Anticristo: "vi que subía del mar una bestia". La palabra *mar* representa a las naciones gentiles cuando se usa simbólicamente en el Apocalipsis y el resto de las Escrituras. Apocalipsis 17:15 confirma esta interpretación: "Las aguas ... son pueblos, multitudes, naciones y lenguas".

Tercero, la Escritura presenta al Anticristo como el último rey o gobernante del poder gentil mundial. Se sentará en el trono y reinará sobre la forma final del último imperio mundial que levantará su puño contra Dios. No es lógico poner un judío como el último gobernante mundial del poder gentil. Por lo tanto, el Anticristo será un gentil.

Pregunta 3: ¿De qué nación surgirá el Anticristo? Como vimos la Escritura enseña que el venidero gobernante mundial será un gentil, pero ¿la Biblia especifica más? ¿Podemos conocer cuál es la nación de origen?

Daniel 9:26 nos dice que el Anticristo será de la misma nacionalidad que el pueblo que destruyó el templo judío en el 70 d.C. Por supuesto que sabemos que los romanos destruyeron el templo. Por lo tanto, sabemos que el Anticristo será de origen romano.

Resulta interesante que la película *La profecía* empiece con el nacimiento del Anticristo en una sala en penumbras de un hospital de Roma. En esa misma película hay un poema que hiela la sangre reforzando la creencia que el venidero Anticristo se levantará en el sacro Imperio Romano.

> *Cuando a Sion regresen los judíos*
> *Y un cometa surque el cielo,*
> *Y se levante el santo romano imperio,*
> *Entonces, tú y yo morir debemos.*
> *Él sube desde el mar eterno;*
> *En cada orilla organiza ejércitos;*
> *Vuelve hermano contra hermano*
> *Hasta que cese de existir el humano.*

Mirando nuestro mundo vemos que los judíos regresaron a Sión y que el santo Imperio Romano resurge ante nuestros ojos en la Comunidad Europea. ¡El surgimiento del Anticristo pudiera no estar tan lejos!

Pregunta 4: ¿El Anticristo es homosexual? En la versión inglesa *King James* el pasaje de Daniel 11:37 dice que al Anticristo no le importará "... el favorito de las mujeres" (el deseo de las mujeres). Muchos estudiosos de la profecía bíblica interpretan de esto que el Anticristo será homosexual. Muchos creen que el Anticristo, por estar controlado completamente por Satanás, vivirá en absoluta desobediencia de Dios en todo aspecto de la vida incluyendo su orientación sexual. Así, pues, muchos consideran que el Anticristo es un corrupto, perverso y profano sexual.

Aunque ciertamente esta es una interpretación posible del versículo, este solo dice que no tendrá deseo natural por las mujeres ("no le importará el favorito de las mujeres") no que tendrá deseo sexual por los hombres. El contexto del pasaje parece indicar que el Anticristo estará tan intoxicado con su amor por el poder que esto absorberá totalmente su pasión. Daniel 11:38-39 prosigue ampliando el versículo 37:

> *En su lugar honrará al dios de las fortalezas, un dios a quien sus padres no conocieron; lo honrará con oro y plata, piedras preciosas y cosas de gran valor. Y actuará contra la más fuerte de las fortalezas con la ayuda de un dios extranjero; a los que le reconozcan colmará de honores, los hará gobernar sobre muchos y repartirá la tierra por un precio.*

Así pues, aunque pareciera ciertamente posible que el Anticristo sea homosexual, pareciera más probable que sea alguien tan fascinado con el "dios" del poder y la conquista militar y el poder político que esta obsesión eclipsará su deseo normal por las mujeres.

Pregunta 5: El Anticristo ¿es un individuo del pasado que será resucitado?
Como ya observamos, el Anticristo es la parodia o falsificación completa
que hace Satanás del Cristo verdadero. Un aspecto de la obra maestra del
engaño de Satanás será la falsificación del acontecimiento más grandioso
del cristianismo: la muerte y la resurrección de Cristo. Hay varios versículos
fascinantes que se refieren a la muerte del Anticristo y a su resurrección.

- Apocalipsis 13:3
- Apocalipsis 13:12-14
- Apocalipsis 17:8
- Daniel 11:45

Una teoría de la identidad del Anticristo, muy aceptada por la iglesia
de los primeros tiempos, era el *Nero redivivus*, esto es, que el Anticristo sería Nerón revivido o resucitado. Nerón se suicidó en el 68 d.C., y del 69 al 80
d.C. hubo una serie de impostores que pretendían ser Nerón resucitado. El
88 d.C. apareció en Parthia un serio impostor de Nerón.

Otra teoría popular dice que el Anticristo será Judas Iscariote sacado
de la tumba. Hay tres argumentos principales que se emplean para respaldar este criterio. Primero, Lucas 22:3 dice que "Satanás entró en Judas, llamado Iscariote". Juan 6:70-71 es aún más fuerte, "Jesús les respondió: ¿No
os escogí yo a vosotros, los doce, y sin embargo, uno de vosotros es un diablo? Y se refería a Judas, hijo de Simón Iscariote, porque éste, uno de los
doce, le iba a entregar".

Segundo, en Juan 17:12 nuestro Señor dice que Judas Iscariote es "el
hijo de perdición" o "el que se dirige a la destrucción". El único otro lugar
donde se lee este trato en el Nuevo Testamento es en 2 Tesalonicenses 2:3
referido al Anticristo.

Tercero, Hechos 1:25 expresa que cuando murió Judas, fue al lugar
"que le correspondía". Algunos interpretan que cuando Judas murió, fue a
un lugar especial a esperar el tiempo en que será traído de nuevo (al mundo) como el último Anticristo. Los que adoptan este criterio relacionan
Hechos 1:25 con Apocalipsis 17:8 que identifica el lugar especial como el
abismo o el foso sin fondo. Apocalipsis 17:8 dice: "La bestia que viste, era y
no es, y está para subir del abismo e ir a la destrucción".

Aunque es ciertamente posible que el Anticristo sea Nerón, Judas Iscariote u otro individuo nefando del pasado devuelto a la vida, la Biblia no

identifica claramente a nadie del pasado como el futuro Anticristo. Por lo tanto, sin tener la prueba bíblica directa, parece mejor entender que el Anticristo es el futuro gobernante del mundo que estará sometido totalmente al control de Satanás y no como un personaje del pasado que resucita.

Pregunta 6: El Anticristo ¿será asesinado y resucitado? Esto viene de la pregunta 5. Como descubrimos al contestar esa pregunta en el libro del Apocalipsis hay varios pasajes que hablan claramente de la muerte y resurrección del Anticristo. Habiendo concluido a partir de la Escritura que el Anticristo no es un individuo resucitado del pasado, creemos que él será un individuo futuro que morirá violentamente (probablemente asesinado) y será levantado milagrosamente de entre los muertos durante el período futuro de la tribulación.

Solo piense en el abrumador impacto que esto tendrá en el mundo. El gran gobernante de la culminación de la historia, es sanado en forma tal que se parece mucho a la muerte y resurrección de Jesucristo. Apocalipsis 13:3-4 y 17:8-9 registran la estupefacción del mundo por la resurrección de la bestia:

- *Y vi una de sus cabezas como herida de muerte, pero su herida mortal fue sanada. Y la tierra entera se maravilló y seguía tras la bestia; y adoraron al dragón, porque había dado autoridad a la bestia; y adoraron a la bestia, diciendo: ¿Quién es semejante a la bestia, y quién puede luchar contra ella? (Apocalipsis 13:3-4)*
- *La bestia que viste, era y no es, y está para subir del abismo e ir a la destrucción. Y los moradores de la tierra, cuyos nombres no se han escrito en el libro de la vida desde la fundación del mundo, se asombrarán al ver la bestia que era y no es, y que vendrá. (Apocalipsis 17:8-9)*

Este será el acontecimiento más grandioso de la historia del mundo en cuanto concierne a los moradores de la tierra. Imagine la muerte violenta, quizá el asesinato, del político más carismático y efectivo que haya visto el mundo. Todo el mundo lamentará. La angustia colectiva será profunda. Se asemejará a la muerte de John F. Kennedy en 1963 o a la de Lady Diana en 1997. El mundo contemplará el desfile fúnebre en todas las redes de la televisión. La CNN transmitirá todo el acontecimiento con mucho detalle y comentario. Súbitamente, cuando el decorado carruaje llegue al cementerio y los portadores saquen el ataúd, sucederá lo más increíble que el mundo haya visto, ante los ojos de miles de millones de personas: el cadáver saldrá del féretro, los portadores retrocederán aterrados y dejarán caer el catafalco; el Anticristo se para, camina tranquilamente al micrófono más cercano y empieza a hablar a un mundo totalmente atónito. ¿Se puede imaginar a los locutores de los noticieros informando esta historia?

Este es el gran acontecimiento que lanza al Anticristo al gobierno mundial. En Apocalipsis 17:8, la Biblia nos dice que cuando el Anticristo sufra la muerte violenta, va al abismo sin fondo por un tiempo y, luego, vuelve a la vida. Durante este corto tiempo pasado en el abismo sin fondo, Satanás dinamiza completamente al Anticristo que, probablemente, reciba sus órdenes y estrategia del mismo Satanás, vendiendo literalmente su alma al diablo, entonces, regresa a la tierra con una ferocidad infernal para establecer su dominio del mundo en una tierra completamente hechizada.

Toda discusión de este tema siempre suscita otra pregunta al menos: ¿Tiene poder Satanás para resucitar un muerto? Muchos no creen que lo tenga y piensan que el Anticristo solo finge morir y luego falsifica la resurrección para engañar al mundo. Sin embargo, las palabras empleadas para describir la muerte del Anticristo se usan en otras partes para describir una muerte violenta. Apocalipsis 13:3 usa la misma palabra para referirse a la muerte del Anticristo que Apocalipsis 5:6 emplea para la muerte de Jesucristo el Cordero de Dios. Además, después de la muerte del Anticristo, Apocalipsis 17:8 dice que se va al abismo sin fondo por un tiempo antes de reaparecer súbitamente en la tierra. Esto no pareciera hablar de alguien que finge morir.

Yo no puedo explicar detalladamente cómo ocurrirá esta muerte y resurrección, pero creo que estos pasajes enseñan que Dios permitirá que Satanás haga este milagro para realzar su perversa parodia de Cristo y así engañar más al mundo.

Pregunta 7: Los creyentes en Cristo, ¿sabrán antes de ser arrebatados al cielo quién es el Anticristo? Pareciera que la gente de este tiempo se fascina tratando de identificar al Anticristo. Se proponen listas de interesantes candidatos a Anticristo: Napoleón, varios papas católicos, Benito Mussolini, Adolfo Hitler, Henry Kissinger, Mikhail Gorbachev, el actual rey de España Don Juan Carlos y su hijo Felipe, el ex presidente de los Estados Unidos William (Bill) Clinton o cualquier otra persona que no sea del agrado particular de alguien.

Estos fallidos intentos suelen atraer mucha atención por un tiempo, pero también destacan lo peligroso del intento de identificar al Anticristo. El Nuevo Testamento enseña que los creyentes no sabrán quién es el Anticristo antes que sean arrebatados al cielo. Segunda de Tesalonicenses 2:2-3 dice:

> *No seáis sacudidos fácilmente en vuestro modo de pensar, ni os alarméis, ni por espíritu, ni por palabra, ni por carta como si fuera de nosotros, en el sentido de que el día del Señor ha llegado.*
>
> *Que nadie os engañe en ninguna manera, porque no vendrá sin que primero venga la apostasía y sea revelado el hombre de pecado, el hijo de perdición.*

Pablo escribió a los tesalonicenses para aclararles ciertas confusiones que tenían acerca del futuro Día del Señor o período de la tribulación. Evidentemente alguien les había enseñado que ya estaban viviendo el período de la tribulación pero Pablo corrigió esa doctrina falsa señalando que el Día del Señor no llegará hasta que pasen dos cosas: (1) la gran apostasía o rebelión; y (2) la revelación del Anticristo u "hombre de pecado". Puesto que el Anticristo será revelado al comienzo del Día del Señor o período de la tribulación, y la iglesia será arrebatada antes de ese día, no parece que los cristianos conozcan la identidad del Anticristo antes de ser trasladados al cielo. Si usted calcula alguna vez quien es el Anticristo, entonces le doy la mala noticia: ¡usted fue dejado atrás!

Habiendo dicho esto, creo que a medida que presenciamos el despliegue de los últimos días, podremos ser capaces de reconocer a ciertos individuos que satisfacen los requisitos del cuadro del Anticristo descrito en la Biblia. Sin embargo, los creyentes deben evitar la identificación específica de alguien como el futuro Anticristo. El superhombre de Satanás será denunciado al comienzo del Día del Señor, después que la iglesia haya sido trasladada a la gloria. Debemos pasar el tiempo y usar nuestra energía buscando a Cristo, no al Anticristo.

Pregunta 8: ¿Cuál es la marca de la Bestia (666)? Probablemente se especule sobre este tema más que acerca cualquier otro aspecto de los últimos tiempos. Mi amigo, el doctor Harold Willmington dice: "Hay muchas barbaridades bárbaras muy bárbaras sobre el 666". La marca de la Bestia se identifica con todo, desde los códigos numéricos personales a los códigos numéricos del seguro social pasando por los números de las tarjetas de crédito y con cualquier otro número que el gobierno asigne a la gente. En la película, *La profecía*, el protagonista, Damien, nació el 6 de junio a las 6 horas (666) simbolizándose así su identificación con el venidero Anticristo.

Casi todos, hasta la persona más analfabeta en materia de Biblia, ha oído algo sobre el 666 o la marca de la Bestia. Apocalipsis 13:16-18 es el pasaje clave tocante al significado del 666 o marca de la Bestia:

> Y *hace que a todos, pequeños y grandes, ricos y pobres, libres y esclavos, se les dé una marca en la mano derecha o en la frente, y que nadie pueda comprar ni vender, sino el que tenga la marca: el nombre de la bestia o el número de su nombre. Aquí hay sabiduría. El que tiene entendimiento, que calcule el número de la bestia, porque el número es el de un hombre, y su número es seiscientos sesenta y seis.*

Este pasaje da cinco indicios clave[8] sobre la interpretación de la marca de la Bestia.

1. el nombre de la Bestia
2. el número que representa su nombre
3. el número de la Bestia
4. el número de un hombre
5. el número es 666

Cuando se llevan estos cinco indicios a su progresión lógica, el número o marca de la Bestia es el número de un hombre que es el Anticristo o último gobernante mundial. Este numero es del nombre propio del Anticristo. En la *Gematria*, sistema judío de valores numéricos de las letras, cada letra del alfabeto hebreo (veintidós en total) tiene asignado un valor numérico como sigue: 1, 2, 3, 4, 5, 6, 7, 8, 9, 10, 20, 30, 40, 50, 60, 70, 80, 90, 100, 200, 300 y 400. Por tanto el nombre de cada persona tiene un valor numérico en hebreo. Arnold Fruchtenbaum comenta:

> *Cualquiera sea el nombre personal del Anticristo si se escribe con letras hebreas, el valor numérico de su nombre será 666 según este pasaje. Así que este es el número que será puesto a los adoradores del Anticristo. Como el número de diferentes cálculos puede ser igual a 666, resulta imposible figurarse por anticipado cuál sea el nombre. Sin embargo, cuando él se manifieste, cualquiera sea su nombre personal será igual a 666. Los que sean sabios (versículo 18) en esa época podrán señalarlo por anticipado.[9]*

Cuando el Anticristo aparezca en la escena mundial al comienzo de la tribulación, los que entiendan la Palabra de Dios serán capaces de identificarlo por el número de su nombre. Entonces, cuando tome el poder a mediados de la tribulación, toda persona de la faz de la tierra se enfrentará con una tremenda decisión. ¿Aceptarán la marca de la Bestia en la mano derecha o en la frente? ¿Jurarán lealtad al hombre que dice ser dios o se arrodillarán ante el Dios verdadero perdiendo su derecho a comprar y vender y hasta enfrentar la decapitación (Apocalipsis 20:4)? La política económica del Anticristo será muy simple: adórame o muérete de hambre. No obstante, será mucho mejor rechazar al Anticristo y morirse de hambre o morir por decapitación porque la persona rechaza la vida eterna al recibir su marca. Todos los que acepten la marca de la Bestia enfrentarán el juicio eterno de Dios (Apocalipsis 14:9-10).

Pregunta 9 ¿Qué pasa en definitiva con el Anticristo? La Palabra de Dios es muy clara y específica sobre la desaparición y destino del venidero Anticristo. Hay dos pasajes principales del Nuevo Testamento que manifiestan cómo es su fin.

Segundo Tesalonicenses 2:8 dice: "Y entonces será revelado ese inicuo, a quien el Señor matará con el espíritu de su boca, y destruirá con el resplandor de su venida". Este pasaje revela que el Señor destruirá el poder del Anticristo sencillamente con su palabra hablada. Solo será necesario que él diga las palabras de condenación del Anticristo e inmediatamente ocurrirá.

La Biblia revela, además, que el Anticristo será señalado por el Señor cuando vaya a su juicio especialmente rápido y severo.

> *Entonces vi a la bestia, a los reyes de la tierra y a sus ejércitos reunidos para hacer guerra contra el que iba montado en el caballo y contra su ejército. Y la bestia fue apresada, y con ella el falso profeta que hacía señales en su presencia, con las cuales engañaba a los que habían recibido la marca de la bestia y a los que adoraban su imagen; los dos fueron arrojados vivos al lago de fuego que arde con azufre. Y los demás fueron muertos con la espada que salía de la boca del que montaba el caballo, y todas las aves se saciaron de sus carnes. (Apocalipsis 19:19-21)*

Cuando el Señor Jesús sea revelado en toda su gloria, destruirá todos los ejércitos reunidos en Armagedón con la filosa espada de la palabra que sale de su boca. Todo lo que tendrá que hacer para destruir todo el poderío militar del hombre es decir sencillamente: "Cáete muerto" ("muérete") y los ejércitos del mundo se derretirán delante de él como si fueran de cera. Sin embargo, el Anticristo y su matón, el falso profeta, no morirán como los demás; serán "arrojados al lago de fuego y azufre" (Apocalipsis 20:10), donde mil años después se les unirá el diablo, que es la cabeza de esta falsa trinidad.

Este es el destino final de la obra maestra del diablo. Su reino falso será completamente eliminado y se establecerá el reino glorioso de Cristo. Daniel 7:26-27 es un firme recordatorio del final del Anticristo y de la exaltación de Cristo.

> *Pero el tribunal se sentará, y su dominio le será quitado, aniquilado y destruido para siempre. Y la soberanía, el dominio y la grandeza de todos los reinos debajo de todo el cielo serán entregados al pueblo de los santos del Altísimo. Su reino será un reino eterno, y todos los dominios le servirán y le obedecerán.*

Pregunta 10 El Anticristo, ¿está vivo en la actualidad? La respuesta más clara y concisa a esta pregunta es que ¡nadie lo sabe con seguridad! Muchos especulan pero nadie lo sabe en realidad.

Jeane Dixon, la falsa profetisa, profetizó el nacimiento de un niño en el Medio Oriente a las 7:17 de la mañana del 5 de febrero de 1962, que gobernará a todo el mundo.

En su libro *Mi vida y profecía* relata cómo recibió esta profecía y lo que significa:

> *Mis ojos volvieron a fijarse en el bebé. Ahora ya había crecido haciéndose hombre, y una pequeña cruz se había formado por encima de su cabeza, la cual creció y se ensanchó hasta que cubrió la tierra en todas las direcciones. Simultáneamente, personas sufrientes, de toda raza, se arrodillaron adorando, levantando sus brazos y ofreciendo sus corazones al hombre. Por un momento fugaz sentí como si yo fuera uno de ellos, pero el canal que emanaba de él no era el de la Santa Trinidad. En mi corazón supe que esta revelación significaría el comienzo de la sabiduría, pero ¿de quién y para quién era esta sabiduría? Un sobrecogedor sentimiento de amor me rodeó pero la mirada que yo había visto en el hombre cuando aún era bebé, una mirada de serena sabiduría y*

conocimiento, significó para mí que era algo que Dios me permi-
tía ver sin que yo participara en ello.

También sentí que estaba a salvo de nuevo en los protectores
brazos de mi Creador.

Di una mirada al reloj despertador: aún era temprano, las 7:17
de la mañana.

¿qué significa esta revelación? Estoy convencida de que esta reve-
lación indica que un niño revolucionará al mundo, habiendo naci-
do en alguna parte del Medio Oriente, poco después de las 7 de la
mañana del 5 de febrero de 1962, posiblemente un descendiente di-
recto del linaje real del faraón Akenaton y la reina Nefertiti. No
cabe duda que él fusionará a las multitudes en una sola doctrina
integral. Formará un nuevo "cristianismo", basado en su "p55oder
omnipotente", pero dirigiendo al hombre en una dirección dife-
rente muy alejada de la enseñanza y vida del Cristo, el Hijo.[10]

Aunque nadie sabe si *el* Anticristo vive hoy, ni siquiera Jeane Dixon,
nosotros tenemos la certeza que hay *un* anticristo vivo en el mundo en este
mismo instante. El apóstol Juan que escribió a fines del primer siglo d.C.,
dice que el espíritu del anticristo estaba obrando ya, saboteando y oponién-
dose a la obra de Dios (1 Juan 2:18; 4:3). ¡Podemos tener la seguridad de que
el espíritu del anticristo está vivo y goza de buena salud!

Satanás tiene a un hombre listo en cada generación, un vaso satánica-
mente preparado, para tomar el centro de la escena y gobernar al mundo.
El diablo no sabe cuando ocurrirá la venida de Cristo así que está preparado en cada generación con su hombre, para que se oponga a Cristo y al establecimiento de su reino glorioso. Satanás siempre tuvo un Nimrod, un faraón, un Nabucodonosor, un Alejandro el grande, un Antíoco, un César,
un Napoleón, un Hitler y un Stalin, y uno vivo hoy, listo para establecer
un reino rival y usurpar el lugar legítimo del Rey de reyes.

Aunque nadie puede decir con seguridad si el Anticristo está vivo hoy,
la Biblia nos dice, sin duda alguna, que el Anticristo vendrá y, efectivamente, puede que ya esté vivo y andando en la faz de la tierra. ¡No se equivoque, el Anticristo llega!

Películas como *The Omen*, que prevén cómo será la llegada del Anticristo, son películas de falso horror pero, a menudo la premisa tiene sentido
bíblico. En esa película hay una escena sobrecogedora. En la mañana siguiente a la fiesta del quinto cumpleaños de Damien (el Anticristo), más

una pesadilla que otra cosa, un sacerdote católico, el padre Brennan, llega de visita sin anunciarse a la oficina del embajador Thorn. En cuanto el padre Brennan queda solo con Thorn (el padre de Damien), prorrumpe en una advertencia sorprendente para el embajador: "¡Usted debe aceptar a Cristo como Salvador suyo. Usted debe aceptarlo ahora!"

La misma advertencia sigue siendo aplicable en la actualidad. Cuando aparezca el Anticristo, seguirá habiendo una gran mayoría de gente que rehusará aceptar a Cristo y, en cambio, se volcará a seguir al inicuo. No lo postergue más. Si aún no lo ha hecho, ¡acepte ahora a Jesucristo como Salvador suyo!

LAS DIEZ PRINCIPALES PREGUNTAS GENERALES ACERCA DE LA TRIBULACIÓN, LA SEGUNDA VENIDA Y EL MILENIO

Pregunta 1: La gente que rechazó el evangelio y fueron dejados en el arrebatamiento ¿podrá aún ser salva durante la tribulación? Todos los premilenaristas estarán de acuerdo en que habrá gente salvada durante el período de la tribulación. La salvación del perdido es uno de los propósitos principales del período de la tribulación: "Y sucederá que todo aquel que invoque el nombre del Señor será salvo; porque en el monte Sion y en Jerusalén habrá salvación, como ha dicho el Señor, y entre los sobrevivientes estarán los que el Señor llame" (Joel 2:32).

Sin embargo, muchos respetados estudiosos de la profecía bíblica alegan que Dios excluirá de la salvación durante la tribulación a todo el que haya escuchado el evangelio habiéndolo rechazado francamente antes del arrebatamiento. Sostienen que Dios enviará un tremendo engaño a los que oyeron la verdad y rechazaron la oferta de misericordia de Dios. El apoyo de este enfoque se basa en 2 Tesalonicenses 2:9-12:

> *Inicuo cuya venida es conforme a la actividad de Satanás, con todo poder y señales y prodigios mentirosos, y con todo engaño de iniquidad para los que se pierden, porque no recibieron el amor de la verdad para ser salvos. Por esto Dios les enviará un poder engañoso, para que crean en la mentira, a fin de que sean juzgados todos los que no creyeron en la verdad sino que se complacieron en la iniquidad.*

Aunque este versículo pudiera usarse para apoyar esta postura, no parece referirse a gente que rechazó la verdad antes del arrebatamiento sino, más bien, a los que rechazaron la verdad y aceptaron al anticristo después del arrebatamiento. Todo el pasaje describe lo que sucede durante el período de la tribulación. Se refiere a los que presencian el engaño del Anticristo, creen su mensaje y rechazan la verdad. Este pasaje dice que Dios condenará a los que hacen eso.

Yo creo que muchos que rechazaron el evangelio antes del arrebatamiento, seguirán rechazándolo sin duda después del arrebatamiento. Sin embargo, basarse en este versículo para decir que nadie que haya escuchado claramente las proclamas de Cristo antes del arrebatamiento rechazándolas, puede recibir la misericordia de Dios durante la tribulación, significa hacer que este versículo diga mucho más de lo que permite su contexto.

Dios puede usar el horror de la tribulación para llevar a millones de personas a creer en su Hijo (Apocalipsis 7:9-14). Entre esta multitud que nadie puede contar, ciertamente habrá algunos a los que nuestro Señor habrá dado, de pura gracia, la segunda oportunidad de salvación.

Pregunta 2: ¿La tribulación es lo mismo que "la gran tribulación"?
En el capítulo 4 de este libro hay una tabla con la terminología bíblica para referirse al futuro período de siete años en que Dios derramará su ira sobre esta tierra. La frase de uso más corriente es *el período de la tribulación*. Esta expresión se halla en Mateo 24:9 de muchas traducciones modernas. Mateo 24:21 la destaca diciendo "la gran tribulación" (un tiempo de gran horror como dice la nueva Biblia al Día). La relación de *tribulación* con *gran tribulación* confunde a algunas personas.

La Palabra de Dios enseña claramente que el futuro período de siete años de trastornos mundiales será dividido en dos segmentos iguales de tres años y medio cada uno. Casi todos concuerdan en este punto. Sin embargo, hay varias opciones sobre la manera en que se relacionan *tribulación* y *gran tribulación* con este período de siete años.

- Opción 1: Los tres años y medio iniciales = tribulación; *gran tribulación*
- Opción 2: Los siete años enteros = tribulación; los siete años enteros = gran tribulación.
- Opción 3: los siete años enteros = tribulación; los siete años enteros = *gran tribulación*

Yo favorezco la opción 3 porque la palabra *tribulación* de Mateo 24:9 parece abarcar todo el período de siete años. Es excelente para describir la naturaleza general de los últimos siete años de esta era y la mayoría de los estudiosos de la profecía bíblica la usa frecuentemente en esa manera. Por otro lado, la expresión *gran tribulación* de Mateo 24:21, describe el tiempo más específico que seguirá al establecimiento de la abominación desoladora a mediados del período de siete años. Por lo tanto, es evidente que el título *gran tribulación* describe la intensificación de la ira de Dios durante los últimos tres años y medio de los siete años de la tribulación.

Pregunta 3: ¿Estamos ahora en la tribulación? Nuestros Señor recordó a sus discípulos, la noche anterior a su crucifixión, que ellos tendrían problemas en esta vida: "Estas cosas os he hablado para que en mí tengáis paz. En el mundo tenéis tribulación; pero confiad, yo he vencido al mundo" (Juan 16:33). Lucas se hace eco de esas palabras en Hechos 14:22: "Fortaleciendo los ánimos de los discípulos, exhortándolos a que perseveraran en la fe, y diciendo: Es necesario que a través de muchas tribulaciones entremos en el reino de Dios". Aunque es verdad que debemos entrar al reino a través de muchas tribulaciones, la Biblia distingue claramente entre las tribulaciones generales que sufren los creyentes de toda época y el tiempo de intensa tribulación mundial que concluirá esta era.

Sin embargo, debido a la dificultad del peregrinaje cristiano, algunos han llegado a creer que esta era presente es el período de la tribulación. Pareciera que ese era el problema que tenían los tesalonicenses cuando Pablo les escribió su segunda carta. Pablo trata este problema en 2 Tesalonicenses 2:1-3:

> *Pero con respecto a la venida de nuestro Señor Jesucristo y a nuestra reunión con Él, os rogamos, hermanos, que no seáis sacudidos fácilmente en vuestro modo de pensar, ni os alarméis, ni por espíritu, ni por palabra, ni por carta como si fuera de nosotros, en el sentido de que el día del Señor ha llegado. Que nadie os engañe en ninguna manera, porque no vendrá sin que primero venga la apostasía y sea revelado el hombre de pecado, el hijo de perdición.*

Pablo asegura a los creyentes tesalonicenses, y a nosotros, que actualmente no estamos en la tribulación o Día del Señor. Dice que la tribulación no puede ocurrir hasta que pasen dos cosas: una gran rebelión mundial contra Dios y la manifestación del Anticristo. Puesto que ninguna de estas cosas ha ocurrido, actualmente no podemos estar en el período de la tribulación.

Pregunta 4: ¿Alude a China el ejército de 200 millones de soldados, que está en Apocalipsis 9:16? Apocalipsis 9:15-16 describe un enorme ejército de 200 millones de soldados montados que destruye un tercio de toda la gente de la tierra. La interpretación más corriente de este pasaje es que describe la gran invasión de Israel por parte de China durante la batalla del Armagedón. Esta conclusión se basa en tres puntos principales:

1. El ejército de 200 millones es considerado el paralelo de los reyes del Este de Apocalipsis 16:12, que cruzan en seco el río Éufrates y se juntan en el Armagedón.
2. La moderna nación de China puede organizar un ejército de esa magnitud.
3. La descripción de las armas empleadas por este ejército es parecida a una escena de la guerra moderna, tanques, helicópteros, artillería, lanzacohetes y mísiles. Apocalipsis 9:17-19 describe vívidamente el armamento.

Aunque es posible que esos versículos describan al ejército chino, yo creo que es mejor entender ese ejército masivo como una hueste de invasores demoníacos. Hay cinco razones por las que prefiero este enfoque:

1. La acción de este ejército es el juicio de la sexta trompeta. Evidentemente el quinto juicio es una invasión demoníaca de la tierra; el quinto y sexto juicios van de consuno puesto que son los dos primeros "terrores" de tres.
2. Este ejército es dirigido por ángeles caídos como los del juicio de la quinta trompeta (Apocalipsis 9:15). Puesto que los jefes son cuatro ángeles caídos o demonios, tiene sentido que las tropas que dirigen sean demonios también.
3. La descripción terrible de Apocalipsis 19:7-19 corresponde mejor a seres sobrenaturales más que a una guerra moderna.
4. En la Biblia hay otros ejemplos de ejércitos de jinetes sobrenaturales. Caballos de fuego llevaron a Elías a los cielos (2 Reyes 2:11). Caballos y carros de fuego protegían a Eliseo en Dotán (2 Reyes 6:13-17). Caballos celestiales y jinetes de los ejércitos que están en los cielos les presentaban el reino de Cristo (Apocalipsis 19:14). El Señor mismo regresará cabalgando en un caballo

blanco (Apocalipsis 19:11). Parece lógico entonces que Satanás resista la venida del reino con su propia caballería infernal.

5. Las armas mencionadas – fuego, azufre, humo - siempre son sobrenaturales en la Biblia y el Apocalipsis las asocia cuatro veces con el infierno (14:10-11; 19:20; 20:10; 21:8).

Por estas razones creo que el ejército de 200 millones de Apocalipsis 9:16 es una invasión de la Tierra por una caballería demoníaca: ¡jinetes infernales que montan cabalgaduras satánicas!

Pregunta 5: ¿Habrá alguien que sobreviva a la tribulación? Hasta la lectura superficial del libro del Apocalipsis lo deja a uno preguntándose cómo podrá sobrevivir alguien. En el juicio del cuarto sello, muere la cuarta parte de la tierra, y otro tercio de la tierra queda destruido en el juicio de la sexta trompeta. Eso es la mitad de la población del mundo en solo dos de los juicios de la tribulación. Entonces, cuando los ángeles derraman en rápida sucesión las copas de la ira, capítulo 16 del Apocalipsis, parece inminente la aniquilación total de la humanidad.

Nuestro Señor sabía que un día la gente haría esta pregunta de modo que ya nos dio Su solución del problema: "porque habrá entonces una gran tribulación, tal como no ha acontecido desde el principio del mundo hasta ahora, ni acontecerá jamás. Y si aquellos días no fueran acortados, nadie se salvaría; pero por causa de los escogidos, aquellos días serán acortados" (Mateo 24:21-22). Este pasaje no significa que el Señor acorte el período de la tribulación para que dure menos tiempo del que concibió. Tampoco significa que los días durarán menos de veinticuatro horas. Estas alentadoras palabras significan sencillamente que este período terminará, esto es, el Señor no permitirá que dure indefinidamente. Lo acortará terminándolo en el tiempo divinamente fijado. Esta es otra manera de decir que nadie sobreviviría si permitiera que la tribulación durase indefinidamente. El Señor termina la tribulación cuando lo hace en aras de quienes fueron salvados durante ese tiempo y que están pasando terribles sufrimientos.

El Señor nos asegura que habrá mucha gente que sobrevivirá los horrores de la tribulación. Toda esta gente será reunida para juicio cuando retorne Cristo y los justos entren en el reino del milenio mientras los perdidos serán arrojados al fuego eterno (Mateo 25:31-46).

Pregunta 6: ¿Quiénes son las huestes del cielo que regresan con Cristo?
Cuando Jesucristo retorne desde el cielo para destruir al anticristo, juzgar a las naciones y establecer su reino glorioso, lo acompañará una hueste enorme. Este poderoso ejército seguirá al Señor cuando él parta de las nubes cabalgando en un potro blanco como la leche. La Biblia deja muy claro que este poderoso ejército estará compuesto por ángeles y seres humanos redimidos. He aquí unos cuantos de los versículos más conocidos que describen los ejércitos del cielo que regresan con el triunfante Cristo:

- Y vendrá el Señor mi Dios, y todos los santos con Él (Zacarías 14:5)
- "Pero cuando el Hijo del Hombre venga en su gloria, y todos los ángeles con Él, entonces se sentará en el trono de su gloria" (Mateo 25:31)
- "...y daros alivio a vosotros que sois afligidos, y también a nosotros, cuando el Señor Jesús sea revelado desde el cielo con sus poderosos ángeles en llama de fuego, dando retribución a los que no conocen a Dios, y a los que no obedecen al evangelio de nuestro Señor Jesús" (2 Tesalonicenses 1:7-8)
- "He aquí, el Señor vino con muchos millares de sus santos" (Judas 1:14)
- "Y vi el cielo abierto, y he aquí, un caballo blanco; el que lo montaba se llama Fiel y Verdadero, y con justicia juzga y hace la guerra. Sus ojos son una llama de fuego, y sobre su cabeza hay muchas diademas, y tiene un nombre escrito que nadie conoce sino Él. Y está vestido de un manto empapado en sangre; y su nombre es: El Verbo de Dios. Y los ejércitos que están en los cielos, vestidos de lino fino, blanco y limpio, le seguían sobre caballos blancos" (Apocalipsis 19:11-14)

Imagínese cómo será seguir al Rey de reyes y al Señor de señores y conducir a los poderosos ángeles que vienen como fuego llameante cuando el Señor Dios Omnipotente regrese a reinar.

Pregunta 7: ¿Correrá sangre en el territorio de Israel durante la campaña del Armagedón, llegando, literalmente, a la altura de los ijares de los caballos por una extensión de casi 290 kilómetros? La descripción más vívida de la severidad y brutalidad del Armagedón se halla en Apocalipsis 14:17-20:

Salió otro ángel del templo que está en el cielo, que también tenía una hoz afilada. Y otro ángel, el que tiene poder sobre el fuego, salió del altar; y llamó a gran voz al que tenía la hoz afilada, diciéndole: Mete tu hoz afilada y vendimia los racimos de la vid de la tierra, porque sus uvas están maduras. El ángel blandió su hoz sobre la tierra, y vendimió los racimos de la vid de la tierra y los echó en el gran lagar del furor de Dios. Y el lagar fue pisado fuera de la ciudad, y del lagar salió sangre que subió hasta los frenos de los caballos por una distancia como de trescientos veinte kilómetros.

Los que predican profecía suelen usar este pasaje muy efectivamente. Describen con detalles sangrientos y terribles cómo correrá la sangre llegando, literalmente, a casi metro cuarenta de altura por una extensión de trescientos veinte kilómetros, que es todo el largo de la tierra de Israel, desde Meguido al norte hasta Bosra por el sur.

Otros sostienen que esto no se puede entender literalmente alegando que el lenguaje es hiperbólico o exagerado intencionalmente para impresionar al lector con la enorme magnitud de la carnicería y derramamiento de sangre.

Yo creo que el cuadro aquí pintado está tomado de las imágenes de las vendimias, aunque cada uno de los dos enfoques es posible. Cuando se meten las uvas en el lagar, la gente pisa las uvas haciendo que salga el jugo de las uvas que cae a una batea donde se junta todo. Sin embargo, en Apocalipsis14:17-20, el lagar es "el lagar de la ira de Dios". El Señor pisa, pero pisa gente, no uvas y lo que sale es sangre, no el jugo (también Isaías 63:2-3; Joel 3:13; Apocalipsis 19:15).

Yo no creo que este pasaje signifique necesariamente que correrá un río de sangre de metro cuarenta de profundidad. La imagen se refiere a que el pisoteo de su juicio es tan feroz y fuerte que la sangre de su lagar llegará a rociar a la altura de las riendas de los caballos. Yo no sé con cuanta fuerza uno tuviera que pisar en un lagar para rociar jugo de uva a metro cuarenta de altura, pero esto es un cuadro de la ferocidad del juicio de Dios. El Señor dice que en el Armagedón él meterá a todas las naciones en su gran lagar y que su juicio fuerte que derrama sangre se extenderá por toda la tierra de Israel, desde Meguido a Bosra.

Pregunta 8 : ¿Qué harán en el reino milenial los creyentes que regresen a la tierra con Cristo? Cuando Jesucristo regrese a esta tierra en su segunda venida traerá consigo a sus santos, según Judas 1:14 y Apocalipsis 19:14. Después que derrote a los ejércitos del Anticristo en el Armagedón y que juzgue a las naciones, establecerá su reino en la tierra.

Aunque haremos ciertamente muchas cosas para adorar y servir a nuestro Señor en el reino, la función nuestra que destaca la Escritura es reinar y gobernar con Cristo. La Biblia dice que todos los creyentes de todas las épocas reinarán mil años con Cristo. Considere lo que dicen estos versículos acerca de lo que usted hará en el reino:

- *"Pero los santos del Altísimo recibirán el reino y poseerán el reino para siempre, por los siglos de los siglos. Y llegó el tiempo cuando los santos tomaron posesión del reino. Y la soberanía, el dominio y la grandeza de todos los reinos debajo de todo el cielo serán entregados al pueblo de los santos del Altísimo. Su reino será un reino eterno, y todos los dominios le servirán y le obedecerán."* (Daniel 7:18, 22, 27)

- *¿O no sabéis que los santos han de juzgar al mundo? Y si el mundo es juzgado por vosotros, ¿no sois competentes para juzgar los casos más triviales? ¿No sabéis que hemos de juzgar a los ángeles? ¿Cuánto más asuntos de esta vida!* (1 Corintios 6:2-3)

- *Y al vencedor, al que guarda mis obras hasta el fin, le daré autoridad sobre las naciones; y las regirá con vara de hierro, como los vasos del alfarero son hechos pedazos, como yo también he recibido autoridad de mi Padre; y le daré el lucero de la mañana.* (Apocalipsis 2:26-28)

- *...y volvieron a la vida y reinaron con Cristo por mil años... serán sacerdotes de Dios y de Cristo, y reinarán con él por mil años.* (Apocalipsis 20:4-6)

¡Qué perspectiva interesante! Gobernaremos las naciones con Cristo por mil años en la tierra. Hasta juzgaremos a los ángeles.

Durante la era actual Dios nos prueba para determinar nuestra futura posición de autoridad y responsabilidad en el reino. Según Lucas 19:11-26, recibiremos autoridad para reinar en el reino sobre gente y ángeles sobre la base de lo que hicimos con los tesoros y talentos que Dios nos encargó aquí, en la tierra. Algunos serán gobernadores de diez ciudades; otros reinarán en cinco ciudades. Todos reinaremos, pero la magnitud y la responsabilidad de ese reinado se determina aquí y ahora en su vida y en la mía.

Pregunta 9: La batalla de Gog y Magog, que menciona Apocalipsis 20:7-10, ¿es la misma que figura en los capítulos 38 y 39 de Ezequiel? Los capítulos 38 y 39 del libro de Ezequiel describen una enorme invasión ruso islámica de Israel en la venidera tribulación. A esta invasión suele llamársela la invasión de Gog y Magog, por el título de su jefe. El único otro pasaje en que la Biblia habla de Gog y Magog es en el Apocalipsis 20:8. Esta repetición ha llevado a que algunos crean que estos pasajes describen el mismo suceso. Sin embargo, yo creo que estos pasajes describen dos invasiones diferentes separadas por más de mil años.

Hay dos razones importantes para pensar que estos dos pasajes son diferentes. Primera, los capítulos 38 y 39 del libro de Ezequiel están en el contexto de la restauración (capítulos 33 a 39), seguidos por una descripción del templo y los sacrificios del milenio (capítulos 40 al 48). La invasión narrada en los capítulos 38 y 39 de Ezequiel es parte de la restauración de Israel, que ocurrirá cronológicamente antes que Cristo establezca oficialmente el reino milenial. En Apocalipsis 20:7-10 los sucesos encajan cronológicamente después del milenio.

Segundo, eliminar cadáveres y armas es un problema para los que igualan a Gog y Magog de los capítulos 38 y 39 de Ezequiel con Apocalipsis 20:7-10. El capítulo 39 de Ezequiel dice que se necesitan siete meses para enterrar los cadáveres (vv. 12,14), y siete años para quemar las armas del ejército (v. 9). En Apocalipsis 20 el próximo suceso después de la batalla de Gog y Magog será el juicio del gran trono blanco) (20:11-15). Todo los réprobos comparecerán ante el tribunal de Dios en este juicio, con cuerpos resucitados para escuchar su sentencia. Parece ilógico que Israel se pase siete meses enterrando muertos solo para que inmediatamente sean desenterrados para comparecer ante Dios.

Este análisis suscita otra pregunta de inmediato. Si estos dos pasajes no describen la misma invasión, entonces, ¿por qué Juan habla de "Gog y Magog" en Apocalipsis 20:8? Probablemente Juan usa este lenguaje familiar de los capítulos 38 y 39 de Ezequiel en la misma forma en nosotros usaríamos hoy *Waterloo* para referirnos a una derrota desastrosa. Cuando decimos que le llegó "su Waterloo" a una persona, no queremos decir que estuviera literalmente en la batalla de Waterloo de 1815. Sencillamente usamos un estereotipo familiar que realza la semejanza de los dos hechos. Juan usa *Gog y Magog* como una manera taquigráfica de describir lo que va a pasar.

En esencia, decía, "esto será como el Gog y Magog de Ezequiel 38 y 39. Una gran confederación de naciones invadirá Israel y será destruida por un juicio sobrenatural".

Por lo tanto, a pesar de la mención de Gog y Magog en ambos pasajes y, pese a las semejanzas de ellos, estas dos invasiones son diferentes entre sí y están separadas por mil años. La invasión de Gog y Magog, citada en Eze-

quiel 38 y 39 ocurrirá durante el período de la tribulación mientras que la de Apocalipsis 20:7-10 ocurrirá al final del milenio.

Pregunta 10: ¿Cómo puede el milenio ser mil años literales cuando el reino de Dios es eterno? Apocalipsis 20:1-7 manifiesta claramente seis veces que el reino de Cristo en la tierra durará mil años, después de su retorno glorioso. No obstante, en otros pasajes de la Escritura se dice que el reino de Cristo es eterno o para siempre (Daniel 7:14, 27; Apocalipsis 11:15). Esto ha llevado a que muchos concluyan que los mil años de Apocalipsis 20:1-7 no deben ser literales.

La mejor manera de solucionar esta aparente incoherencia es aceptar que ambas declaraciones son verdaderas: Cristo reinará mil años en su reino de esta tierra, y Cristo reinará para siempre. El futuro reino de Dios tiene dos partes o fases. La fase uno es el reino de Cristo en la tierra durante el milenio (Apocalipsis 20:1-7) y la fase dos es el estado eterno (Apocalipsis 22:5). Como lo escuché una vez: "el milenio es el vestíbulo de la eternidad".

LAS DIEZ PRINCIPALES PREGUNTAS GENERALES ACERCA DE LA VIDA DESPUÉS DE LA MUERTE

Pregunta 1: ¿Qué le pasa a la gente cuando muere? Ahora hay más norteamericanos que nunca, el 81%, que dicen creer que hay vida después de la muerte. La creencia en la vida después de la muerte en los norteamericanos católicos, judíos y los que no tienen afiliación religiosa ha aumentado significativamente desde comienzos del siglo veinte. Sin embargo, aunque haya más gente que profesa creer en la vida después de la muerte no parece que la mayoría tenga idea de lo que les pasará cuando mueran.

En la Biblia la muerte significa separación, no aniquilación. La persona espiritualmente muerta es la persona espiritualmente separada de Dios. Cuando la persona muere físicamente, no deja de existir; se separan la parte material (el cuerpo) y la inmaterial (el espíritu o alma) de la persona.

Cuando ocurre esta separación, el cuerpo "duerme" y se pone a descansar, pero la parte inmaterial de la persona se va inmediatamente a uno de dos lugares, dependiendo de la relación de la persona con Cristo.

El espíritu del creyente muerto en Cristo va inmediatamente a la presencia del Señor.

- Había cierto hombre rico que se vestía de púrpura y lino fino, celebrando cada día fiestas con esplendidez. Y un pobre llamado Lázaro yacía a s su puerta cubierto de llagas, ansiando saciarse de las migajas que caían de la mesa del rico; además, hasta los perros venían y le lamían las llagas. Y sucedió que murió el pobre y fue llevado por los ángeles al seno de Abraham. (Lucas 16:19-22)

- Pero cobramos ánimo y preferimos más bien estar ausentes del cuerpo y habitar con el Señor. (2 Corintios 5:8)

- Pues para mí, el vivir es Cristo y el morir es ganancia. Pues de ambos lados me siento apremiado, teniendo el deseo de partir y estar con Cristo, pues eso es mucho mejor. (Filipenses 1:21, 23)

- Porque si creemos que Jesús murió y resucitó, así también Dios traerá con Él a los que durmieron en Jesús. Por lo cual os decimos esto por la palabra del Señor: que nosotros los que estemos vivos y que permanezcamos hasta la venida del Señor, no precederemos a los que durmieron. Pues el Señor mismo descenderá del cielo con voz de mando, con voz de arcángel y con la trompeta de Dios, y los muertos en Cristo se levantarán primero. (1 Tesalonicenses 4:14-16)

Cuando muere el no creyente, su espíritu inmediatamente va al hades donde sufre conscientemente el tormento. En la parábola del Rico y Lázaro de Lucas 16:19-31, cuando el rico incrédulo murió, su alma fue trasladada inmediatamente al hades. "El rico también murió y fue sepultado, y su alma fue al lugar de los muertos". Allí, en los tormentos, vio a Lázaro en el seno de Abraham (Lucas 16:22-23). Ante el gran trono blanco, los cuerpos de todos los perdidos resucitarán y se unirán con sus espíritus para comparecer ante el juez del universo.

Pregunta 2: ¿Qué de las experiencias de las casi muertes? Algunos de los libros de mayor venta de la última década tratan las experiencias de las casi muertes, como *Embraced by the Light* y *Saved by the Light* han captado la atención de millones de personas que quieren atisbar detrás del velo de la muerte para tener una idea previa de la vida después de la muerte.

Hay dos puntos importantes sobre la vida después de la muerte que importa entender. Primero, es crucial fijarse que se las denomina "experiencias de la casi muerte", no 'muerte' ni 'experiencias de la vida después de la muerte'. El hecho que la persona regrese del estado en que haya estado prueba que no se murió en realidad. Por lo tanto, no debemos asignar valor alguno a lo que esta persona se proponga decirnos sobre la vida después de la muerte. Al fin y al cabo esta persona estuvo solamente *cerca* de la muerte. No muerta. Resulta ridículo que una mujer le cuente a otra su experiencia de su "casi embarazo". La idea causa risa. Todos sabemos que la mujer está o no está embarazada. Lo mismo con la muerte, uno está o no está muerto. Como dijo un escritor, las experiencias de la casi muerte "no nos dicen más sobre la muerte de lo que pudiera decirnos de Denver alguien que haya estado cerca de esa ciudad, pero nunca dentro de sus límites. Ambas experiencias del estilo casi (entrada en Denver y la muerte) están desprovistas de toda certeza... en ambos casos, hay disponibles mapas más confiables".[11]

La única gente que en realidad volvió de la muerte son las pocas personas resucitadas por nuestro Señor o por uno de sus profetas o discípulos que nombra la Biblia. Ninguna escribió un libro sobre su experiencia ni anduvo dando conferencias por todas partes. Hasta el apóstol Pablo, arrebatado al cielo en una ocasión, no reveló las cosas que vio allá (2 Corintios 12:1-5).

Segundo, el único mapa confiable de la vida después de la muerte es la Biblia, que define la muerte como separación del espíritu del cuerpo (Santiago 2:26). La muerte física verdadera ocurre solamente una vez a cada persona (Hebreos 9:27). Además, gran parte de la especulación ociosa referida a esas experiencias de la casi muerte suena más a ocultismo y Nueva Era que a Biblia. Si queremos saber de la vida después de la muerte, debemos recurrir a la Palabra de Dios y satisfacernos con lo que él haya decidido revelarnos sobre el cielo y el infierno.

Yo le sugiero a quien desee saber más de la vida después de la muerte, que lea la parábola del rico y Lázaro registrada en Lucas 16:19-31 y la descripción del cielo de los capítulos 21 y 22 del Apocalipsis.

Pregunta 3: ¿Cómo es el infierno?   La revista norteamericana USA Today suele publicar en primera página estadísticas que moldean a esa nación. En 1998 presentó datos interesantes tocante a las respuestas dadas a esta pregunta: ¿existe el infierno? El cincuenta y dos por ciento de los adultos están seguros de que el infierno existe; el veintisiete por ciento piensa que pudiera existir. Los encuestadores preguntaron enseguida la opinión de la gente acerca de cómo creen que sea el infierno. El cuarenta y ocho por ciento cree que es un lugar real donde la gente sufre tormento eterno; el cuarenta y seis por ciento dice que es un estado angustioso del existir más que un lugar real; y el seis por ciento no sabe.

239

Muchos han armado sus propias teorías acerca del infierno. El distinguido teólogo Woody Allen dijo una vez: "el infierno es Manhattan en la hora de mayor tráfico. No cabe ahí preguntarse si existe un mundo invisible. La pregunta es cuál es la distancia al centro y hasta qué' hora sigue abierto".

Aunque se hagan chistes sobre el infierno, se lo tome a la ligera y se fabriquen teorías propias acerca de si siquiera existe, la Biblia nos da la aterradora visión que Dios tiene del infierno. Y eso no es materia de risa. La Biblia nunca nos da una descripción detallada completa de cómo es el infierno, pero da diversos hechos aterradores que debieran llevarnos a la sensatez. He aquí diez hechos terribles acerca del infierno.

HECHO 1: EL INFIERNO ES UN LUGAR LITERAL.   En la parábola del rico y Lázaro, de Lucas 16:19-31, se describe el infierno o el Hades como un lugar literal donde el rico impío fue inmediatamente al morir. La palabra *gehena* (infierno) en el Nuevo Testamento once de doce veces aparece en los labios del Salvador. No se equivoque, Jesús creía en el infierno literal. Habló del infierno más que cualquier otra persona de la Biblia. Jesús es nuestra fuente primordial sobre cómo es el infierno.

HECHO 2: EL INFIERNO ES UN LUGAR DIVIDIDO EN CUATRO PARTES POR LO MENOS   Hay cuatro palabras diferentes del griego usadas en el Nuevo Testamento para describir el infierno. Cada una da una visión única de este lugar horrible:

1. Abismo o abismo sin fondo (nueve veces en el griego del Nuevo Testamento): Actual lugar de confinamiento de algunos demonios, los que quedarán sueltos por cinco meses durante la tribulación para atormentar a los réprobos (Apocalipsis 9:1-5). También es el lugar donde Satanás permanecerá atado durante el reino milenial (Apocalipsis 20:1-3).

2. Tártaro (una vez en el griego del Nuevo Testamento - 2 Pedro 2:4 "fosos de tinieblas"): El Tártaro es un lugar de confinamiento permanente donde están encerrados los ángeles que pecaron en Génesis 6:1-4, hasta que sean, finalmente, arrojados al lago de fuego (Judas 1:6-7)

3. Hades (diez veces en el griego del Nuevo Testamento): Es el lugar donde están actualmente confinadas las almas de los perdidos mientras esperan el día del juicio final.

4. Gehena (doce veces en el griego del Nuevo Testamento): Este es el lugar definitivo de tormento para Satanás, los demonios y todos los perdidos (Apocalipsis 20:10, 14-15). También se llama Gehena "al lago de fuego que hierve con azufre" (Apocalipsis 20:10), "el lago de fuego" (Apocalipsis 20:14) y "la muerte segunda" (Apocalipsis 20:6, 14). Se le dice la muerte segunda porque es el lugar de la separación eterna y definitiva de Dios.

HECHO 3: EL INFIERNO ES UN LUGAR DE RECUERDOS   En el infierno se sigue consciente y la persona se da cuenta de inmediato dónde se encuentra. Lucas 16:19-31 indica que el rico supo inmediatamente dónde estaba. También habrá conciencia de identidad: El rico sabía quien era. También habrá recuerdos: el rico recordaba a sus cinco hermanos y a Lázaro.

HECHO 4: EL INFIERNO ES UN LUGAR DE TORMENTO CONSCIENTE   La peor parte del infierno es que habrá tormento y agonía. EL rico dijo, "Soy atormentado en esta llama" (Lucas 16:24). Describió al Hades como "este lugar de tormento" (16:28).

HECHO 5: EL INFIERNO ES UN LUGAR DE FUEGO INEXTINGUIBLE

- *El Hijo del Hombre enviará a sus ángeles, y recogerán de su reino a todos los que son piedra de tropiezo y a los que hacen iniquidad; y los echarán en el horno de fuego; allí será el llanto y el crujir de dientes. (Mateo 13:41-42)*

- *Y si tu ojo te es ocasión de pecar, sácatelo; te es mejor entrar al reino de Dios con un solo ojo, que teniendo dos ojos ser echado al infierno, donde el gusano de ellos no muere, y el fuego no se apaga. (Marcos 9:47-48)*

- *Estoy en agonía en esta llama. (Lucas 16:24)*

HECHO 6: EL INFIERNO ES UN LUGAR DE SEPARACIÓN DE DIOS "Estos sufrirán el castigo de eterna destrucción, excluidos de la presencia del Señor y de la gloria de su poder" (2 Tesalonicenses 1:9).

HECHO 7: EL INFIERNO ES UN LUGAR DE TRAGEDIA, PENA, RABIA Y FRUSTRACIÓN INDECIBLES. "y los echarán en el horno de fuego; allí será el llanto y el crujir de dientes" (Mateo 13:42).

HECHO 8: EL INFIERNO ES UN LUGAR DE INTENSA SED INSATISFECHA "Gritando, dijo: Padre Abraham, ten misericordia de mí, y envía a Lázaro para que moje la punta de su dedo en agua y refresque mi lengua, pues estoy en agonía en esta llama" (Lucas 16:24).

HECHO 9: EL INFIERNO ES EL ÚNICO LUGAR PARA PASAR LA ETERNIDAD, ADEMÁS DEL CIELO En otras palabras, solamente hay dos lugares donde la gente va después de morir: el paraíso o la perdición. No hay lugares intermedios. No hay tercera opción. El rico fue al Hades; Lázaro fue al paraíso. Hoy esas siguen siendo las únicas dos opciones.

HECHO 10: EL INFIERNO ES EL LUGAR DEL CUAL NO SE ESCAPA Nada puede cambiar el destino de la persona después de la muerte. No hay purgatorio, no hay segunda oportunidad, no hay libertad bajo palabra por buena conducta, no existe la graduación. Como dice el viejo refrán: "Como nos sorprende la muerte, así nos mantiene la eternidad. El infierno es la verdad entendida demasiado tarde".

El perdido nunca puede ir al cielo y el salvado nunca puede terminar en el infierno. Recuerde las palabras de Abraham al rico que estaba en el Hades, "Y además de todo esto, hay un gran abismo puesto entre nosotros y vosotros, de modo que los que quieran pasar de aquí a vosotros no puedan, y tampoco nadie pueda cruzar de allá a nosotros" (Lucas 16:26). ¡El infierno es un lugar de destino final!

Pregunta 4: ¿Es eterno el castigo en el infierno? La doctrina del infierno es el tema más perturbador de la Biblia sin duda alguna, y la verdad más perturbadora sobre el infierno es su duración. La mayoría de la gente no se molesta por la idea de que la gente sea castigada por sus pecados y malas obras, pero les resulta repugnante la idea de que el infierno dure para siempre. Por esta razón muchos tratan de suavizar esta verdad adoptando un enfoque menguado y benévolo del infierno.

En los últimos años se han popularizado dos enfoques erróneos sobre el destino del réprobo. El primero es el de la aniquilación que enseña que todas las almas son inmortales, pero que el réprobo pierde su inmortalidad en el juicio final y Dios los extingue. Para el partidario de la aniquilación el castigo del perdido es la extinción eterna.

El segundo enfoque incorrecto es la inmortalidad condicionada que enseña que las almas humanas no son inherentemente inmortales y que el juicio del incrédulo pasa al olvido total mientras al justo se le otorga la inmortalidad.

La Biblia enseña claramente que el castigo en el infierno durará para siempre aunque los dos enfoques (erróneos) ciertamente sean más atractivos para la mente humana. El griego *aionios* traducido como "eones" "eterno" "perdurable" se halla sesenta y seis veces en el Nuevo Testamento. Cincuenta y una veces se emplea relacionado con la felicidad del salvo en el cielo. Se emplea para connotar la calidad y la cantidad de vida que los creyentes tendrán con Dios. La palabra se usa dos veces más en una forma que nadie objetaría que significa para siempre. Las otras siete veces se usa en relación con el destino del impío; no debiera caber duda en una mente objetiva que la palabra significa "eterno" "por siempre" o "sin fin" en esos pasajes.

Una de las referencias más claras del Nuevo Testamento a la eternidad del castigo en el infierno es Apocalipsis 14:10-11: "Será atormentado con fuego y azufre delante de los santos ángeles y en presencia del Cordero. Y el humo de su tormento asciende por los siglos de los siglos; y no tienen reposo, ni de día ni de noche".

Mateo 25:46 describe el cielo y el infierno como eternos: "Y éstos irán al castigo eterno, pero los justos a la vida eterna". Limitar el significado de la eternidad para el condenado significa que uno debe también limitarla para el salvado.

Copié estas palabras de un sermón de Charles Spurgeon, pronunciado hace muchos años. Expresan poderosamente el terror y la desesperación atenazante que produce la eternidad del infierno:

> *No hay esperanza en el infierno. Ni siquiera tienen la esperanza de morir; la esperanza de ser aniquilados. Están perdidos por siempre, para siempre y siempre. En cada cadena del infierno está escrito "para siempre". Sobre sus cabezas se lee "para siempre". Sus ojos están heridos y sus corazones apesadumbrados con el*

pensamiento de que es 'para siempre'. Oh, si pudiera decirles esta noche que el infierno acabará de consumirse un día y que los perdidos podrán ser salvos, habría un festival jubilosos en el infierno con esa sola idea. Pero no puede ser. Es para siempre. Ellos han sido arrojados a las tinieblas más profundas.

Conocer el terrible juicio que espera al perdido debiera hacer que nosotros les rogáramos que se reconcilien con Dios (2 Corintios 5:20-21). 243

Pregunta 5: ¿Habrá niveles de castigo en el infierno?   Cuando consideramos el juicio del tribunal de Cristo, vimos que habrá variados grados de recompensa para los creyentes en el cielo. La Biblia enseña, por igual, que habrá grados de castigo en el infierno para los incrédulos, sobre la base de la cantidad y la naturaleza del pecado cometido y de la luz que fue rechazada. El mismo Jesús enseñó que habrá grados de castigo en el infierno:

- *En verdad os digo que en el día del juicio será más tolerable el castigo para la tierra de Sodoma y Gomorra que para esa ciudad. (Mateo 10:15)*

- *Entonces comenzó a increpar a las ciudades en las que había hecho la mayoría de sus milagros, porque no se habían arrepentido. ¡Ay de ti, Corazín! ¡Ay de ti, Betsaida! Porque si los milagros que se hicieron en vosotras se hubieran hecho en Tiro y en Sidón, hace tiempo que se hubieran arrepentido en cilicio y ceniza. Por eso os digo que en el día del juicio será más tolerable el castigo para Tiro y Sidón que para vosotras. Y tú, Capernaúm, ¿acaso serás elevada hasta los cielos? ¡Hasta el Hades descenderás! Porque si los milagros que se hicieron en ti se hubieran hecho en Sodoma, ésta hubiera permanecido hasta hoy. Sin embargo, os digo que en el día del juicio será más tolerable el castigo para la tierra de Sodoma que para ti. (Mateo 11:20-24)*

- *El señor de aquel siervo llegará un día, cuando él no lo espera y a una hora que no sabe, y lo azotará severamente, y le asignará un lugar con los incrédulos. Y aquel siervo que sabía la voluntad de su señor, y que no se preparó ni obró conforme a su voluntad, recibirá muchos azotes; pero el que no la sabía, e hizo cosas que merecían castigo, será azotado poco. A todo el que se le haya dado mucho, mucho se demandará de él; y al que mucho le han confiado, más le exigirán. (Lucas 12:46-48)*

En el juicio del gran trono blanco, el Señor abrirá "los libros" que contienen todas las obras del perdido (Apocalipsis 20:11-12). El Señor castigará exactamente a la medida del delito anotado en esos libros.

Pregunta 6: El cielo ¿es un lugar real? La palabra *cielo* se halla 550 veces en la Biblia. Es una palabra genérica que describe tres "cielos" diferentes que existen. El primero es el atmosférico, el segundo es el celestial o estelar y el tercero es el cielo divino (la habitación o residencia de Dios). Al contrario de la creencia popular no existe el "séptimo cielo".

Cuando hablamos del cielo solemos referirnos al cielo divino o tercer cielo: el lugar donde habita Dios. La Biblia nos dice que este tercer cielo es tan real como el primero y el segundo que podemos ver. Hay seis razones por las cuales yo creo que el cielo es un lugar literal que existe en este momento:

1. Jesús dice que el cielo es "la casa del Padre" y que él fue a preparar "lugar" para los suyos (Juan 14:1-3).
2. Apocalipsis 21:9-22:5 describe el cielo con detalles majestuosos, gloriosos, fascinantes que hablan de un lugar literal con paredes, puertas, cimientos y una calle.
3. Jesús enseña que el cielo es la habitación o residencia actual de Dios (Mateo 10:32-33).
4. Pablo visitó el "tercer cielo" donde habita Dios (2 Corintios 12:2).
5. Nuestra ciudadanía está en el cielo (Filipenses 3:20-21).
6. El cielo es nuestra "patria celestial" (Hebreos 11:16).

Expresiones bíblicas del cielo
- La casa de Mi Padre (Juan 14:2)
- La ciudad del Dios vivo (Hebreos 12:22)
- Monte Sion (Hebreos 12:22)
- Paraíso (Lucas 23:43; 2 Corintios 12:4; Apocalipsis 2:7
- El tercer cielo (2 Corintios 12:2)
- El lugar mejor (Hebreos 11:16)
- La patria celestial (Hebreos 11:16)
- La ciudad celestial (Hebreos 11:16)

Pregunta 7: ¿Nos conoceremos unos a otros en el cielo? Casi toda persona se hace esta pregunta en uno u otro momento de la vida. Queremos saber si reconoceremos a nuestros amigos y seres queridos en el cielo y si ellos nos reconocerán. Bueno, le tengo una buena noticia: *conoceremos* a nuestros amigos y seres queridos en el cielo. No nos conoceremos realmente los unos a los otros *hasta* que lleguemos al cielo. Nos conoceremos los unos a los otros solamente en el cielo cuando sean arrancadas todas las máscaras y las fachadas, y disfrutemos de la confraternización íntima y sin estorbos.

El pasaje principal que revela que nos reconoceremos los unos a los otros en el cielo es Lucas 19:19-31. Acuérdese que en esa parábola el rico reconoce a Lázaro en el cielo y recuerda todos los detalles de la relación que tuvieron en la tierra. El rico hasta se acuerda de sus cinco hermanos que aún están en la tierra.

Además, la Escritura indica que hasta reconoceremos a personas que nunca conocimos aquí en la tierra. Pedro supo en la transfiguración de Jesús que los otros dos varones eran Elías y Moisés (Mateo 17:1-4). Evidentemente Pedro nunca conoció a Moisés ni a Elías. ¿Cómo supo quiénes eran? Pareciera que tuvo un conocimiento intuitivo que le capacitó para saber de inmediato quienes eran. Creo que será lo mismo en el cielo. Todo el pueblo del Señor tendrá este conocimiento intuitivo que nos capacitará para reconocer a nuestros amigos y seres queridos como también a los redimidos de todas las épocas. ¡En el cielo nunca nos toparemos con un extraño!

Pregunta 8: ¿Qué haremos en el cielo?   Esta pregunta es muy frecuente aunque adopta diversas formas como ¿habrá fútbol americano en el cielo? ¿Podré jugar golf en el cielo? ¿Me aburriré en el cielo? ¿Estaré todo el día sentado en una nube tocando un arpa?

La Biblia se enfoca en seis actividades principales que ejecutaremos en el cielo aunque no nos dice todo lo que quisiéramos saber tocante a lo que haremos allá:[12]

1. Adoraremos sin distraernos (Apocalipsis 4:8-11; 7:10; 11:16-18; 15:2-4; 19:1-8)
2. Serviremos sin agotarnos (Apocalipsis 7:14-15; 22:3)
3. Gobernaremos sin fallar (Lucas 19:17, 19; 1 Corintios 6:3; Apocalipsis 22:5)
4. Confraternizaremos sin sospechas (Mateo 8:11)
5. Aprenderemos sin cansarnos (1 Corintios 13:12)
6. Descansaremos sin aburrirnos (Apocalipsis 14:13)

Pregunta 9: ¿Qué clase de cuerpo tendremos en el cielo? Todos esperamos obtener un cuerpo nuevo en el cielo. Esto rige especialmente para la gente que sufre una o más de las molestias de la vejez: calvicie, presbicia y las otras alteraciones de la visión, dientes postizos, vientre abultado y juanetes. Todos llegamos a un punto de la vida en que nos miramos al espejo y decimos "Espejito, espejito, ¡qué broma es esta!"

Empezamos a anhelar la gloria cuando el cuerpo comienza a desmoronarse. Anhelamos con fervor nuestro cuerpo perfecto, remodelado y perfecto del cielo. Como dice Pablo:

> *Porque sabemos que si la tienda terrenal que es nuestra morada, es destruida, tenemos de Dios un edificio, una casa no hecha por manos, eterna en los cielos. Pues, en verdad, en esta morada gemimos, anhelando ser vestidos con nuestra habitación celestial.*
> *(2 Corintios 5:1-2)*

A menudo tenemos más preguntas que respuestas cuando empezamos a pensar en nuestros futuros cuerpos resucitados. La Biblia no satisface nuestra curiosidad tocante a cada detalle, pero nos da una idea básica de como será nuestro nuevo cuerpo glorificado.

En lo general, sabemos que el cuerpo nuevo será como el glorificado cuerpo resucitado de Jesús.

- *Porque nuestra ciudadanía está en los cielos, de donde también ansiosamente esperamos a un Salvador, el Señor Jesucristo, el cual transformará el cuerpo de nuestro estado de humillación en conformidad al cuerpo de su gloria, por el ejercicio del poder que tiene aun para sujetar todas las cosas a sí mismo. (Filipenses 3:20-21)*

- *Amados, ahora somos hijos de Dios y aún no se ha manifestado lo que habremos de ser. Pero sabemos que cuando Él se manifieste, seremos semejantes a Él porque le veremos como Él es. (1 Juan 3:2)*

¿Cómo era el cuerpo resucitado de Cristo? Comía. Sus discípulos le reconocieron. Tenía cicatrices. No estaba limitado por el espacio. En dos ocasiones Jesús atravesó directamente las paredes de la habitación donde estaban reunidos los discípulos (Juan 20:19, 26). Nuestros cuerpos futuros serán como el cuerpo resucitado de Jesús y seremos capaces de hacer las mismas cosas que él hizo en su cuerpo. En 1 Corintios 15:35, 42-49 la Biblia especifica varios hechos clave acerca del cuerpo futuro:

Pero alguno dirá: ¿Cómo resucitan los muertos? ¿Y con qué clase de cuerpo vienen? ... Así es también la resurrección de los muertos. Se siembra un cuerpo corruptible, se resucita un cuerpo incorruptible; se siembra en deshonra, se resucita en gloria; se siembra en debilidad, se resucita en poder; se siembra un cuerpo natural, se resucita un cuerpo espiritual. Si hay un cuerpo natural, hay también un cuerpo espiritual.

Así también está escrito: El primer hombre, Adán, fue hecho alma viviente. El último Adán, espíritu que da vida. Sin embargo, el espiritual no es primero, sino el natural; luego el espiritual. El primer hombre es de la tierra, terrenal; el segundo hombre es del cielo. Como es el terrenal, así son también los que son terrenales; y como es el celestial, así son también los que son celestiales. Y tal como hemos traído la imagen del terrenal, traeremos también la imagen del celestial.

Siete hechos fabulosos del cuerpo futuro

1. Nunca morirá ni se deteriorará. Será imperecedero.
2. Estará perfectamente adaptado a nuestro nuevo ambiente. Será un cuerpo "celestial"
3. Será único y diferente del cuerpo del prójimo: "Hay una gloria del sol, y otra gloria de la luna, y otra gloria de las estrellas; pues una estrella es distinta de otra estrella en gloria. Así es también la resurrección de los muertos" (1 Corintios 15:41,42).
4. Será glorioso – "lleno de gloria". Nunca nos decepcionará.
5. Será fuerte.
6. Será espiritual.
7. Será como el cuerpo resucitado de Cristo.

Lo mejor de nuestro cuerpo nuevo está en 1 Corintios 15:43 que dice que nuestro cuerpo estará lleno de gloria y nunca nos decepcionará. En esta vida siempre hay una parte del cuerpo de todos que quisiéramos cambiar (quizá varias partes). Quizá sea el peso, la estatura, el pelo, los rasgos faciales o lo que sea. La cultura acentúa tales imperfecciones al poner tanta atención en el aspecto físico. Diariamente nos bombardean las imágenes ideales de gente bella y bien hecha, pero en el cielo no habrá dietas de moda, ni empresas que le ayudan a vigilar el peso (no engordar), nada de aeróbica, ni bicicletas para ejercicio, ni entrenadores personales, ni terapeutas físicos, nada de aparatos para hacer gimnasia, ni gimnasios para hacer pesas, ni saunas, ni pistas para trotar, ni alimentos con poca grasa, ni bebidas dietéticas ni cirujanos plásticos. Dios dará a cada uno de sus hijos el cuerpo nuevo, perfecto, diferente, único y glorioso que nunca decepcionará. ¡Piense lo maravilloso que será!

Pregunta 10: ¿Cómo puedo estar seguro de irme al cielo? Dejé esta pregunta para el final por ser absolutamente la más importante que una persona puede hacerse. Saber con seguridad dónde se pasará la eternidad reviste una importancia infinitamente mayor que cualquier otro tema que usted pudiera considerar. Si todavía no tiene la seguridad de irse al cielo cuando muera, permita que le dé a conocer unos cuantos puntos sencillos.

La Palabra de Dios declara que todos somos pecadores por naturaleza y por comportamiento (Romanos 3:2). La Biblia también declara que Dios es infinitamente santo, recto y justo; que Dios no puede aceptar pecadores en su santa presencia. Recuerde que solo se necesitó un pecado para que Adán y Eva fuesen expulsados del huerto del Edén. Como puede darse cuenta, este es un problema tremendo. ¿Cómo puede un Dios santo aceptar seres humanos pecadores?

En su infinita sabiduría y gracia Dios formuló un plan para solucionar el problema. Dios Hijo acordó salir de la eternidad entrando al tiempo, asumir la humanidad, llevar la vida sin pecado que nosotros nunca pudimos llevar, y morir en lugar del pecador. Él cargó con todos nuestros pecados y pagó el precio eterno de ellos, soportando toda la ira del Padre en la cruz por nosotros. Al morir, Jesús exclamó: "¡Consumado es!" (Juan 19:30). Entonces, al tercer día, el Padre levantó al Hijo de entre los muertos para probar que había aceptado el pago completo de nuestros pecados. Debido a la obra consumada de Cristo ahora es posible que los pecadores tengamos una relación con el Dios santo. Se hizo la provisión completa por el pecado: "Todos nosotros nos descarriamos como ovejas, nos apartamos cada cual por su camino; pero el Señor hizo que cayera sobre Él la iniquidad de todos nosotros" (Isaías 53:6).

Todo lo que queda por hacer para que usted se relacione con el Dios santo para siempre, es reconocer tres cosas clave: (1) *Soy pecador* - admito que he pecado y he quebrantado la ley de Dios; (2) *Necesito un Salvador* - reconozco que no hay nada que yo pueda hacer por mí mismo para ganarme la salvación o merecerla; mis buenas obras nunca pueden quitar mis pecados; y, (3) *Jesús es mi Salvador* — *recibo y acepto personalmente a*

Jesucristo como mi Salvador del pecado. Así de simple: solo invoque a Jesús y pídale que sea su Salvador.

Lea con todo cuidado estas palabras de la Escritura y pídale a Dios que se las aclare bien en su corazón y mente:

- *Pero a todos los que le recibieron, les dio el derecho de llegar a ser hijos de Dios, es decir, a los que creen en su nombre (Juan 1:12)*

- *Porque la paga del pecado es muerte, pero la dádiva de Dios es vida eterna en Cristo Jesús Señor nuestro. (Romanos 6:23)*

- *Porque por gracia habéis sido salvados por medio de la fe, y esto no de vosotros, sino que es don de Dios; no por obras, para que nadie se gloríe. (Efesios 2:8-9)*

Usted puede recibir personalmente a Jesucristo como su Salvador en este mismo momento, mientras lee estas palabras, siguiendo los tres pasos arriba indicados. Dios le ofrece el regalo de la vida eterna. No espere. Reciba ahora al Salvador. Acepte el regalo que Dios le ofrece. Esta es la decisión más grandiosa que usted pueda hacer. Cuando crea en Cristo inmediatamente tendrá un lugar reservado en cielo para usted (1 Pedro 1:4). Desde este momento en adelante puede tener la seguridad absoluta de irse al cielo en el arrebatamiento o cuando el Señor lo llame a casa.

El libro completo sobre profecía bíblica

[1] John F. Walvoord, *Israel in Prophecy* (Grand Rapids: Zondervan Publishing House, 1962), 26.

[2] Estas estadísticas fueron citadas en una conferencia sobre liderazgo en la Universidad Liberty, octubre 1997.

[3] Thomas Ice y Randall Price, *Listos para reedificar* (Editorial Unilit, Miami, Florida).

[4] Mark Chalemin, *Deciphering the Bible Code* (Richardson, TX: Renewal Radio, 1998) 10.

[5] *Newsweek* 9 de junio de 1997, 67.

[6] Donald Grey Barnhouse, *Thessalonians: An Expositional Commentary* (Grand Rapids: ZondervanPublishing House, 1977) 99-100.

[7] Estos tres puntos se adaptaron de Arnold G. Fruchtenbaum: *The Footsteps of the Messiah: A Study of the Sequence of Prophetic Events* (Tustin CA: Ariel Ministries, 1983) 137-141.

[8] Estos cinco indicios se tomaron de Arnold G. Fruchtenbaum: *The Footsteps*, 173.

[9] Ibid, 173.

[10] Jeane Dixon, *My Life and Prophecies* (William Marrow & Co., 1969), 179-180

[11] Christianity Today 7 de octubre de 1998, 20.

[12] Estos seis puntos se citan de Thomas Ice y Timothy Demy, *The Truth about Heaven and Eternity* (Eugene ORE: Harvest House Publishers, 1997), 17-18.

PROPUESTA CRONOLÓGICA PARA LOS ÚLTIMOS TIEMPOS

I. Acontecimientos en el cielo

    A. El arrebatamiento de la iglesia (1 Corintios 15:51-58; 1 Tesalonicenses 4:13-18; Apocalipsis 3:10)

    B. El juicio del tribunal de Cristo (Romanos 14:10; 1 Corintios 3:9-15; 4:1-5; 9:24-27; 2 Corintios 5:10)

    C. Las bodas del Cordero (2 Corintios 11:2; Apocalipsis 19:6-8)

    D. Dos cánticos especiales (Apocalipsis 4-5)

    E. El Cordero recibe el rollo con los siete sellos (Apocalipsis 5:1-14)

II. Acontecimientos en la tierra

    A. Siete años de la Tribulación

        1. Comienzos de la Tribulación

            a. Los siete años de la Tribulación empiezan cuando el anticristo firma un pacto con Israel, el que llevará paz a Israel y Jerusalén (Daniel 9:27; Ezequiel 38:8, 11)

            b. Se reconstruye el templo judío de Jerusalén (Daniel 9:27; Apocalipsis 11:1)

            c. El Imperio Romano reorganizado surge como una confederación de diez naciones (Daniel 2:40-44; 7:7; Apocalipsis 17:12)

        2. Primera mitad (tres años y medio) de la Tribulación

            a. Jesús abre los siete sellos del juicio (Apocalipsis 6:1-17; 18:1-5)

            b. Los 144,000 creyentes judíos empiezan su gran ministerio evangelizador (Apocalipsis 7:1-8)

        3. A mediados de la Tribulación

            a. Gog y sus aliados invaden Israel y Dios los destruye completamente (Daniel 11:40-45; Ezequiel 38-39)

El libro completo sobre profecía bíblica

252

b. El anticristo rompe su pacto con Israel e invade la tierra (Daniel 9:27; 11:40-41)

c. El anticristo empieza a consolidar su imperio saqueando a Egipto, Sudán y Libia, cuyos ejércitos Dios acaba de destruir en Israel (Daniel 11:42-43; Ezequiel 38-39)

d. El anticristo se entera de noticias inquietantes mientras está en África del Norte, noticias referidas a la insurrección en Israel; regresa inmediatamente para destruir y aniquilar a muchos (Daniel 11:44)

e. El anticristo instala la abominación desoladora en el templo reconstruido de Jerusalén (Daniel 9-27; Mateo 24:15; 2 Tesalonicenses 2:4; Apocalipsis 13:5, 15-18)

f. En algún momento en que ocurren estos hechos, el anticristo sufre una muerte violenta, posiblemente como resultado de una guerra o asesinato (Daniel 11:45; Apocalipsis 13:3, 12, 14; 17:8)

g. Satanás es expulsado del cielo y comienza a hacerle la guerra a la mujer, Israel (Apocalipsis 12:7-13). El medio principal que usa para perseguir a Israel es el de las dos bestias de Apocalipsis 13

h. El remanente judío fiel huye a Petra, en la moderna Jordania, donde son protegidos divinamente por lo que queda de la Tribulación (Mateo 24:16-20; Apocalipsis 12:15-17)

i. El anticristo es levantado desde los muertos en forma milagrosa para asombro de todo el mundo estupefacto (Apocalipsis 13:3).

j. Después de la resurrección el anticristo obtiene el control político de los diez reyes del reorganizado Imperio Romano. El anticristo mata a tres de esos reyes y los restantes siete se le someten (Daniel 7:24; Apocalipsis 17:12-13)

k. Los dos testigos empiezan su ministerio de tres años y medio (Apocalipsis 11:2-3)

4. Ultima mitad de la Tribulación (tres años y medio)

a. El anticristo blasfema de Dios y el falso profeta hace grandes señales y prodigios promoviendo el falso culto de adoración al Anticristo (Apocalipsis 13:5, 11-15)

b. El falso profeta presenta e impone la marca de la Bestia (666) (Apocalipsis 13:16-18)

c. El anticristo totalmente dinamizado por Satanás, domina al mundo en lo político, económico y religioso (Apocalipsis 13:4-5, 15-18)

    d. Se desencadenan los juicios de las trompetas hasta la mitad final de la Tribulación (Apocalipsis 8-9)

    e. Satanás intensifica su persecución incansable y despiadada de los judíos y de los gentiles que haya en la tierra, sabiendo que le queda poco tiempo (Daniel 7:25; Apocalipsis 12: 12; 20:4.

  5. El final de la Tribulación

    a. Se derraman las copas de juicio en rápida sucesión (Apocalipsis 16:1-21).

    b. Babilonia es destruida (Apocalipsis 17-18)

    c. Empieza la campaña del Armagedón (Apocalipsis 16:16)

    d. El anticristo mata a los dos testigos y Dios hace su resurrección a los tres días y medio (Apocalipsis 11:7-12)

    e. Cristo regresa al monte de los Olivos y destruye a los ejércitos acampados en todo el territorio, desde Meguido a Petra (Apocalipsis 19:11-16; Isaías 34:1-6; 63:1-5)

    f. Las aves se juntan para comer la carnicería (Apocalipsis 19:17-18)

  6. Período posterior a la Tribulación (intervalo o transición de setenta y cinco días - Daniel 12:12)

    a. El anticristo y el falso profeta son arrojados al lago de fuego (Apocalipsis 19:20-21)

    b. Se saca del templo la abominación desoladora (Daniel 12:11)

    c. Se reorganiza Israel (Mateo 24:31)

    d. Dios juzga a Israel (Ezequiel 20:30-39; Mateo 25:1-30)

    e. Dios juzga a los gentiles (Mateo 25:31-46)

    f. Satanás es atado en el abismo (Apocalipsis 20:1-3)

    g. Dios hace la resurrección de los santos del Antiguo Testamento y de la Tribulación (Daniel 12:1-3; Isaías 26:19; Apocalipsis 20:4)

B. Mil años de reinado de Cristo en la tierra (Apocalipsis 20:4-6)

C. La revuelta y derrota definitivas de Satanás (Apocalipsis 20:7-10)

D. El juicio del gran trono blanco (juicio de los perdidos - Apocalipsis 20:11-15)

E. La destrucción del cielo y la tierra actuales (Mateo 24:35; 2 Pedro 3:3-12; Apocalipsis 21:1)

F. Creación del cielo nuevo y la tierra nueva (Isaías 65:17; 66:22; 2 Pedro 3:13; Apocalipsis 21:1-8)

G. Eternidad (Apocalipsis 21:9-22:5

Índice